Día de paga

Elvin Post

Día de paga

alea

Título original: *Groene Vrijdag*
Originalmente publicado en neerlandés, en 2004, por Ambo/Anthos, Amsterdam

Esta edición ha sido publicada con permiso de Linda Michaels Limited, International Literary Agents

Traducción de María Lerma

Diseño de cubierta: Idee
Imagen de cubierta: Archivo Idee

© 2004 by Elvin Post
© 2007 de la traducción, María Lerma
© 2007 de todas las ediciones en castellano,
   Ediciones Paidós Ibérica, S.A.,
   Av. Diagonal, 662-664 - 08034 Barcelona
   www.paidos.com

ISBN: 978-84-493-2061-3
Depósito legal: B. 31.882/2007

Impreso en Hurope, S.L.
Lima, 3 - 08030 Barcelona

Impreso en España - Printed in Spain

Para Emrys

When the time gets right
I'm gonna pick you up
And take you far away
From trouble my love

Tom Petty
and the Heartbreakers,
Kings Highway

Gracias a Emrys Huntington, Isabel Post, Jacques Post, Lies Post, Carlijn Post, Frank Klein, Niek Smith, Tineke Smith, Peter Blauner, Theo Capel, Tom Harmsen, Ralph Vicinanza y a todos los que han contribuido a la realización de este libro.

Más de diez minutos habían transcurrido cuando Winston salió de la sucursal bancaria en la que había entrado. Entretanto había comenzado a llover y los gases de los tubos de escape flotaban como una densa niebla sobre el asfalto reflectante. Malone, que agarraba una bolsa de deporte de La guerra de las galaxias *con las dos manos, la levantó por encima de su cabeza. Parecía que iba derecho al primer taxi libre, pero entonces dudó, y en lugar de parar un taxi, giró a la derecha y comenzó a andar hacia la calle 15 sosteniendo la bolsa de deporte por encima de su cabeza a modo de trofeo.*

Resultaba desconcertante ver cómo Malone utilizaba una bolsa de dinero para protegerse de la lluvia. Al parecer le preocupaba más el chaparrón que las primeras sirenas de policía que habían comenzado a aullar por las calles. En ese momento Malone cruzaba la calle 15 ignorando el semáforo en rojo y sin hacer ningún ademán de querer parar un taxi.

En la entrada de la sucursal bancaria apenas se percibía movimiento. Daba la impresión de que las personas que salían eran clientes confusos y no el valiente personal que persigue a un criminal.

Cincuenta metros más allá, Malone continuaba comportándose como un turista. Caminaba tranquilamente y cruzó hasta el restaurante japonés del otro lado de la calle pegándose a los edificios donde llovía con menor intensidad. La bolsa de deporte continuaba por encima de su cabeza. Había trascurrido un minuto y medio; Malone no se había alejado ni dos manzanas de la sucursal bancaria y lo único que parecía preocuparle era que se le mojara el pelo.

Las sirenas se aproximaron rápidamente, apenas se habían alejado unas manzanas de la Octava Avenida. A continuación Winston entró en el restaurante mexicano en el que había almorzado poco antes.

1

Seis horas y cincuenta y ocho minutos antes.

—¿Winston?

Winston Malone continuaba con los ojos bien cerrados fingiendo no oír a su mujer.

—¿No estás oyendo el despertador? —preguntó Cordelia.

Era difícil ignorar los alaridos de Jennifer López, y más aún porque Cordelia, como era costumbre, había subido el volumen. Winston bramó algo ininteligible y se dio media vuelta extendiendo a continuación el brazo para acariciar la cara de su mujer. A su lado sólo sintió la fría sábana bajera.

—¿Winston?

Cordelia lo miraba desde el vano de la puerta. Su voz sonó más apremiante y resultó imposible ignorarla.

De modo que Winston carraspeó y dijo:

—Apaga ese despertador.

En vista de que Jennifer López explicaba, como si nada, que a pesar de que antes no tenía nada y ahora tenía muchísimo, continuaba sintiéndose la misma chica de antes, y de que Cordelia no mostraba ninguna intención de acceder a su petición, Winston extendió la mano hacia la mesilla de noche y palpó el radiodespertador buscando el botón adecuado. Después de cambiar de emisora

15

sin querer, y de que sonaran sucesivamente los Red Hot Chili Peppers, Anastasia y retazos de alguna pieza clásica, suspiró y susurró:

—¡Mierda!

Entonces se incorporó, miró fugazmente el aparato, y dio un suave golpe en el botón de apagado de la alarma. A continuación arregló las mantas e intentó seguir durmiendo.

—Pero ¿qué haces, Winston?

—Dormir un poco más.

—Pero ya han dado las seis y media. Vas a perder el transbordador.

Winston abrió los ojos con desgana y levantó la vista hacia su mujer que había entrado en la habitación; con una mano sujetaba la toalla enrollada en su pelo húmedo y con la otra sostenía un cigarrillo. Cordelia esperaba una explicación.

Winston sacó un cigarro del paquete de Gauloises y dijo:

—He estado pensando mucho últimamente.

—¿En qué? —preguntó Cordelia con desconfianza, como si pensar fuese algo propio de todo el mundo menos de Winston Malone júnior.

Miró atentamente a su mujer que, con el albornoz, tenía un condenado parecido con Pam Grier en *Jackie Brown*, esa película de Tarantino. La única diferencia era que Cordelia no llevaba una bolsa con... ¿a cuánto ascendía la suma con la que la azafata se marchaba al final de la película? Winston no lo recordaba. Sí recordaba que era suficiente para un final feliz. Y, por supuesto, todo giraba en torno a eso, a los *happy ends*. No sólo en las películas, sino también, más aún si cabe, en la vida real. Winston había pensado mucho en eso últimamente. Y sobre todo en la alarmante carencia de final feliz en su propia vida. Cuando cavilaba sobre su problema, había una cosa que le resultaba dolorosamente clara: los finales felices no se encontraban entre los productos del supermercado. Debías buscarlos continuamente pero, al mismo tiempo, debías ser consciente de que era muy posible que nunca encontraras uno en tu vida. Esos finales felices eran como invisibles minas de oro que esperan en silencio ser descubiertas, pero, ¡por Dios!, qué difícil resultaba encontrarlas.

En plena evaluación de su problema le habían venido de pronto a la memoria las palabras de su padre, el difunto Winston Malone sénior, fallecido cuando Winston tenía ocho años. Palabras que le había dirigido su padre poco antes de ir a Vietnam. «Papá va allí a solucionar un problemilla», le había dicho su madre, tras lo cual había acabado siendo un insignificante número en una estadística. Su padre había dicho: «Nadie en este mundo, y eso también vale para ti, Winston, logrará nunca nada si no emprende alguna iniciativa en la dirección correcta. Toma buena nota de esto y todo te irá bien».

Plenamente consciente del gesto de satisfacción que tenía en la cara, Winston miró a su mujer. Intentaba imaginarse a Cordelia con una gran bolsa de dinero bajo el brazo y sin esa preocupación en el rostro, como la azafata de *Jackie Brown*. Tal vez informarla de sus planes, allí, sin más, en medio del dormitorio, fuera lo mejor. Así podrían hacer el amor después. Winston sopesó con cuidado aquella posibilidad, mientras analizaba el papel pintado de mariposas, y decidió hacerlo. Pero antes debía despertar su curiosidad. Guardaría lo mejor para el final.

Entretanto Cordelia daba unas furiosas caladas a su cigarrillo. Lo miraba con fijación intentando, posiblemente, leer sus pensamientos con la ayuda de esas energías de *reiki* a las que últimamente dedicaba tanto tiempo.

—¿En qué? —repitió Cordelia con preocupación—. ¿En qué has pensado? Winston, si has hecho alguna tontería te aconsejo que lo digas de inmediato.

—En nuestro futuro. —Winston intentó en lo posible que su voz sonara misteriosa, como en las series de televisión cuando se contaban cosas importantes pero sin llegar a decirlas.

—Y ¿qué le pasa? —dijo Cordelia.

No sonó a pregunta.

—Quiero hacer algo al respecto.

—¿Quieres hacer algo respecto a nuestro futuro?

Winston dio una calada a su cigarro.

—Exacto.

—¿Qué?

—Cariño, ¿te importa que hablemos de ello más tarde?

Apenas podía esperar a contárselo.

—¿A qué te refieres con «más tarde»? ¿A cuando seas oficialmente un parado?

—¡Vamos, no seas tan arisca! ¿Acaso no me ocupo bien de ti? No te comportes como si fuera un irresponsable. No me lo merezco después de todos estos años.

—Tal vez no merezcas «todos estos años», Winston. ¿Qué vamos a hacer si pierdes tu empleo?

Aquél era el momento adecuado. Winston vio que su mujer lo miraba con los párpados entrecerrados, a la espera de una explicación.

—¿Has pensado alguna vez que tal vez no necesite ese empleo en absoluto?

Lo soltó así, pum, a bocajarro. Ahora le tocaba a ella.

—Winston —dijo Cordelia—, como hoy no llegues puntual a tu trabajo, te despedirán. ¿Eres consciente de eso?

Ignoró la pregunta de él como si no se la hubiera planteado.

—¿No piensas prestar ni una mínima atención a lo que tengo que decirte?

—No, Winston. Tal vez sea mejor que no lo haga. Vas a contarme que ya no necesitas tu empleo, ¿no es eso? Bien. Cuéntame entonces quién va a pagar las facturas. ¿Papá Noel? No, cariño, por una vez en tu vida tienes toda la razón; no pienso prestar atención a lo que tienes que decir. ¿Y sabes por qué no? Porque de tu boca no sale más que pura palabrería. Por eso no le presto atención. Es triste, pero nada más. Después de catorce años contigo, Winston, he aprendido a prestar atención a una sola cosa: he aprendido a prestar atención a lo que haces. Por desgracia es lo único válido contigo. Las personas de Wall Street pueden decir cosas raras y, a pesar de ello, enriquecerse, pero tú no, Winston, porque siempre dices las cosas equivocadas. Sólo tienes que hacer cosas. Tienes que trabajar.

«¿Ves?», pensó Winston. Tenía razón, Cordelia no le escuchaba. Había que verla. Parecía una profesora de colegio dando clase de seguridad vial a párvulos, y le quedaba mucho por decir.

—Sabes que te despedirán. Higley te lo ha dicho personalmente por teléfono. ¿Es que tienes amnesia?

Winston frunció el ceño.

—No me digas que lo has olvidado.

—No, lo recuerdo perfectamente. Sólo estoy un poco sorprendido porque si Higley, como aseguras, me lo ha dicho personalmente, y yo no se lo he contado a nadie, ¿cómo lo sabes tú? ¿Has escuchado a escondidas por el otro teléfono?

La miró con dureza.

Cordelia negó con rotundidad con la cabeza.

—No, Winston. No he escuchado a escondidas. Lo sé porque Higley volvió a llamar al día siguiente, cuando estabas en el trabajo, y porque entonces me aseguró que debías tomarte en serio lo que te había dicho, ya sabes, lo de que en los próximos seis meses no podías llamar ni un solo día más diciendo que estabas enfermo. Dijo que deberías considerarlo un ultimátum. Si no te atienes a ello tendrás problemas. Quería que me ocupase de que entendieras a qué se refería.

—¿Te llamó? ¿Ese cretino te llamó para que me aclararas qué es un ultimátum?

—Sí.

—Soy capaz de comprender por mí mismo qué es un ultimátum —dijo Winston sin inmutarse mientras pensaba que Wayne Higley estaba bastante cerca de la verdad en cuanto a lo de los problemas, salvo que el que iba a tener problemas no se llamaba Winston Malone.

Cordelia dijo:

—Winston, si comprendes qué es un ultimátum, ¿por qué no estás ya en el transbordador?

—Si no recuerdo mal, estaba intentando explicártelo, pero no me prestas atención porque no trabajo en Wall Street. ¿Así que mi jefe piensa que no sé qué es un ultimátum?

—Me aconsejó que te volviera a explicar el significado de esa palabra.

—Te lo aconsejó. ¿No te dijo que tenías que hacerlo?

—¿Importa algo eso?

—Claro que importa. Créeme, Cordelia, eso puede cambiar su futuro. La casualidad ha querido que esta tarde honre a Higley con una visita, y mi actitud durante esa visita depende en gran medida de lo que te haya dicho.

—¿Esta tarde? ¿De qué estás hablando? ¿Por qué vas a hacer una visita a Higley? —preguntó Cordelia—. ¿Estás pensando tomarte el día libre e ir a recoger tu sueldo? ¡Olvídalo, Winston! Higley no te pagará ni un céntimo más. Eso también me lo dijo. Si no vas, no te pagará. ¿Qué excusa vas a inventarte esta vez?

—Desde que empezamos esta conversación me he esforzado sobremanera en contarte por qué voy a ir a hacer una visita a Higley, pero me temo que no dejas que termine de hablar.

El susto hizo que Cordelia abriera los ojos.

—¿Winston? Si tu visita a Higley no tiene nada que ver con lo que acabas de decir, sobre lo de que querías hacer algo respecto a nuestro futuro, no quiero saber nada, ¿está claro?

Lo miró con una expresión muy distinta en la cara, como si esperase que él fuera a abrir la boca para decir: «No, no tiene absolutamente nada que ver, sólo voy a disfrutar de una taza de té con Higley».

Pero no iba a ver a Higley por el té.

—¡Mierda! Winston… Me ha venido un fatal presentimiento sobre el día de hoy.

Ella miró su reloj de pulsera y negó con desánimo con la cabeza.

—Has perdido el transbordador y estás… desde este momento, despedido. —Sus ojos se llenaron de lágrimas—. Vamos a perderlo todo. Sola no gano suficiente…

Winston cerró los ojos y respiró profundamente. Se obligó a sí mismo a tener paciencia. Entonces dijo:

—Vale. Estoy despedido, y ya que ahora disponemos de todo el tiempo del mundo, seguro que puedes perder unos minutos para dejar que te explique unas cuantas cosas, ¿no es así? ¿O piensas seguir dando la lata todo el día?

Él esperó y escuchó con los ojos todavía cerrados.

La lata había acabado.

¡Gracias a Dios!

Pero cuando abrió los ojos, vio que Cordelia se había ido. La toalla que llevaba en la cabeza estaba en el suelo junto a las deportivas blancas de Winston. No se veía a Cordelia, susceptible como siempre, por ninguna parte. ¿Acaso pensaba que a Winston le apetecía jugar al escondite? No era el caso. Él no tenía ninguna intención de buscarla en otro lugar que no fuese bajo las mantas.

—¿Cordelia?

No hubo respuesta.

Volvió a llamarla, pero sin resultado. De modo que tiró de las mantas y, sonriendo, recordó el sueño que lo había atormentado esa y otras muchas noches pasadas, pero que después de ese día nunca volvería a tener: era por la tarde, anochecía en Manhattan y Winston paseaba con Cordelia cogida del brazo hacia el Tribeca Grill, el restaurante de Robert de Niro en la calle Greenwich. Justo cuando Winston pretendía entrar en el restaurante, un gigantesco vigilante salía cerrándole el paso de forma ostensible. Tras las anchas espaldas, Winston veía manteles de inmaculado algodón blanco, paredes de ladrillo rojizo decoradas con obras del difunto

Robert de Niro sénior, y hombres y mujeres de aspecto distinguido vestidos de etiqueta. Y a la altura de la barra de caoba en el centro del restaurante se encontraba Robert de Niro en persona, hablando cordialmente con algunos amigos. «Te conozco, Winston Malone. Tú no entras», decía el vigilante. A lo que Winston le preguntó si no querría hacer una excepción por esa vez. El vigilante se echaba invariablemente a reír; ésa era la parte más humillante del sueño, y además, desde la barra, De Niro miraba en su dirección con menosprecio. A continuación el vigilante decía a Winston que a la gente sin dinero no se le había perdido nada en el Tribeca Grill y sugería a Winston que lo intentara en el McDonald's, donde tenían unas normas de entrada más flexibles.

A partir de ese momento Winston lo intentó usando una excusa diferente en cada ocasión; dijo que tenía que hablar con De Niro, que conocía al actor desde hacía tiempo. Dijo que quería comprar una gorra de béisbol con el nombre del restaurante, como regalo para un primo pequeño de Indiana que estaba de visita en Nueva York. Dijo que sólo quería usar el baño, ¿acaso no podía? O se limitaba a suplicar al vigilante que por favor le dejara entrar una sola vez. Pero el vigilante nunca se apartaba. Hacía una semana, la última vez que Winston había tenido el sueño, le dijo al vigilante: «Escucha amigo, esto es un sueño. Lo sabes tan bien como yo. Y en los sueños todo es posible. De modo que apártate y déjame entrar». El vigilante había respondido suspirando que él también sabía que era un sueño, pero que Winston ni en sueños tenía la más mínima posibilidad de conseguir una mesa en el restaurante de Robert de Niro.

Aquella noche el sueño había acabado de otro modo. Winston, en términos inequívocos, había dejado claro al vigilante que iría a comer allí en breve; no en un sueño sino en la realidad. Justo cuando el vigilante iba a añadir algo, Cordelia tomó de pronto la palabra. Eso ocurría con frecuencia en el sueño y su mujer siempre decía la misma frase: «Winston, lo que oyes es el despertador».

La agotadora conversación con su mujer había hecho que Winston olvidara lo orgulloso que se había sentido con la forma en que había replicado al vigilante. Si Cordelia no lo hubiera interrumpido...

Aunque Cordelia Malone siempre había sido consciente de que su marido se salía de la media de esposos de este mundo, nunca le había preocupado realmente. No hasta aquella mañana cuando, de pronto, le había hablado en aquel extraño tono. En un tono que nunca le había oído. Winston había desvariado sobre «hacer algo respecto a su futuro» en el mismo momento en que perdía su empleo.

En primera instancia no se lo había tomado al pie de la letra, pensaba que habría visto alguna película y que estaba imitando a un personaje chiflado. Eso no tenía nada de anormal; él lo hacía constantemente. Por lo común abandonaba el papel pasados unos minutos y volvía a convertirse en Winston, se vestía e iba a su trabajo como un chico bueno.

Pero ese día no. Continuó actuando hasta que Cordelia dijo para sí: «Dios, esto podría ser permanente. Después de tanto tiempo se ha convertido en uno de sus personajes. La televisión le ha absorbido el poco sentido de la realidad que le quedaba».

Y había algo más... Aquella mañana había cambiado algo en su actitud. Pero ¿qué? A Cordelia le llevaban los demonios porque no podía determinar con exactitud qué era lo que había disparado la alarma dentro de su cabeza. Intentó recordar. No había constatado nada extraño hasta que Winston había dicho: «He pensado mucho últimamente», lo que significaba que tenía algo que contarle. ¿Era eso lo que la contrariaba? ¿El hecho de que Winston tuviera algo que contarle? Concluyó que no, eso no era lo único. Él no paraba de contarle cosas.

Lo que le había sonado diferente era la forma en que había dicho: «He pensado mucho últimamente», con esa siniestra sonrisa en la cara.

Como si quisiera que ella escuchara lo que tenía que decirle. De pronto lo supo. Eso era. Winston había querido que ella escuchara lo que tenía que decirle, como si necesitase su aprobación.

A partir de ese momento su sensación de pánico creció rápidamente. «Vale —se dijo a sí misma—, tranquila, quítatelo un momento de la cabeza, dale tiempo para recapitular. Antes debes tranquilizarte tú. Entra en la cocina y prepárate un infusión. Desayuna, tómate un Advil, no tienes que ir a trabajar todavía. Todo va a salir bien.»

Pero ya eran las ocho y todo continuaba igual. La única diferencia después de noventa exasperantes minutos era que Winston por fin se había levantado de la cama. Estaba sentada a su lado en el caro sofá de cuero negro, el único mueble de todo el apartamento que tenía menos de un año. Winston y Cordelia estaban en el sofá más separados de lo habitual. Winston fumaba un cigarrillo, bebía café a sorbitos en una taza amarilla en la que ponía en letras rojas: «El mejor marido del mundo», y miraba la televisión con el pelo aún mojado de la ducha.

Cordelia se tomó el tercer Advil. En veinte minutos debía ir a trabajar. Tragó la cápsula con un sorbo de té y miró a su marido. Winston tenía una mirada soñadora fija en su taza amarilla y dijo:

—¿Cordelia? ¿Te has parado alguna vez a pensar en el montón de cosas que están mal repartidas en este mundo?

Cordelia no dijo nada.

Así que Winston repitió su pregunta al cabo de unos segundos. Mientras lo hacía, observó cómo ella miraba, o se esforzaba mucho en hacerle creer que miraba, una repetición de *While the Earth Spins*, dirigiéndole una mirada aniquiladora durante los espacios publicitarios.

Como en ese momento.

Finalmente ella preguntó:

—¿A qué te refieres?

Winston se encogió de hombros con toda la indiferencia de la que fue capaz y dio una calada a su cigarrillo. Mientras expulsaba el humo por la nariz, dijo:

—A lo que me refiero es a que si alguna vez le has dado vueltas a que… las cosas también podrían ser de otra manera, a que podrías llegar a una situación en la que te veas realmente obligada a cambiar determinadas cosas de tu vida.

—Winston, tú nunca eres tan críptico —dijo Cordelia—. No te entiendo. ¿A qué te refieres con eso de «verse obligado a cambiar cosas»?

¡Bien! Había vuelto a meterla en la conversación.

Winston lanzó una mirada fugaz a Cordelia que estaba tensa y con la boca abierta en la otra punta del sofá. Miraba un anuncio de una actriz cuyo nombre Winston había olvidado. Eso era algo que no soportaba. Tenía el nombre en la punta de la lengua, pero no estaba dispuesto a salir. Claudia… Claire… ¡Mierda!

Cordelia soltó un gruñido y lo miró.

—Escucha. No estoy dispuesta a desperdiciar energía discutiendo contigo. Con eso no adelanto nada, a estas alturas ya me ha quedado claro. Tienes esa mirada que me dice que estás a punto de echarlo todo a perder sin que nadie pueda detenerte. ¿Pretendes fastidiarlo todo, Winston? Me parece estupendo. Pero hazme sólo un favor: ahórrame los detalles, ¿vale? No quiero oírlos.

—Como quieras —dijo Winston.

También podía contárselos esa misma noche en una cómoda y lujosa habitación de algún hotel, sin el riesgo de que el techo se desplomara en mitad de su historia, o donde se encontraran en ese momento.

Él esperaría hasta después. Dejó caer el cigarrillo en el resto de café.

—¿Estarás en el trabajo de una a dos?

—¿Acaso pretendes que yo también me quede en casa?

Continuaba mosqueada. Se metió otro Advil en la boca, el cuarto ya, como si fuese un caramelo.

—Sólo quiero saber dónde puedo encontrarte. ¿A qué hora comes?

—De una y media a dos y media, ¿por qué?

—Sáltate hoy el descanso. Come un par de *bagels* en tu despacho.

—¿Qué?

—Haz lo que digo; quédate en tu despacho y coge el teléfono, ¿vale?

—Por el amor de Dios, ¿qué piensas hacer?

—Pienso hacerte muy feliz —respondió Winston.

Se levantó del sofá y agarró la bolsa de deporte azul que estaba en la butaca del rincón de la habitación. Después dio a Cordelia un beso fugaz en la mejilla, y se dirigió a grandes pasos hacia la puerta principal. La cerró tras él antes de que pudiera seguir preguntando. Pensaba hacerla muy feliz. Al igual que pensaba hacerse muy feliz.

Pero antes debía ir a recoger algo.

2

Winston dijo al enano que abrió la puerta que quería hablar con Leo Roma. Al enano, que llevaba una camiseta con el lema «Paga el peaje al personaje», le faltaba casi toda la oreja izquierda y unos cuantos dientes delanteros. Miró a Winston con menosprecio y dijo que lo sentía, que el heladero estaba durmiendo y que debía volver a intentarlo a eso de las cuatro y media de la tarde, que tal vez entonces tuviera más suerte. Winston explicó que a las cuatro y media no estaría por la zona y pidió al pequeño hombre que le hiciera el favor de despertar a Leo. El enano se limitó a sonreír y negó con la cabeza. Dijo a Winston que temía que no le hubiera entendido bien: al heladero no le gustaba que lo interrumpieran cuando dormía, y sería mejor que regresara en otro momento. También podía esperar a que Leo saliese a hacer su ronda con el carrito de los helados.

Winston dijo que tenía una cita.

El enano frunció el ceño.

—Leo no tiene agenda.

—Escucha… —dijo Winston y entonces cerró la boca de golpe.

¿Estaba permitiendo que un enano con una sola oreja le leyera la cartilla?

Y en ese momento habló el enano:

—¿Algo más?

—Sí, tu nombre por favor —respondió Winston.

—¿Perdón? —dijo el enano como si no hubiese entendido bien.

Con su entonación exagerada intentaba convencer a Winston de que, a pesar de su altura, controlaba la situación.

—Tu nombre, por favor —repitió Winston—. Tus padres debieron ponértelo alguna vez. ¿Lo recuerdas?

—¿Para qué necesitas mi nombre?

Era un enano condenadamente testarudo.

Winston dijo que necesitaba su nombre porque era muy probable que Leo Roma se lo preguntara cuando Winston llamara aquella misma tarde para quejarse del comportamiento del enano.

El enano quería saber por qué iba Leo a preguntar a Winston su nombre si ya lo conocía.

Winston intentó recordar si alguna vez había conocido a un enano con tan pocas luces como aquél y pensó: «No, creo que no».

—Creo que Leo lo preguntará para evitar el error de despedir a la persona equivocada. No creo que Leo aprecie que despachen a sus clientes sin haberles vendido antes el pescado, tú ya me entiendes.

Aquello confundió al enano.

—Espera... Creo que oigo algo. ¿Cómo te llamabas?

—Dile que Winston Malone júnior ha venido a recoger un paquete.

El enano regresó al cabo de tres minutos con una bolsa de deporte de *La guerra de las galaxias* bajo el brazo. De pronto fue extremadamente educado y servicial, todo en él era diferente salvo la oreja única y los muchos huecos de su boca que confirmaban a Winston que se trataba del mismo enano sólo que con mejor disposición. El enano comentó a Winston que, fuese lo que fuese lo que contuviera la bolsa de deporte, deseaba que con ello pudiera solucionar el asunto. Leo había olvidado decirle que Winston iba a pasarse esa mañana. Winston le dijo al enano que no tenía por qué disculparse, que esas cosas ocurrían a veces. El enano explicó que debía tener cuidado, que cada dos por tres llamaban tipos raros a la puerta.

Winston asintió, se preguntó si el enano habría acabado de hablar y pensó: «¡Dios, voy a perder el transbordador!».

El enano, un ex luchador italiano llamado Caesar Malvi, preguntó al heladero si, por seguridad, debía enviar a alguien tras Winston Malone júnior. ¿Cómo sabía el heladero que Winston no era un farsante? Leo Roma apartó la mirada del videoclip de la MTV en el que una agraciada mujer negra se enrollaba con una especie de rapero. Cuando el heladero no se liaba con otra a espaldas de su mujer, le gustaba ver en televisión cómo lo hacían otros hombres.

—Ya he informado a Jimmy —dijo el viejo italiano—. No te preocupes, Caesar.

Caesar carraspeó. Sabía que al heladero no le gustaba que nadie cuestionara su criterio, pero el hijo de Leo, Jimmy, no era el mismo últimamente. Caesar sospechaba que Leo también era consciente de ello y por eso reunió valor para decir:

—Tu hijo… Parece que últimamente se le va la cabeza a otra parte. Desde su puesta en libertad sólo habla de Jack Gardner, ese actor de series de televisión. Parece obsesionado. Cualquier día de éstos hará una locura. ¿Crees que es buena idea enviar a Jimmy tras ese hombre?

Leo asintió y cambió de canal cuando Britney Spears apareció en pantalla y empezó a cantar. Al heladero no le gustaban las mujeres blancas. Miró a Caesar y dijo:

—Comprendo lo que dices.

—¿Pero?

—Pero si no puedo ni utilizarlo para trabajos sencillos como éste, ¿para qué me sirve?

—¿Qué harás si lo echa todo a perder?

—Le pondré detrás del carrito de los helados. Le haré vender helados hasta que se espabile y vuelva a valorar su antiguo trabajo. Pero no nos adelantemos a los acontecimientos. No creo que lo estropee. Lo único que tiene que hacer es vigilar a ese negro y encargarse de que no se largue con la pasta. ¿En qué puede fastidiarla?

«En un montón de cosas», pensó Caesar.

Cordelia encontró la nota a las ocho y veinticinco. En ella ponía: «Viernes por la mañana: heladero». Había sacado la ropa sucia de Winston de la cesta esperando encontrar algo que le diera alguna pista de lo que tramaba su marido. Ahora lo sabía. Iba a visitar al heladero. Y eso sólo podía significar una cosa: Winston iba a buscar armas o drogas. Ésos eran los dos productos en los que se basaba el negocio del heladero. Desde el día en el que Cordelia se mudó a Staten Island con Winston, catorce años atrás, había visto a Leo Roma pasar regularmente con su carrito de los helados. Y si no lo veía, lo oía. El carro tenía una de esas campanas antiguas que no paraba de tintinear.

Cordelia enseguida comprendió que Leo Roma no sólo transportaba Cornettos y Jives en su carrito; éste contenía otras cosas además de las que figuraban en el cartel que colgaba del carro. Si, por ejemplo, le pedías un Magnum al heladero, era de suma importancia que especificaras a qué Magnum te referías exactamente: al blanco, al de almendras, al de doble chocolate o al 9 mm.

Cordelia había sido testigo, un par de años atrás, de la venta de un arma por el heladero, que tenía el aspecto de un amable anciano italiano con un cadenón de oro y mucho pelo en el pecho saliendo de su camiseta. Estaba a punto de pedir un helado cuando apareció un tipo siniestro diciendo que venía a recoger su pedido. Leo Roma le dio un maletín que había sacado, como por arte de magia, de una especie de doble fondo de su carrito. Cuando el italiano mostró el contenido a su cliente, Cordelia, a cierta distancia, echó un vistazo rápido. No contenía helados.

Por extraño que pueda resultar, a Leo no le había preocupado el hecho de que Cordelia lo viera todo. Es más, el viejo italiano había estado flirteando con ella mientras tanto. Le preguntó cuántos años tenía. Ella dijo que eso a él no le importaba, ¿para qué quería esa información? El viejo italiano le dijo que quería saberlo porque tenía un hijo joven y saludable que se llamaba Jimmy y continuaba soltero. Cordelia dijo al heladero que estaba felizmente casada y no necesitaba ningún joven italiano soltero. El viejo italiano insistió. Preguntó si no quería salir con su hijo porque era de esas mujeres negras que sólo salía con hombres de su misma raza. Cordelia respondió que Winston, su marido, era el primer hombre de color de su vida, el resto habían sido tan blancos como el propio Leo, de modo que no debía acusarla de discriminación. El heladero dijo: «Muchacha, no deberías andar por la calle, deberías estar en un museo», a lo que Cordelia había replicado preguntando si podía pedir el helado de una vez. Sí, podía. Cordelia supo desde aquel día que el heladero de Staten Island, además de helados, vendía otros productos con los que dejar «fría» a la gente.

Winston no perdió el transbordador.

Tomó asiento en uno de los viejos bancos y miró a su alrededor. Siempre se había reído de la gente que, como Cordelia, aseguraba que los objetos o las personas que has odiado toda tu vida, por un motivo u otro, adquieren un valor sentimental indefinible cuando los ves por última vez en tu vida, que de pronto empiezas a valorarlos, que, por ejemplo, descubres en ellos una belleza en la que nunca antes habías reparado porque la persona o el objeto, antes de ese momento, te traían malos recuerdos. El transbordador, el Staten Island Ferry, era una de esas cosas que siempre le habían traído a Winston malos recuerdos. El barco que une Staten Island y Manhattan le recordaba cada una de las veces que iba a trabajar. El barco le recordaba a su jefe: Wayne Higley. Winston era consciente de que en los últimos años se había preocupado tanto por todas las depravaciones que tenía que afrontar cuando se bajaba del *ferry*, que nunca se había tomado el tiempo de mirar a su alrededor. Así, por mencionar algo, nunca le había llamado la atención el color del *ferry*, pero ahora acababa de estar mirándolo durante bastante tiempo. Era de un bonito y vivo color naranja.

Se preguntó cómo podía haber pasado por alto la sencilla belleza del naranja durante todos esos años. Que nunca había estado de buen humor cuando iba al trabajo era un hecho, pero aun así, también cogía el trasbordador cuando regresaba a Staten Island, al salir de trabajar, y tenía toda una noche por delante sin los elementos que odiaba de su vida, como el trabajo y Wayne Higley. Cuando el grado de percepción de una persona sólo dependía de su estado anímico, entonces ese bonito color naranja sí le llamaba la atención al regresar a casa.

Se levantó, se dirigió a la parte trasera del barco y miró fijamente el agua que había debajo de él. Miró cómo desaparecía el naranja en el agua.

Sí, en verdad era un color bonito. Tal vez una pizca herrumbroso por aquí y por allá, pero aquel naranja tenía estilo. El color le recordó esas preciosas puestas de sol que sólo parecían existir en las postales. Llevaba ya unos minutos mirando el naranja, absorto en su cautivadora belleza cuando de pronto se dio cuenta de que el transbordador se había detenido.

Se encontraban frente a la Estatua de la Libertad. Los turistas más ahorrativos, que se negaban a pagar siete dólares por el barco especial que llevaba a la estatua de Ellis Island, fotografiaban «la Dama» desde aquel lugar. A Winston no le parecía que tuviera el aspecto de una dama, sino más bien el de una soberana griega con demasiada ropa.

Miró a su alrededor y se dirigió a una mujer que tenía al lado. La mujer observaba con cara compungida la superficie del agua, como si pensase que en lugar de en el Staten Island Ferry se encontraba a bordo del *Titanic*.

—Disculpe —dijo Winston—, pero ¿podría decirme por qué estamos parados?

—Alguien acaba de intentar suicidarse —susurró la mujer sin despegar los ojos del agua.

—¿Qué quiere decir? —preguntó Winston.

La mujer, que llevaba un fino vestido azul, se volvió lentamente y lo miró. La expresión de sus ojos sugería que intentaba determinar si en efecto era Winston el que le había dirigido la palabra. Tocó uno de sus dorados pendientes de aro con el índice y volvió a posar su mirada en la superficie del agua oscura e inmóvil a la luz de la madrugada. Después miró de nuevo a Winston suplicando con los ojos que por favor la dejara en paz.

—Alguien acaba de intentar suicidarse —dijo con brusquedad como si Winston tuviese la culpa—. Ha saltado por la borda. Han logrado rescatarlo. Por suerte ha sobrevivido.

—Bueno.

La mujer suspiró pero no dijo nada.

Winston se dio la vuelta y miró fijamente Manhattan que allí, a lo lejos, parecía una aldea sacada de una película de dibujos animados.

—¿Ve aquellos edificios? —preguntó a la mujer que continuaba observándolo con cara de asco, a pesar de lo cual lanzó una mirada fugaz hacia donde señalaba Winston: el distrito financiero de Manhattan—. ¿Son bastante altos, no le parece?

La mujer se sacudió el polvo del vestido con sus finos dedos y dijo:

—Es usted un friqui.

Winston se lo pensó un momento y respondió:

—Yo no soy el que ha intentado suicidarse saltando del Staten Island Ferry. Y tampoco soy el que se toma en serio ese intento.

—Estaba desesperado —gruñó la mujer.

Al parecer pretendía creer a toda costa que acababa de presenciar un verdadero intento de suicidio.

—¿Estaba desesperado? —repitió Winston con incredulidad—. Eso es mucho asegurar. ¿Debo entender que le conocía?

—Señor —dijo la mujer que debía de tener la sensación de que su credibilidad estaba en juego—, alguien que salta de un barco es alguien que está desesperado. No necesito conocer a la persona en sí para llegar a esa conclusión.

—Tal vez tenga usted razón, pero ¿por qué ha saltado en hora punta con toda esta gente a bordo?

La mujer miró su reloj con un gesto teatral dándole a entender que no le interesaba continuar la conversación.

Winston se preguntó de pronto si el precioso color del barco habría llamado alguna vez la atención de la mujer, pero para no confundirla más decidió no comentárselo. En lugar de eso dijo:

—Señora, no es mi intención escandalizarla, pero imagine que usted quisiera morir, morir de verdad, ¿qué haría? ¿Saltaría de este barco? Me temo que no puedo tomarme eso en serio. ¿Acaso no sabe que alguien la vería y que la rescatarían? No, si yo quisiera morir pagaría los siete dólares de la entrada al Empire State Building. Lo reconozco, es algo más caro, pero bueno, luego no te vas a arrepentir, ¿no es así? —Esperó un momento porque una motora pasó a toda velocidad. Después dijo—: ¿Ha visto esa película del mono... *King Kong*?

La mujer asintió mirando ahora asustada a su alrededor.

—¿Ha oído que haya una continuación de esa película?

La mujer negó nerviosa con la cabeza.

—Exactamente. No hay continuación. Imagínese que hubiesen tirado a ese mono gigantesco por la parte de atrás de este barco y no del Empire State Building... En este momento estarían produciendo *King Kong IV, la última venganza*, o peor aún, *El hijo de Kong*. Si tirasen a King Kong al final de cada continuación desde un edificio o una embarcación de la altura del Staten Island Ferry para así hacer creer al público que está muerto, no habría final, ¿verdad? Pasaría lo que ocurre siempre con las continuaciones, que se convierten en una especie de historia de nunca acabar.

—Señor —dijo la mujer—, ¿podría decirme adónde pretende llegar y dejarme tranquila?

Winston se encogió de hombros, impasible ante la intachable arrogancia de la mujer y dijo:

—Lo que intento explicarle es que alguien que salta del Staten Island Ferry en hora punta no es un suicida, sólo alguien que sufre falta de atención.

Winston encontró asiento en el metro que iba de la calle 9 a la 18. Mientras esperaba a que se cerraran las puertas del vagón, recordó el día en el que había ido de tiendas a New Port Pavonia Mall con Cordelia, hacía ya medio año. Ir de tiendas no era la expresión correcta porque Winston y su mujer no llevaban intención de comprar muchas cosas, no tenían dinero para hacerlo. Pero andaban como dignos visitantes junto al rebaño de derrochadores neoyorquinos y miraban con grandes ojos todo aquello que sabían que no podrían permitirse en la vida.

Y entonces Cordelia vio el sofá.

En ese momento Winston miraba hacia otro lado, donde un hombre que no parecía estar al tanto de la existencia de productos como el jabón y la pasta de dientes se afanaba en meterse medio Big Mac de un bocado, lo que provocó que una parte de la guarnición aterrizara en su barba. Pero había sentido una vacilación en la palma de la mano de Cordelia y supo que algo había llamado su atención. Se dio la vuelta y enseguida vio dónde se fijaban sus ojos: en un precioso tresillo de cuero negro impagable, sospechaba Winston, cosa que le fue confirmada por el vendedor cuando regresó pasados unos días después de salir del trabajo para informarse sobre la etiqueta que colgaba del mueble: cuatro mil quinientos dólares.

Los compañeros de Winston siempre se quejaban de que sus mujeres no paraban de insistir en comprar inútiles artículos de lujo a sabiendas de que no entraban en el presupuesto de su media naranja trabajadora. Winston nunca había reparado en ello porque Cordelia nunca daba la lata con cosas que sabía que Winston no podía pagar, pero en ese momento se dio cuenta de lo poco que su mujer le pedía en realidad. Ella no sólo era consciente de su deficiente situación económica, no, tampoco quería recordársela a él. Era evidente que el sofá de cuero negro le encantaba, pero había mantenido la boca cerrada para preservar los sentimientos de Winston. En aquel momento Winston decidió que su mujer tendría ese sofá.

Winston fue al banco a pedir un préstamo. El hombre que le atendió no dejó de mirarlo con menosprecio y le hizo todo tipo de preguntas sobre datos personales. Cuando Winston comunicó sus ingresos, el hombre rió con socarronería y dijo que un tresillo de cuatro mil quinientos dólares era un gasto excesivo para alguien que ganaba tan poco. A Winston le pareció que ya estaba bien, se levantó y dijo:

—Estupendo. Entonces iré a otro sitio.

Finalmente Winston contactó con el heladero de Staten Island. El viejo Leo Roma, según le habían dicho terceras personas, prestaba cantidades de hasta diez mil dólares a «particulares» a cambio de un reembolso mensual con un alto interés. Winston calculó lo que podía pagar, consideró que ante la perspectiva de un aumento de sueldo podría saldar la deuda en seis años y cerró el trato. El italiano que le dio el dinero no le preguntó cuáles eran sus ingresos ni se rió de él.

Pero unas semanas después, Wayne Higley comunicó que no había ningún motivo para subir el sueldo de Winston, y le dio a elegir: quedarse con el mismo sueldo o buscarse el sustento en otra parte. Ante la falta de alternativa, Winston se había quedado, pero sus escasos ahorros se agotaron en dos meses y, por primera vez, llegó tarde a su liquidación con Leo Roma. Las cosas fueron de mal en peor y Winston no tardó en recibir la visita de uno de los fornidos empleados de su prestamista para pedirle explicaciones sobre sus, en primera instancia tardíos y, después, inexistentes, pagos. Por suerte Winston había logrado ocultarle a Cordelia sus crecientes problemas, pero la pregunta era hasta cuándo podría hacerlo. Cuando el empleado de Leo Roma le visitó por tercera vez, no dijo una palabra sobre dinero. Lo único que le preguntó a Winston fue si alguna vez había sufrido un accidente. ¿No? ¿No temía que le pasara algo? En cualquier pequeña esquina podía haber un accidente. Podía pasar sin más, algunos accidentes no se veían venir. ¿Y qué pensar de su mujer Cordelia? ¿Y si le pasase algo a ella en lugar de al propio Winston?

Winston comprendió el mensaje. Empezó a pensar febrilmente, al principio sin resultado. Después recordó lo que le había dicho su padre. Su padre, que le contó que en determinados momentos de la vida hay que tomar la iniciativa. Winston pensó que ya había tomado la iniciativa pidiendo dinero a Leo Roma. Había tomado la iniciativa comprando el tresillo. Ahora debía tomar la iniciativa para encargarse de reembolsar su préstamo. De pronto vio las cosas con claridad y rápidamente llegó a una conclusión ineludible. Llamó al heladero e informó a uno de sus empleados de que pagaría, pero que necesitaba una pistola y una gran bolsa impermeable de deporte. El hombre con el que habló se echó a reír ante la petición. «Ésta sí que es buena —dijo—, primero pides dinero, no pagas a tiempo y después, como quien no quiere la cosa, nos pides una pistola.» A pesar de ello su petición fue concedida. Un día después le devolvieron la llamada. Podía pasarse a recoger la pistola y la bolsa cuando le viniese bien, siempre que anunciara su visita con antelación. Winston dijo que se pasaría el viernes por la mañana y que Leo Roma tendría su dinero ese mismo día, así que nadie debía temer sufrir ningún accidente.

Winston Malone júnior había decidido que el responsable de sus problemas económicos debía apechugar con sus consecuencias, y esa persona era Wayne Higley. Sabía exactamente lo que tenía que hacer y había elegido el mejor día para ello, el viernes, el día en el que todos iban a cobrar sus cheques y, por lo tanto, cuando más billetes verdes había. En la sucursal bancaria tenían un nombre especial para el último día de la semana: viernes verde.

Al cabo de un cuarto de hora, Winston se encontraba en el pequeño baño del restaurante mexicano Mary Ann's, en la esquina de la 16 y la 18, donde había almorzado casi todos los días en los últimos años, y empezó a maldecir. Llevaba un rato intentando colocar el silenciador que había sacado de la bolsa en la Beretta pero no lograba hacerlo porque en la bolsa de deporte no había una sino dos prolongaciones. Aunque fueran piezas pequeñas, los dos componentes del silenciador juntos eran casi más grandes que la Beretta. Por supuesto no había manual de instrucciones y Winston no tenía ni idea de lo que estaba haciendo mal. Simplemente no lo conseguía. En las películas siempre parecía facilísimo: alguien enroscaba un tubito en la pistola y ya estaba. Nunca había visto a un actor en ninguna película pelearse con dos piezas de metal que parecían no encajar. ¿Era eso a lo que se refería Cordelia cuando montó la mesa de Ikea? ¿A que tienes todas las piezas pero no logras montarlas de la forma adecuada? Sea como fuere, decidió que no necesitaba el silenciador, era más que probable que no llegara a usar la Beretta.

Pero a continuación le sacó de quicio la forma en que sacó la pistola y la apuntó a su imagen reflejada en el espejo, aunque en realidad no la apuntaba a ella. Su reflejo hacía las veces de Wayne Higley. El baño era demasiado pequeño para sacar la pistola del fondo de su bolsa de deporte con un solo movimiento y apuntar a su reflejo con el brazo estirado.

Winston miró a su alrededor. Sí, demasiado poco espacio.

¡Mierda!

Debería haber ido a recoger los trastos del heladero un día antes, tendría que habérselos llevado a casa y practicar. Debería…

Daba igual. Lo importante era que en ese momento se encontraba en el restaurante y que aquel baño le ofrecía la mayor privacidad que podía tener.

De pronto se le ocurrió una idea.

Levantó el pestillo de la puerta del baño y echó un vistazo rápido al pasillo. Al no ver a nadie, volvió a meterse en el baño quedando de nuevo frente al espejo. Calculó el espacio añadido que le proporcionaba esa puerta abierta y decidió que era suficiente para hacer un gran movimiento giratorio con la pistola.

Carraspeó y susurró:

—Manos arriba, hijo de puta, o tendrás que recoger tus sesos de las paredes. Esta vez pondré yo el ultimátum.

Después sacó la Beretta con un aspaviento y se golpeó con tanta fuerza el codo contra el quicio de la puerta que tuvo que morderse los labios para evitar gritar de dolor.

«Ya he practicado bastante», pensó. Con razón había dejado la escuela antes de tiempo. Con el paso de los años había llegado a aceptar que odiaba repetir ejercicios, de modo que volvió a dejar la Beretta en el fondo de su bolsa de deporte y subió a la planta de arriba, donde le esperaba un humeante plato de nachos con chile.

3

—¿Malone?

Winston levantó la mirada. Su plato estaba casi vacío. Cuando vio la expresión de temor en la cara de su colega Arnie Graziani, se preguntó si no habría sido mejor ir a almorzar a Bimmy's o al tenderete de comida cajún de enfrente.

Arnie Graziani era su compañero de la sucursal bancaria. No era alguien con el que Winston tuviera trato después del trabajo, pero era un tío válido y le gustaba la comida mexicana. De ahí que solieran almorzar juntos en Mary Ann's. Aunque era una lástima que Arnie no supiera nada de cine, Winston se llevaba bien con él.

El verdadero nombre de Arnie era Marco, pero después de que Winston llevara dos semanas trabajando con él, comenzó a llamarlo Arnie. El hombre tenía la constitución de Arnold Schwarzenegger y su acento también era casi idéntico. Arnie era el hombre más grande que Winston había visto en su vida. Habría podido ser Arnold Schwarzenegger, pero no había participado en ninguna película y no había sido gobernador de ninguna parte. En lugar de eso había optado por hacer carrera en una sucursal bancaria. Arnie, como Arnold Schwarzenegger, visitaba con cierta frecuencia la iglesia católica, así que cuando dijo: «¡Por Jesucristo, Winston! ¿Qué haces aquí?», Winston supo que estaba descompuesto. No le pegaba decir cosas como «Jesucristo», en ese tono. Iba en contra de su religión.

—Estoy almorzando, Arnie —dijo Winston—. ¿Por qué no te sientas un momento? Y no hables tan alto, mejor pide algo.

Arnie se sentó y susurró:

—Ya he almorzado. Me iba cuando te he visto salir del baño.

—No hace falta que susurres. Habla un poco más bajo y ya está.

—Estás despedido —dijo Arnie. Winston frunció el ceño—. Esta mañana Higley estaba casi contento —continuó diciendo Arnie, levantando otra vez la voz—. Si me preguntaran, diría que se alegra de despedirte en presencia del resto del personal. Tendrás que ir con una buena historia, Winston, y aun así dudo que puedas volver el lunes.

Winston chupó la nata ácida de sus dedos. No tenía ganas de hablar con Arnie. Quería aprovechar el almuerzo para preparar mentalmente su proyecto, de modo que tragó la nata ácida y dijo:

—Escucha, Arnie. Vuelve a la oficina y dile a Higley que no se preocupe, que llegaré en media hora.

—Pero estás despedido, Malone. ¿Acaso no has oído lo que te he dicho?

—Tal vez tengas razón, Arnie, y en efecto esté despedido, pero tendré que afrontar los hechos y oírlo del propio jefe, ¿o no?

—Sí, tal vez sí, pero ¿es que no te importa? ¿Tienes otro empleo?

Winston sonrió.

—¿Me prometes que volverás a la oficina si te lo cuento?

—Tengo que volver de todos modos. Es casi la una.

Winston se enderezó en el asiento y se inclinó hacia su amigo de extraña mirada.

—No tengo otro empleo, Arnie. Voy a establecerme por mi cuenta.

—¿A establecerte por tu cuenta? ¿Haciendo qué?

—De eso ya te enterarás después, en la oficina.

Winston estaba de nuevo solo en la mesa y miró su reloj de pulsera. Pasaban catorce minutos de la una. Se preguntó si Higley habría vuelto de su pausa del almuerzo. Decidió esperar otros quince minutos. Con la mano izquierda palpó la bolsa azul de deporte y sintió el duro objeto que presionaba su cadera.

Había algo que le molestaba, pero no conseguía averiguar qué era. Tenía la sensación de que alguien lo vigilaba. Tenía esa sensación desde que Arnie había salido del local, quince minutos antes. Miró de pasada a su alrededor. Había una relativa tranquilidad en Mary Ann's, casi demasiada tranquilidad para un viernes por la tarde. Winston dobló una servilleta por la mitad y se secó la frente. Cuando volvió a poner la servilleta en la mesa estaba empapada. ¡Santo Dios!, se estaba poniendo nervioso. Aparte de la camarera, sólo había ocho personas en el local, y todas parecían completamente absortas en la comida que tenían en el plato. Los tres chicos de delante, sentados junto a la ventana, tenían pinta de ser una panda de porreros clandestinos y engullían como si les fuera la vida en ello. Detrás de él, un matrimonio pijo se ocupaba de su hijo que sufría, según dijeron ellos, de un «trastorno por déficit de atención». Frente a él había un hombre con la calva enrojecida por el sol que parecía sumido en sus pensamientos, y en la mesa al lado de la de Winston una mujer algo más mayor disfrutaba con un… ¿cómo se llama?… ah, sí, un burrito Santa Fe.

Winston miró el plato de la mujer; era el burrito Santa Fe. La cosa marrón de al lado no podía ser más que un resto de judías pintas que se iba endureciendo y secando. También empezaba a rezumar algo blanco, como ocurre con las judías y las personas cuando se quedan frías. La mujer llevaba por lo menos diez minutos sin tocar la comida, tal vez quisiera indicar a la camarera que había terminado de comer. Winston asintió satisfecho. En los últimos años había convertido en un deporte adivinar qué comía la gente. Y era bastante bueno en eso. Actualmente se equivocaba muy rara vez.

Pero si bien Winston estaba convencido de que tenía talento para adivinar lo que comían otras personas, había sido sobre todo el esfuerzo lo que le había llevado donde estaba. Conocía el menú de memoria e incluso sabía la distribución de la comida en el plato. En ese momento miraba fijamente el plato del hombre de la calva enrojecida por el sol y de ojos azules de la mesa que tenía enfrente.

Y de pronto Winston supo por qué se había sentido incómodo los últimos minutos: nunca había visto la combinación de alimentos que el hombre tenía en el plato. Estaba seguro, el hombre apenas había tocado la comida, se había limitado a mirarla durante el último cuarto de hora, como si no supiera qué le habían servido. Winston no podía tomárselo a mal; los jalapeños de la parte izquierda del plato no cuadraban. Tenía que haber algo nuevo en el menú.

Winston se encogió de hombros y sacó la cartera. Deslizó quince dólares bajo su *frozen margarita* a medio beber, se colocó bien la chaqueta, enganchó la bolsa de deporte de debajo de la silla y se levantó. Había llegado la hora. Cogió otra servilleta, se limpió la boca y echó una última mirada al plato del hombre sentado enfrente. No se equivocaba. Nunca había visto esa combinación. El calvo de detrás del plato ya no observaba su comida; en lugar de eso miraba su reloj.

La combinación del plato de Jimmy Roma no era una combinación habitual y por eso no aparecía en el menú de Mary Ann's. Jimmy se había limitado a pedir algo con mucho pollo y muchos jalapeños. Le gustaba la comida picante, y además aumentaba su concentración. Teniendo en cuenta que, en opinión de Jimmy, la concentración era determinante para medir el éxito de un individuo y de los actos que dicho individuo emprende, intentaba estar informado de los alimentos y bebidas que aclarasen su mente. Jimmy se había enterado de que, además de la comida mexicana, la tailandesa, la indonesa y, sobre todo, la jamaicana también le proporcionaban un enorme brío mental.

Jimmy dio un trago de su margarita y miró fijamente el plato que tenía delante, observando las judías pintas y los grandes y grasientos trozos de pollo del centro. Las judías simbolizaban el Upper East Side; los trozos de pollo, las enormes casas que había delante. En breve visitaría una de esas casas, la del actor de series de televisión Jack Gardner. Una visita relámpago, decía él, pero antes debía solucionar unos cuantos problemas relacionados con dicha visita al barrio más rico de Manhattan. Había hecho un gran acopio de jalapeños en el plato que tenía delante; ese día los necesitaba más que nunca para aguzar su espíritu. Su próximo proyecto prometía ser el más lucrativo de toda su carrera, siempre que lo abordara bien. De no ser así, significaría muy posiblemente un regreso anticipado a Riker's Island, la prisión de la que se había despedido tres meses atrás. No sobreviviría una segunda estancia en chirona.

Jimmy quería comenzar su proyecto en cuanto le fuera posible. Estaba harto de las tareas de mierda que le encargaba su padre, y también estaba harto del listillo de Caesar Malvi que siempre intentaba desacreditarlo. Y estaba harto de tener que madrugar porque su padre tenía un nuevo moroso, como ese negro que tenía enfrente. Jimmy Roma quería dar un golpe que le librara para siempre de todas las miserias de su vida: su padre, Caesar, el trabajo en el sentido más amplio de la palabra.

En ese momento Jimmy tenía un verdadero problema: había perdido el apetito.

El motivo por el que no tenía hambre no era que en las últimas semanas se le hubiera achicharrado el cráneo hasta producirle dolor mientras seguía a Jack Gardner con su videocámara. Sus graves quemaduras le hacían susceptible, pero no influían en su apetito.

El motivo de su falta de apetito era que el hombre al que tenía que vigilar de cerca, Winston Malone júnior, le observaba con detenimiento. El negro no dejaba de lanzar fugaces miradas en su dirección. Daba la impresión de que el hombre no lo miraba a él sino a su plato. Jimmy no comprendía nada. De vez en cuando daba un trago a su margarita y miraba el plato preguntándose por qué el negro con su cazadora deportiva azul hacía lo mismo. .

Por enésima vez, Jimmy echó otro vistazo a Malone. El negro se limpiaba la boca con una servilleta y miró de nuevo la comida de Jimmy. En realidad no sólo la miraba, era como si… como si estuviera enfadado con el plato de Jimmy.

Jimmy observó su margarita y se preguntó si se estaba volviendo loco. A continuación decidió quitarse esa idea de la cabeza. En breve se vería liberado de ese tipo de trabajos latosos, no necesitaría a nadie; ni a su padre, ni a ese maldito enano cabezota. Nadie volvería a decirle lo que debía o no hacer en cuanto hubiese estafado a Jack Gardner.

Se dio cuenta de que volvía a divagar. Estaba allí para vigilar de cerca al negro y encargarse de que su padre recuperara la pasta. Debía guardar sus propios planes para más adelante. Le costó trabajo, pero durante un momento logró desterrar de su pensamiento al astro televisivo.

Al levantar de nuevo la mirada, Jimmy volvió a ver la Beretta que le había proporcionado su padre. El ejemplar, una 9 mm, era idéntico al arma que Jimmy llevaba en su funda sobaquera. Malone tocó con cuidado la Beretta, como había hecho hacía un momento mientras hablaba con el culturista. ¿Iría aquel armario ropero a ayudar a Winston Malone con lo que planeaba hacer? Jimmy creía que no. El culturista no tenía pinta de tener sangre fría, de ser alguien que sabe en qué anda metido. Por la forma en la que había hablado hacía un momento con el armario, Jimmy dedujo que Malone también estaba paralizado por los nervios. Intentaba ocultarlo a toda costa, pero resultaba muy evidente. Jimmy creía haber oído que el culturista le decía a Malone que estaba despedido, pero ya no estaba seguro. Sí estaba seguro de que ese tal

Malone era un tipo raro. No dejaba de mirar su reloj con nerviosismo. Definitivamente se sentía incómodo fuera lo que fuese a hacer. Tal vez Jimmy no tuviera siquiera la ocasión de encargarse de que su padre recuperara la pasta prestada, tal vez la policía se le adelantaba llevándose al negro a la cárcel, con lo que Leo podría irse olvidando de su dinero.

Jimmy dirigió una mirada rápida al hombre que, fascinado, observaba el plato que él tenía delante de sus narices. «Dios mío —pensó Jimmy—, acabará sacando su Beretta para abrir fuego contra mi pollo…»

Malone medía cerca de metro setenta, según calculó Jimmy, y debía tener unos cuarenta años. Tenía el pelo negro corto y ensortijado, embadurnado de algún tipo de gel brillante, y debajo de su cazadora azul de deporte llevaba una camiseta blanca, aparte de vaqueros y deportivas.

El negro por fin había dejado de mirar la comida de Jimmy. Éste vio que sacaba unos dólares de su cartera y los deslizaba debajo de su vaso. Después se levantó, volvió a mirar el reloj, y acto seguido observó una vez más el plato de Jimmy.

Como por acto reflejo, Jimmy consultó su propio reloj. No estaba seguro de haber sido lo bastante rápido, pero cuando levantó la mirada un par de segundos después, el negro no empujaba una Beretta bajo su nariz si no que se dirigía a la salida con la bolsa de deporte de *La guerra de las galaxias* colgando despreocupadamente sobre su hombro.

Jimmy buscó su cartera. Sólo tenía billetes de veinte dólares. Miró a su alrededor, pero no vio a ninguna camarera a la que poder pagar con rapidez. Dudó un poco, después dejó el billete de veinte junto a su plato y se levantó. Tenía la sensación de que esa bolsa de *La guerra de las galaxias* estaría llena no tardando mucho y debía encargarse de que Malone no se largara olvidando que Leo Roma tenía derecho a una parte del botín.

Cordelia llamó a su madre, en Indiana, a la una y veinte, desde el despacho de abogados en el que trabajaba de secretaria dos días a la semana. A las dos menos cuarto iban a pasar por allí dos representantes de El Gigante de las Copias para hacer una demostración de la nueva fotocopiadora, y entonces no tendría tiempo de llamar a su madre.

Su miedo había ido creciendo y tenía que hablar con alguien. Preguntó a su madre, que tenía setenta años y se llamaba Louisa Mae Jones, qué debía hacer en esas circunstancias. Era evidente que Winston se estaba metiendo en líos. ¿Debía llamar a la policía para protegerle de sí mismo?

Su madre dijo:

—¿Recuerdas que cuando tú y Winston estuvisteis aquí en Año Nuevo, preparé *Hoppin' John*?

Cordelia dijo que lo recordaba.

El *Hoppin' John* era un plato compuesto principalmente de frijoles y arroz. Louisa Mae había convertido en una costumbre familiar prepararlo en Año Nuevo. Era un plato rico, pero Cordelia no entendía qué tenía que ver eso con lo que estaba contando de Winston.

Así que repitió la pregunta. ¿Debía llamar a la policía o no?

—Hija mía —dijo Louisa Mae al otro lado de la línea—. No tienes que hacer nada en absoluto. Déjamelo a mí. Iré de inmediato al supermercado. Compraré jamón cocido, cebollas y chiles secos. En casa tengo lo demás. Empezaré dentro de media hora.

—¿A hacer qué?

—*Hoppin' John*. Hoy prepararé *Hopping' John*.

—¿Vas a ponerte a cocinar?

—Sí, niña. Todo saldrá bien. De eso se encargará el *Hopping' John*. Tu padre y yo lo comeremos a mediodía, y rezaremos por ti y por Winston. ¿Qué te parece?

Y entonces Cordelia recordó. El *Hopping' John* era una receta inventada por los esclavos que vivían en las plantaciones isleñas de la costa de Carolina del Sur. El plato traía prosperidad y suerte. Al menos para los muchos supersticiosos del Estado de Carolina del Sur. Su madre iba a ayudarla preparando un plato y comiéndoselo con su padre después de rezar una oración.

Cordelia suspiró.

—¿Mamá? ¿Por casualidad has escuchado mi pregunta?

—¿Sobre la policía?

—Sí.

—No hace falta, créeme. Cocinaré para ti, Cordelia, con todo mi alma y mi corazón. Lo que tienes que hacer es confiar. Confiar en el *Hopping' John*, y en Dios. Así todo saldrá bien.

Cordelia dio las gracias a su madre y colgó. La sensación de que estaba sola en este grande y malvado mundo era cada vez mayor.

4

La semana anterior, mientras Wayne Higley almorzaba, Winston cogió la llave de la empresa de su escritorio y mandó hacer una copia. En un cuarto de hora estuvo lista y devolvió la llave. Higley no se percató. Como Winston sabía que ese día, durante su entrevista con Wayne, iba a haber clientes en la sucursal bancaria, decidió cerrarla unos minutos, no más de siete u ocho a poder ser. Por otra parte debía evitar que los atemorizados clientes salieran corriendo y dieran la alarma en la Octava Avenida.

Cuando Winston entró, había cuatro clientes en la sucursal bancaria. A dos de ellos ya les estaban atendiendo; una mujer mayor recogía el dinero que Arnie le pasaba por la ventanilla de la derecha, y un hombre de mediana edad esperaba a que Sally Brady le diera su salario semanal. Cuando Winston vio a Sally se le dibujó una sonrisa. Le sacaba al hombre una cabeza, pero si uno se fijaba mejor se daba cuenta de que había algo en su estatura que no encajaba. Tenía una cabeza muy pequeña y su torso, visible tras la ventanilla, tampoco era llamativamente grande. La razón por la que parecía tan alta era el cojín sobre el que se sentaba. En lugar de sentarse sin más en una silla, Sally Brady llevaba años sentándose en un gran cojín que hacía que sus pies, invisibles a los clientes, colgaran en el aire. Sally necesitaba imperiosamente el cojín verde; tenía almorranas. Si no tuviera el cojín verde bajo su considerable trasero sería incapaz de poner la falsa sonrisa que mostraba ante sus clientes cuando decía: «¿Desea algo más?».

Winston se dio la vuelta, sacó la copia de la llave del bolsillo de su pantalón y cerró el local. Después miró un momento a su alrededor, al lugar en el que había desperdiciado tantos años de su vida. Miró las frías baldosas beige, y las paredes grises con pósters de mal gusto. Miró la colección de tarjetas rasca que colgaba detrás de la ventanilla intentando seducir a las personas que iban a cobrar su sueldo para que se lo gastaran inmediatamente en esa forma de apuestas consentida por el Estado. Miró la cochambrosa alfombra negra que se extendía hacia las ventanillas y que debía evitar que los clientes resbalaran cuando venían a por su salario semanal. Miró toda la estancia y realmente no vio nada que le hiciera arrepentirse de la decisión de volver para siempre la espalda a aquel lugar.

Una de las clientas que esperaba en la cola, una joven con cuerpo de pera, vio que Winston cerraba la puerta y lo miró con las cejas levantadas.

Winston se llevó un dedo a los labios y susurró:

—No se preocupe, señora, trabajo para el Estado. El gerente de esta sucursal bancaria, el señor Wayne Higley, es sospechoso de fraude con fondos públicos. Es importante que no se dé cuenta de mi llegada. Usted tendrá que permanecer aquí un rato puesto que la puerta permanecerá cerrada durante cinco minutos. Este gerente ya se ha visto implicado en asuntos de fraude con anterioridad y el riesgo de fuga es muy alto. De ahí las medidas de precaución. Por favor, compórtese con normalidad.

La mujer, que en verdad parecía una condenada pera, asintió convulsivamente y pareció encontrar más que interesante el verse implicada en algo importante relacionado con el Estado. Los otros clientes les miraban y Arnie también observaba a Winston desde detrás de la mampara de cristal. Winston se apresuró a preguntar a la pera si sería tan amable de informar de su misión a los demás

clientes y si querría disculparse en su nombre por la ev
lestia o pérdida de tiempo.

La pera dijo a Winston que lo haría y le comunicó qu
placer colaborar cuando se trataba de la justicia, más en la ciudad
de Nueva York, donde había tanta injusticia a diario.

—Justicia, sí —dijo Winston—. Ésa es la palabra correcta, señora.

La historia del colaborador del Estado la había sacado de una
película en la que un ladrón de bancos se hacía pasar por funcio-
nario de Hacienda. En la película, al ladrón de bancos siempre le
funcionaba la historia, todos se la creían, y había atracado un banco tras otro hasta que lo pillaron porque, tras robar un montón de
tarjetas rasca, fue tan estúpido que intentó embolsarse el premio.
Por supuesto los números de las tarjetas estaban registrados y el ladrón de bancos fue localizado y acabó en la cárcel. A Winston no
le sucedería eso. No pondría ni un dedo en esas tarjetas rasca.

Mientras la pera hablaba con el resto de los clientes sobre su
«misión al servicio del Estado», Winston se dirigió con la bolsa de
deporte bajo el brazo hacia la mampara antibalas tras la que se encontraban sus compañeros. Dio unos golpes en el cristal e hizo
señas a Arnie. La mano de Arnie desapareció bajo el mostrador,
donde estaba el zumbador, y permitió que Winston entrara. Tras
empujar la pesada puerta, vio por el rabillo del ojo que Wayne Higley estaba en la estancia posterior enredado en una de sus eternas
conversaciones telefónicas. La puerta de cristal de su despacho estaba cerrada; era probable que estuviera manteniendo conversaciones privadas sobre los gastos de la empresa. Winston dejó la
bolsa de deporte de *La guerra de las galaxias* sobre un escritorio de
madera cercano a la entrada y comprobó por última vez si la Beretta seguía en su sitio.

Wayne Higley vio entrar a Winston. Era casi la una y media. Por
desgracia estaba hablando por teléfono con uno de sus amigotes de

la bolera, Charlie Dale de Nueva Jersey. Charlie había engañado a su mujer y quería saber qué hacer ya que su mujer se había enterado.

Wayne Higley preguntó:

—¿Qué vas a decirle?

Miró el montón de papeles que tenía delante sobre el escritorio. Sería una tarde ajetreada.

—Creo que voy a reconocerlo y ya está —masculló Charlie Dale.

Wayne negó con la cabeza.

—¿Crees que se conformará con eso?

Vio que Arnie le abría la puerta a Winston y no le quedó más remedio que reconocer el valor que tenía aquel idiota para entrar allí sin más, como si no tuviera ni idea de que estaba a punto de ser despedido.

—Le diré que lo siento, claro —dijo Charlie con tono inseguro en el mismo momento en que Winston dejaba la bolsa de deporte sobre el pequeño escritorio de madera cercano a la entrada de personal.

»¿Wayne? ¿Sigues ahí? Estoy en apuros, tío. Tienes que ayudarme. ¿Me estás escuchando?

Wayne escuchaba a medias. Le sorprendía que Winston se dejara la chaqueta puesta; solía colgarla en el perchero en cuanto entraba.

—No debes decir que lo sientes, Charlie. Eso no le interesa una mierda.

—Pero, entonces, ¿qué tengo que hacer?

—Tienes que mentir —respondió Wayne Higley con calma.

Vio que Winston le decía algo a Arnie. ¡Mierda! Ojalá hubiese dejado abierta la puerta de cristal de su despacho. Así habría podido entender lo que decían. Probablemente aquel imbécil estaría intentando averiguar si alguien sabía si continuaba trabajando allí.

—No se me da bien mentir, Wayne —dijo Charlie Dale—. Además ya sabe lo que he hecho. Captó una parte de una conversación telefónica que tuve hace unos días con Debbie. No me di cuenta de que ella había vuelto a casa antes de lo habitual. He sido yo, Wayne. De verdad. Me ha cogido con las manos en la masa.

—¿Con las manos en la masa? Charlie, por Dios, estabas hablando por teléfono.

Wayne Higley sonrió. No porque estuviera aconsejando a su coleguita de bolos cómo tratar a su mujer sedienta de venganza. Charlie no tenía ni idea de que en el club de bolos se la pasaban como si fuera un porro, y de que había estado con más de la mitad de los miembros masculinos bajo las sábanas. No tenía gracia. Charlie Dale de Nueva Jersey era tonto de nacimiento, y a los tontos les pasan ese tipo de cosas. No, Wayne Higley sonreía por lo que veía ante sus narices: Winston Malone le miraba desde el otro lado de la puerta de cristal.

Winston parecía nervioso. Sudaba y tiraba de su cazadora azul de deporte como si temiera que la prenda fuera a resbalar de sus hombros y no tuviera puesto nada debajo. Wayne Higley decidió hacerle esperar un poco más. A fin de cuentas, Winston tendría el resto del día libre.

—¿Te acuerdas de Lenny Bruce? —preguntó a Charlie mientras apartaba la vista de Winston y se volvía hacia una fotografía de una modelo medio desnuda que colgaba de la pared de detrás de su escritorio.

—Claro que me acuerdo de Lenny Bruce. ¿Por qué me lo preguntas?

—Lenny Bruce siempre decía: «Si tu mujer llega a casa y estás en la cama con otra, niégalo. ¿Qué mujer? ¿Quién? ¿Yo?».

—Yo no soy ninguna celebridad, Wayne. Si suelto algo así, seguro que me deja.

Wayne Higley suspiró.

—No entiendes lo que te quiero decir. Lo que intento explicarte es lo siguiente: todo el mundo miente.

—¿Seguro? —preguntó la voz de Winston Malone detrás de él.

Asustado porque Winston había entrado sin permiso en su despacho, Wayne se dio la vuelta. Lo que vio fue un pequeño círculo negro apuntando a su ojo izquierdo. Detrás del círculo negro se encontraba Winston, que seguía sudando pero que ya no parecía nervioso.

Wayne Higley ahogó un grito de terror. Tras mirar la pistola y preguntarse cómo debía reaccionar, comenzó a temblar un poco. Tenía reputación de mantener siempre la calma. De ser alguien que siempre tenía mano en los asuntos que ocurrían a su alrededor y que nunca sentía pánico. Era un jefe envidiado por sus empleados por su dominio de sí mismo, y quería que continuase siendo así.

Por eso en aquel momento, con el auricular del teléfono aún en la mano y la pistola cerca de sus narices, se preguntó qué diría alguien que siempre mantiene la calma en su situación. Si le entraba pánico, era probable que a sus empleados también les entrara y tal vez llegaran incluso a perderle el respeto. Pero si permanecía calmado, muy calmado, a Winston podía entrarle el pánico, y en ese momento Winston le estaba apuntando con una pistola. Finalmente se acercó el auricular a la boca y dijo:

—¿Charlie? ¿Te importa que te llame luego?

—¡Hola, Wayne! —dijo Winston—. ¿Por qué no me acompañas un momento ahí delante y seguimos hablando?

Su jefe sonrió forzadamente. Por un breve instante, Winston pensó que se negaría a acompañarlo a la estancia contigua donde sus serviles empleados se mataban todos los días a trabajar para él, pero al final el hombre al que llevaba once años odiando con todas sus fuerzas asintió y se levantó de su silla. Winston disfrutaba con la falsa expresión de indiferencia que Higley tenía en la cara. Sabía que Wayne Higley no era en absoluto indiferente ante la visión de la pistola que lo apuntaba. Sólo intentaba parecerlo para que ninguno de sus empleados dudara de que él tenía, como siempre, todo bajo control. Lo cual, por supuesto, estaba muy lejos de la verdad. La realidad era que en ese momento Higley se estaba cagando de miedo. Temblaba. Y Winston apenas podía esperar a mostrárselo al personal en pleno. Ese día iba a enseñarles lo que valía su jefe.

—Señor Higley... —señaló con la barbilla el cañón de la Beretta—. Antes de continuar, creo que debo presentarle a esta amiga mía, llamémosla señora B. A la señora B y a mí nos gustaría hacerle unas preguntas, y apreciaríamos que respondiera con sinceridad a cada una de esas preguntas. De modo que, por favor, no mienta como acaba de aconsejarle a su amigo por teléfono.

Winston miró con solemnidad a su alrededor. Vio que Arnie negaba con la cabeza con expresión atormentada, vio que Sally Brady se secaba la frente con una palma de la mano temblorosa. Se sintió poderoso, y cuando volvió a centrarse en Wayne Higley, aquel sentimiento se hizo más fuerte.

—Wayne —continuó diciendo—. ¿Puedo llamarle Wayne? Seguro que sí. Es mi jefe desde hace tanto tiempo que creo que va siendo hora de que tiremos los formalismos por la borda y nos llamemos por el nombre de pila.

Winston echó un vistazo a su reloj; en unos minutos tendría que estar fuera de allí. Miró rápidamente hacia los cuatro clientes que había tras el cristal antibalas. Todos permanecían inmóviles y con los ojos muy abiertos a la espera de que ocurriera algo. La mujer con el cuerpo de pera levantó alentadora el pulgar a Winston, como si quisiera darle ánimos. Al parecer seguía convencida de que él, y por lo tanto también la Beretta de su mano, actuaban al servicio del Estado. No era tan extraño que no hicieran nada porque Winston sabía por experiencia que la mampara antibalas también hacía las veces de barrera acústica, y que uno sólo podía hacerse oír a través del minúsculo micrófono que había en el centro del cristal. A los ojos de los curiosos clientes, continuaba siendo el caballero del caballo blanco. Winston suponía que cambiarían de opinión en cuanto le viesen ordenar que llenaran de dinero la bolsa de deporte y se fuera.

Winston volvió a dirigirse a Wayne con fingido enfado.

—Querido Wayne —dijo—, ¿es cierto que esta semana has llamado a mi estimada media naranja?

Wayne Higley asintió con vaguedad.

—Sí, es cierto.

—¿Y es cierto que le dijiste que dudabas de que yo conociera el significado de la palabra «ultimátum»?

—Sí, eso también es cierto, Malone. Lo dudo muchísimo.

Winston vio que Arnie negaba con la cabeza. A su lado estaba Sally Brady, que levantaba nerviosa la mirada de un montón de dinero que acababa de contar para un cliente. Parecía muerta de miedo. Conociendo a Sally, en aquel momento debía estar preparándose para morir. No paraba de balancearse sobre el cojín verde de su silla; las almorranas le molestaban cuando estaba asustada.

—Sally —dijo Winston en un tono suave pero contundente al cuerpo de mujer que había sobre el cojín verde—. ¿Tú dudas de que yo conozca el significado de la palabra «ultimátum»?

—N... no —tartamudeó Sally—. No, no lo dudo, Winston. No lo dudo. Lo juro.

—Gracias por la confianza, Sally —dijo Winston sonriendo a su jefe—. Escúchame bien, Sally, porque necesito tu ayuda. Tengo la intención de ponerle un ultimátum a nuestro Wayne. Y voy a ponerle un ultimátum a Wayne porque creo que es él el que no conoce el significado de esa palabra. Lo que yo creo es que utiliza esa palabra porque se la ha oído decir a alguien, y le sonó interesante. Pretendo averiguar si tengo razón, porque creo que las personas no deben utilizar palabras cuyo significado desconocen. Menos aún si son palabras para amenazar a otras personas. ¡Imagina que todos los políticos de Washington hicieran eso! Provocarían guerras. Pero bueno, ¿estás de acuerdo conmigo, Sally? ¿Tú también piensas que las personas sólo deben utilizar palabras cuyo significado conocen?

—Sí —respondió Sally con voz tímida—. Sólo si conocen el significado.

—Fantástico, Sally —dijo Winston—. Es importante que estemos de acuerdo.

Volvió a dirigirse a su antiguo jefe que había seguido el intercambio de palabras sin decir nada, y dijo:

—¿Wayne? Me gustaría que ordenaras a Sally que coja esa bolsa de deporte del escritorio y que la llene con todos los billetes que haya. Puedes quedarte las monedas. Escúchame bien porque ahora viene la parte del ultimátum: si no colaboras, la señora B se hará cargo de las negociaciones y, créeme, mi pequeña e impulsiva amiga no tiene ni idea de qué son las soluciones diplomáticas.

Sally rompió a llorar.

Winston miró a los clientes de detrás del cristal; parecían un poco intranquilos. ¿Y Wayne Higley? Sentía verdadera curiosidad por ver cómo iba a reaccionar el hombre.

—¿Wayne?

Wayne Higley mantenía la boca bien cerrada.

Winston vio que Sally se balanceaba cada vez más sobre su cojín. Lanzaba miradas fugaces a su jefe esperando su autorización.

Por fin Wayne Higley tosió un poco, carraspeó y dijo:

—Sally, no creerás que el señor Malone va a disparar realmente a alguien, ¿verdad?

Sally no respondió y miró a Winston como preguntándole si todo aquello iba en serio. Winston le dedicó una cálida sonrisa y se encogió de hombros. Después dijo:

—Sally, dame tu cojín.

Sally se estremeció.

—¿Por... por qué?

—Porque voy a disparar a Wayne, Sally.

—Pero mi cojín... Yo...

—Lo sé, Sally. Sé lo de tus almorranas —interrumpió Winston—. Sin el cojín te duele estar sentada. Lo siento, pero tendrás que morderte un poco la lengua, esto va a durar poco. Siéntate e intenta pensar en otra cosa. Intenta imaginar que hay cosas que molestan mucho más que las almorranas, como los orificios de bala en el cuerpo, por ejemplo.

Sally dio el cojín a Winston.

—Va de farol, Sally —dijo Wayne Higley con voz potente, al parecer más para darse ánimos que para tranquilizar a Sally.

Sally temblaba de forma descontrolada, pero después de haberse frotado el trasero a conciencia logró sentarse en la fría silla de madera.

Nadie se movió.

Winston estudió el cojín con desmedido interés, después fue directo hacia Wayne Higley, apuntó a su rótula izquierda con el cojín entre la rodilla y la Beretta, y apretó el gatillo. Se hizo un extraño silencio, y entonces Wayne Higley comenzó a gritar como un gorrino.

Winston era consciente de que debía actuar con rapidez.

—Sally, levántate y llena esa bolsa de deporte. Y hazlo rápido o hago tantos agujeros en tu cojín que nunca podrás volver a sentarte con normalidad. Arnie, quiero que ayudes a Sally. Mantén la bolsa abierta. No queremos dejar dinero tirado por todas partes.

Más de diez minutos habían transcurrido cuando Jimmy vio salir a Winston de la sucursal bancaria en la que había entrado. Entretanto había comenzado a llover y los gases de los tubos de escape flotaban como una densa niebla sobre el asfalto reflectante. Malone, que agarraba una bolsa de deporte de *La guerra de las galaxias* con las dos manos, la levantó por encima de su cabeza. Parecía que iba derecho al primer taxi libre, pero entonces Jimmy vio que dudaba, y que en lugar de parar un taxi giraba a la derecha y comenzaba a andar hacia la calle 15, sosteniendo la bolsa de deporte por encima de su cabeza a modo de trofeo.

Jimmy quedó desconcertado al ver a Malone utilizando una bolsa de dinero como protección contra la lluvia. Al parecer le preocupaba más el chaparrón que las primeras sirenas de policía que habían comenzado a aullar por las calles. En ese momento Malone cruzaba la calle 15 ignorando el semáforo en rojo y sin hacer ningún ademán de querer parar un taxi.

Jimmy miró hacia el interior de la sucursal bancaria. En la entrada apenas se percibía movimiento. Las personas que salían daban la impresión de ser clientes confusos y no el valiente personal que persigue a un criminal.

Cincuenta metros más allá, Malone continuaba comportándose como un turista. Caminaba tranquilamente y cruzó hasta el restaurante japonés del otro lado de la calle pegándose a los edificios donde llovía con menor intensidad. La bolsa de deporte continuaba por encima de su cabeza. Había trascurrido un minuto y medio, Malone no se había alejado ni dos manzanas de la sucursal bancaria y lo único que parecía preocuparle era que se le mojara el pelo.

Las sirenas se aproximaron rápidamente, apenas se habían alejado unas manzanas de la Octava Avenida. Jimmy volvió a mirar hacia el interior de la sucursal bancaria. Nadie había comenzado la persecución. Cuando Jimmy fijó de nuevo su atención en Malone, alcanzó a ver que el negro entraba en el restaurante mexicano en el que había almorzado poco antes. Jimmy no daba crédito a sus ojos; el negro regresaba con el botín bajo el brazo al lugar en el que acababa de almorzar, a una sola manzana de la sucursal bancaria que había atracado hacía dos minutos. Era probable que ese tal Winston Malone no las tuviera todas consigo, y posiblemente Leo tampoco. ¿Cómo se podía prestar dinero a un pringado como aquél?

5

El aspecto de los dos empleados de El Gigante de las Copias era el siguiente: en primer lugar estaba Clyde, un negro de constitución fuerte, más o menos de la edad de Winston, en apariencia seguro de sí mismo. Era probable que fuera el que tenía más experiencia de los dos. Después estaba su colega, un hombre de ojos tímidos de aspecto latinoamericano que se presentó como Raoul Gonzales, si bien su voz delataba que no estaba muy convencido de ello. Clyde informó a Cordelia que Raoul respondería a todas sus preguntas. Los trajes azul marino de empresa les quedaban demasiado apretados y llevaban unas corbatas que desentonaban con sus camisas amarillas.

Cordelia dedujo que los dos cabezas huecas vestidos de hombres de negocios estaban perfectamente capacitados para su trabajo: hacer una demostración a Cordelia de la nueva fotocopiadora de El Gigante de las Copias. Habían entregado el aparato dos días antes, y nadie del despacho de abogados había logrado averiguar para qué servían los distintos botones. Clyde y Raoul acudieron para arrojar luz en la oscuridad o, como Clyde expresó, habían venido a hacerle a Cordelia una demostración completa y personalizada de todos los *ins* y *outs* de aquel excepcional producto de la tecnología moderna. A su vez Cordelia ayudaría al resto del personal si tenían algún problema para copiar unas hojitas de papel. Lo que significaba que tendría que fotocopiar la porquería del resto del personal. Los abogados, como había aprendido Cordelia en los diez años que llevaba trabajando de secretaria para McGregor, Smith & Blackwood, sólo se ocupaban de la ley.

Punto.

Sus asistentes necesitaban toda su energía para poder seguir los asuntos que ocupaban a sus superiores. Si bien por lo general tanto los abogados como sus asistentes era gente inteligente con una excelente formación, ninguno de ellos parecía capaz de manejar una fotocopiadora. Eso era algo que sólo Cordelia Malone era capaz de hacer y por eso la necesitaban en esa empresa.

Sin pedir permiso, Clyde dejó su cartera sobre el escritorio de Cordelia y dijo:

—Fantástico, creo que podemos empezar. Si tienes alguna pregunta, y piensa que no existen preguntas tontas, simplemente di «alto». —Dedicó a Cordelia una sonrisa de ánimo—. ¿Hay algo que quieras preguntar antes de comenzar?

Cordelia no recordaba haber dicho «alto».

—No, hasta ahora está todo claro.

Clyde asintió con aprobación, enderezó su desafortunada corbata y comenzó a contarle a Cordelia todas las cosas que ella ya sabía desde hacía mucho sobre la fotocopiadora.

—¿Ha olvidado algo? —preguntó Jeanette, la camarera de Mary Ann's, cuando vio que Winston se dirigía a la mesa en la que había almorzado quince minutos antes.

—Está lloviendo —respondió Winston—. Póngame otro plato de nachos con chile.

La camarera no preguntó nada más, y la repleta bolsa de deporte de debajo de la mesa no pareció llamar su atención. Winston esperó a que Jeanette se marchara antes de dirigir su mirada hacia la bolsa. Estaba empapado, pero Arnie le había contado a Winston que había un anuncio en el que un hombre vestido de Chewbacca explicaba que las bolsas de deporte de *La guerra de las galaxias* estaban hechas a prueba de todo. Winston abrió la cremallera de la bolsa y echó un rápido vistazo a su contenido. El hombre vestido de Chewbacca había dicho la verdad. No es que Winston esperase que alguien fuera a deshonrar la fama de Luke Skywalker y Han Solo tratando de vender bolsas de deporte defectuosas, y además disfrazado de Chewbacca, que fuera a mentir sobre su calidad en la televisión, pero nunca se sabía.

Winston miró a su alrededor, levantó la bolsa y, por segunda vez en el día, bajó la estrecha escalera que llevaba al baño.

«Winston podría haber sido Clyde», pensó Cordelia. La única diferencia es que éste llevaba traje y estaba delante de una fotocopiadora filosofando sin sufrir aparentemente por ello. Al contrario, Clyde parecía disfrutar con su demostración. De vez en cuando tocaba el aparato con ternura y no dejaba de sonreír a Cordelia. Resultaba interesante ver cómo Clyde explicaba una operación al mismo tiempo que la ejecutaba. Probablemente para dejarla más clara. Entretanto no la perdía de vista para asegurarse de que su atención no disminuía. De vez en cuando Clyde miraba a Raoul Gonzales. Cordelia sospechaba que era para ver si seguía ahí.

Clyde estaba colocando una hoja de papel en la superficie de cristal.

Dijo:

—Se pone el papel en el cristal.

A continuación apretó el botón verde.

Cordelia dijo:

—Se aprieta el botón verde.

—Ya no es necesario —dijo Clyde en tono amistoso—. Acabo de hacerlo yo. —Se apartó, cogió la hoja de la bandeja y sonrió a Cordelia—. Así de fácil. ¿Ves como no es para tanto?

Cordelia farfulló un insulto. Se preguntó qué hacía escuchando a esos necios, si de todos modos volvería a tener problemas con aquella condenada fotocopiadora cuando se hubieran ido.

De modo que decidió hacer unas cuantas preguntas. Se dirigió a Clyde y carraspeó para llamar su atención.

—¿Para qué sirve ese botón con la «i»?

Clyde miró a Raoul Gonzales.

—Como ya te he dicho, Raoul tiene la respuesta a todas tus preguntas.

Raoul enderezó sus hombros y dijo:

—La «i» significa simplemente «información». Es una función de ayuda. Cuando la pulsas, te ayuda.

—Exacto —masculló Clyde.

—¿Y si tengo que abrir la fotocopiadora? —continuó diciendo Cordelia—. Me refiero a que si el problema está en el interior, ¿cómo lo hago?

Raoul Gonzales abrió la fotocopiadora e indicó a Cordelia que se acercara para que pudiera echar un vistazo al interior.

Cordelia sólo quería saber cómo se abría el aparato, pero a pesar de ello miró el interior. Como esperaba, no entendía lo que veía, así que muy segura de sí retrocedió un paso y dijo:

—Ya lo he visto. Gracias.

Oyó que Clyde la animaba a seguir mirando, incluso a meter la mano para poder tocar todo. No debía tener ningún miedo a que el aparato se cerrara solo. A fin de cuentas sólo era una máquina, no un monstruo.

Cordelia miró a Clyde con incredulidad. Dudaba si sería capaz de explicarle que no sentía ninguna necesidad imperiosa de tocar una fotocopiadora por dentro. Pero aun así continuaron.

Miró su reloj y se preguntó qué demonios estaría haciendo Winston.

Eran las dos menos cinco. Winston estaba comiendo su segundo plato de nachos con chile. Tenía mejor sabor que el primero. Probablemente fuera por los nervios. Acababa de regresar del baño donde había pasado diez minutos contando mentalmente una gran suma de dinero y mirando un cartel en el que ponía que los empleados estaban obligados a lavarse las manos. La bolsa de deporte de *La guerra de las galaxias* contenía más de treinta mil dólares. Era más de lo que esperaba.

En ese momento hablaba con Jeanette, la camarera. Le preguntó si en verdad era de México y si podía cenar allí gratis todas las noches. La camarera dijo que en efecto su origen era, en parte, mexicano, y que allí no le daban nada gratis; estaban en Nueva York. No es que a ella le importara, porque esperaba no tener que meterse la misma porquería grasienta un día tras otro, y menos después de estar oliéndola durante ocho horas. Winston no lo comprendía. Si te lo dan gratis, eso que ganas, ¿o no?

—No —dijo la camarera—. Es como cuando cocinas en casa para amigos y pierdes el apetito por estar todo el rato pendiente de la cazuela.

—¿Te refieres a que te aburres? —preguntó Winston.

No entendía el ejemplo porque él nunca cocinaba para amigos. Esas cosas siempre las hacía Cordelia.

—Sí, se podría decir así —respondió Jeanette con una sonrisa mientras hacía ademán de ir a la siguiente mesa—. Si tienes algo demasiado tiempo delante de tus narices, al cabo de un rato pierde su interés.

Winston asintió, miró la bolsa de deporte que tenía entre las piernas y pensó: «A no ser que se trate de dinero». Después consultó su reloj y decidió que en un cuarto de hora llamaría a Cordelia.

Clyde preguntó a Raoul Gonzales si ya habían enseñado todo y podían irse a casa. Raoul Gonzales negó lentamente con la cabeza y dijo:

—Aún no hemos explicado para qué sirve la pantalla.

—Exacto —dijo Clyde satisfecho por la atención que demostraba su alumno. Volvió a dirigirse a Cordelia señalando la pequeña pantalla—. En esta pantallita puedes solicitar toda la información que necesites. Permite que te ponga un ejemplo... —Miró pensativo la pantalla durante unos instantes y añadió—: Bien, digamos que el aparato tiene poco tóner. Entonces en la pantalla pondrá «falta tóner». Lo que hay que hacer...

—Es rellenar el tóner —interrumpió Cordelia.

Raoul Gonzales negó asustado con la cabeza y masculló:

—No. Llamarnos.

Clyde, que se había llevado la mano a la oreja a modo de teléfono, dijo:

—Llamas a El Gigante de las Copias y dices: «Me falta tóner». Entonces enviamos a alguien para que te soluciona el problema.

Cordelia asintió con comprensión.

—Vosotros mandáis.

Clyde por fin pareció captar el tono cínico porque le lanzó una mirada de menosprecio. Después dijo:

—Bueno señora, que tenga un buen día. Espero que disfrute mucho de la máquina. Créame, es un buen aparato, el modelo más reciente, mucho más rápido que la versión anterior y por lo tanto también más eficiente.

Parecía que el curso intensivo había concluido.

Entonces los ojos de Cordelia repararon en el libro que Raoul Gonzales había dejado casi a escondidas en el cesto junto al surtidor de agua. Lo señaló.

—¿De qué trata ese libro?

Clyde se encogió de hombros.

—De nada.

—¿Nada?

—No —dijo Clyde cogiendo su cartera y siguiendo a su colega hasta la puerta—. Todo lo que pone en ese libro, puede leerlo en la pantallita. Puede considerar el libro como un pequeño extra. Si se pierde no pasa nada.

Hacía cinco minutos que Clyde y Raoul se habían marchado y Cordelia miraba un mínimo de veinte *post-its* pegados a su monitor que hacían sospechar que su ordenador tenía ictericia. Alrededor del aparato, el escritorio parecía el centro de coordinación de un departamento de primeros auxilios. Los montones de papeles eran los pacientes. Todos gritaban para que les atendieran primero. Miró los *post-its* en los que ponía cosas como: «Cancela la cita con el señor Reese», «Llama al doctor Ludlow (¡teléfono nuevo!)», «Pide material de oficina», «Fotocopia el informe del señor Adler», «Llama a Randy C.», «Rearchiva los contratos», «Almuerza en tu escritorio», etc. Cordelia se preguntó cuántos *post-its* serían necesarios para contar la historia de su vida. ¿Tal vez dos? El texto del primero sería: «Me llamo Cordelia Malone». El del segundo: «Mi vida ha sido un drama». Ninguno de los dos *post-its* mencionaría la existencia de Winston.

Cogió su Rolodex y marcó el nuevo número del doctor Ludlow, el cuarto número nuevo de ese mes. Ludlow era uno de los clientes más importantes del despacho, pero Cordelia le consideraba un ogro y un mentiroso. Cordelia sabía que si el doctor tenía un número nuevo eso significaba un nuevo ligue. El hombre no tenía ni un ápice de dignidad, incluso flirteaba por teléfono con Cordelia sin haberla visto ni una sola vez en su perversa vida. Él siempre le decía que tenía una voz sensual y bromeaba sobre su jefe para darle la impresión de que no la consideraba una secretaria estúpida. La llamaba «tesoro», a veces incluso «cielo». Cordelia se mantenía firme en «doctor Ludlow» o sólo en «señor», e intentaba desesperadamente conservar la buena educación.

La secretaria del doctor le informó de que el cerdo estaba almorzando.

Cordelia colgó el teléfono y miró a su alrededor. Odiaba aquel despacho y se preguntaba cuánto tiempo tardaría en volverse loca de remate con ese trabajo.

El teléfono sonó.

—McGregor, Smith & Blackwood, ¿en qué puedo ayudarle?

Oyó la voz de Winston:

—Procura estar dentro de media hora en la esquina de Park Avenue South con la 18. Te recogeré allí.

—¿Qué? ¿Winston? ¿Qué ocurre?

—Ya te lo explicaré después. Sé puntual.

—¿Pero...?

—Confía en mí, cielo. Todo saldrá bien.

Cordelia iba a preguntar a qué se refería Winston con aquel último comentario, pero su marido ya había colgado.

¿Qué debía hacer? ¿Podía salir sin más por la puerta? ¿Y en qué estaba metido Winston? No tuvo mucho tiempo de reflexionar. Jeffrey Longman, uno de los abogados más arrogantes del despacho, se acercaba a ella con una amplia sonrisa. Bajo el brazo llevaba un expediente de tres centímetros como mínimo.

—Cordelia, ¿podrías fotocopiarme esto?

—Por supuesto, Jeffrey. ¿Para cuándo necesitas la copia?

—Preferiblemente para antes de que salgas a almorzar. ¿Es posible?

«No, capullo, lo sabes tan bien como yo.»

—¿Cordelia?

—Ay, perdón. Eh... sí, claro que es posible. ¿Sabes qué? Iré a por un *bagel* allí enfrente y me lo comeré aquí para poder continuar fotocopiando.

—Cordelia, eres un ángel.

Le dedicó un guiño y por un momento ella pensó que se iba a morir de asco allí mismo. Cuando Jeffrey se fue, se puso la chaqueta. Miró a su alrededor, cogió el expediente que le había dado el abogado y salió al pasillo. Una vez fuera tiró el expediente a una de las papeleras metálicas de la esquina de la calle y corrió al metro. Winston había dicho en media hora. Si el metro aparecía pronto, sería puntual.

6

—Pero ¿por qué? —preguntó Cordelia por segunda vez. Se dirigían en taxi al Hotel Gramercy Park. Cordelia esperaba ya en la esquina de Park Avenue South con la calle 18 cuando Winston llegó. Desde que él le había puesto al día, brevemente, de sus actividades de aquella mañana, ella no tardó en sentir pánico.

—Tranquila, cielo, todo va a salir bien —dijo Winston en voz baja.

—Oh, Winston, vamos a ir a la cárcel.

—Cielo —susurró Winston en su oreja—. No vamos a ir a la cárcel. ¿Acaso no te acuerdas de esa película, *Jackie Brown*? ¿Esa con la azafata que se parece tanto a ti? ¿Recuerdas cuánto dinero tenía esa azafata al final de la película?

—No —susurró también Cordelia con voz insegura.

—Pero sí recuerdas lo que le pasó a esa azafata, ¿no?

—No, Winston, hace tanto tiempo... Dios, ¿no podemos hablar de algo que no sea una película?

—Tal vez tengas razón. Te ayudaré un poco. Ella, la azafata, se marchó con él. Se marchó con la pasta. Era al final de todo. ¿Entiendes lo que te quiero decir? Tenía una vida muy dura, como nosotros, y merecía cada dólar de ese dinero, como tú, cielo. Mereces cada dólar de los que tengo en esta bolsa de deporte tanto como mereces la cama decente en la que vas a dormir esta noche.

Cordelia lo miró con una expresión que él nunca le había visto. Era como si intentara hacerlo desaparecer con la mirada, cosa que, por supuesto, no consiguió.

—Lo que sí recuerdo, Winston —continuó susurrando con pánico—, es que en la película, esa azafata no disparaba a nadie.

—¿Y qué? Cielo, tú tampoco has disparado a nadie, ¿verdad?

—¡No! —gritó—. ¡Pero tú sí, Winston!

El taxista miró asustado hacia atrás. Winston le sonrió y se encogió de hombros con gesto indiferente, tras lo cual el taxista volvió a mirar el denso tráfico de Park Avenue South.

Por suerte Cordelia logró controlarse. Volvió a susurrar de nuevo.

—Has disparado a alguien, Winston. Ni más ni menos que a tu propio jefe. No me lo puedo creer. Irás a la cárcel, y ¿qué voy a hacer yo sola?

Se tapó la cara con las manos y comenzó a llorar en voz baja.

Winston dijo:

—Cielo, no es para tanto.

—¿Ah, no? ¿Eso crees?

—Sí, eso creo. En primer lugar nadie va a encontrarnos, eso es lo más importante. Y en segundo lugar no he disparado a Higley. He utilizado balas de fogueo. Sólo quería asustarle un poco.

Cordelia lo miró sin más.

—Hemos llegado —dijo el taxista—, Hotel Gramercy Park.

El vestíbulo del Hotel Gramercy Park, a una sola manzana de Park Avenue South, parecía desierto. Jimmy empezó a sentirse algo incómodo. Seguir al taxi que había cogido Malone después de su visita a Mary Ann's había sido muy fácil. A partir de ese momento la cosa cambiaba. Además se preguntaba si la recepcionista le proporcionaría por las buenas el número de habitación del negro. Se dirigió a la recepción y preguntó el número de habitación del afroamericano —¡qué bonito era lo políticamente correcto!— que había reservado una habitación con su mujer hacía diez minutos.

¿Que si sabía cómo se llamaba el hombre? ¿Malone? No había nadie registrado con ese nombre, y, sintiéndolo mucho, no estaba permitido facilitar los números de habitación de los clientes a desconocidos, dijo la recepcionista. ¿Qué? ¿La pareja había olvidado algo en el taxi? ¿Trescientos dólares? Sí, era un montón de dinero...

Winston estaba sentado con las piernas cruzadas en la confortable cama de matrimonio contando por segunda vez su botín. La visión era fabulosa: todos esos billetes esparcidos ante sus narices sobre las mantas azul celeste. Se había registrado en el hotel con un nombre falso pagando dos noches por adelantado. Cordelia fumaba un cigarrillo con manos temblorosas sentada en una silla cerca de la pequeña cocina. No dejaba de mirar el balcón. Por suerte en la recepción había logrado mantener la calma, pero desde que subieron a la habitación no lograba estarse quieta. Sin apartar la mirada del balcón, gimoteó:

—¿Por qué, Winston? ¡Ay, Dios! Pero ¿por qué?

En la última media hora no había dejado de repetir la misma pregunta.

Winston la miró.

—Está bien —dijo—. Te lo contaré si después dejas de estar enfadada conmigo.

Cordelia no reaccionó.

Winston suspiró. Entonces le contó la historia del heladero y que había pedido dinero prestado para poder financiar el tresillo de Cordelia. Contó toda la historia y vio que a su mujer se le llenaban los ojos de lágrimas. Winston también vio que no eran lágrimas de emoción, sino más bien de total desesperación. Así que decidió continuar hablando y contarle lo último que le había dicho su padre. Si le hablaba despacio, ella acabaría calmándose.

—¿Te he hablado alguna vez de mi padre? ¿De cuando se fue a Vietnam? —Como Cordelia no respondía y continuaba sollozando, Winston dijo—: Bueno, poco antes de que vinieran a recogerle a la casa de mis padres, él me llevó aparte y me dijo: «Nadie en este mundo, y eso también vale para ti, Winston, logrará nunca nada si no emprende alguna iniciativa en la dirección correcta. Toma buena nota de esto y todo te irá bien». Fue una especie de último consejo de un padre que sabe que no volverá a ver a su hijo. Ya sabes, como suele pasar en las películas. Te das cuenta por la música, o lo ves en la expresión del rostro de los implicados, y sabes que va a pasar algo grave. Creo que mi padre también sabía que iba a pasar algo grave, que su viaje a Vietnam en ese helicóptero sólo era de ida.

—¿Winston? —dijo Cordelia—. Tomar la iniciativa es algo distinto a cometer un crimen. ¿Es que no te das cuenta de lo que has hecho? Vas a ir a la cárcel por un tresillo. Yo no quería ese sofá, sabía que era demasiado caro. ¿Por qué no me lo contaste? —Cordelia seguía muy lejos de estar calmada—. ¿Y por qué sigues manteniendo que tu padre fue a Vietnam en helicóptero? ¿Te has tomado alguna vez la molestia de consultar en un atlas dónde está Vietnam? ¿Sabes lo lejos que está? Fue en avión, no en helicóptero, te lo he dicho muchas veces.

El teléfono sonó.

Winston miró a Cordelia.

—¿Le has dicho a alguien adónde ibas?

Cordelia negó la cabeza con desánimo.

—Winston, ni siquiera sabía adónde iba. El único que lo sabía eras tú. Esto es idea tuya.

El teléfono sonó por segunda vez. Winston reptó por la cama, golpeó sin querer el montón de billetes de cincuenta dólares y miró pensativo el teléfono que sonaba. ¿Al servicio de habitaciones no llama uno mismo? Esperó a que el teléfono sonara cuatro veces y lo cogió.

—Hola.

—¿Winston? —preguntó una voz masculina—. ¿Winston Malone?

¡Mierda!

—¿Hablo con… el hotel?

—No, no está al habla con el hotel. ¿Estoy yo al habla con Winston Malone júnior?

El hombre tenía un acento extraño. Su voz sonaba áspera, gruñona, como si el dueño de aquella voz intentara partir en dos las palabras antes de que salieran de su boca.

—Tal vez —dijo Winston—. Depende de quién sea.

Vio que Cordelia miraba el reloj.

—Cinco minutos, Winston —susurró—. Cinco minutos para que nos encuentren.

—Escúchame bien, Winston —dijo la voz gruñona—. Me llamo Jimmy. Me gustaría subir a charlar un momento contigo. Lo molesto es que la recepcionista no quiere darme el número de tu habitación. Le he dicho que olvidaste trescientos dólares en el taxi. Lo que debes hacer es llamar abajo y decirle a la recepcionista que no tienes ningún problema en que suba a darte el dinero.

A Winston se le acabó la paciencia.

—¿Eres policía?

—No.

—¿Y por qué no te creo?

—Si trabajara para el NYPD no te habría llamado a ti, sino a la comisaría para pedir refuerzos.

—Vale. Si no eres policía, ¿de qué quieres hablar? —preguntó Winston intentando simular indiferencia, como si la pregunta la hiciera una persona cualquiera en una habitación de hotel cualquiera que no se sorprende de que un colgado le llame y sepa su nombre.

—Digamos que quiero charlar contigo de *La guerra de las galaxias*.

La mujer abrió.

Jimmy dijo:

—Hola, he hablado con su marido hace algunos minutos.

Ella permaneció en el vano de la puerta y Jimmy se vio obligado a mirar la habitación por encima de su hombro. Desde allí apenas podía ver el interior, pero oyó un sonido que muy bien podía proceder de alguien que intenta embutir a toda velocidad una gran cantidad de crujientes billetes en una bolsa. Sonrió y miró a la mujer.

—Me llamo Jimmy. ¿Puedo entrar?

La mujer dio una gran calada a su cigarrillo y echó el humo lentamente en la cara de Jimmy. Después llamó volviendo la cara:

—¿Winston? ¿Has acabado?

—Un momentito —sonó desde la habitación.

La mujer miró a Jimmy y dijo:

—Ya lo has oído. Espera un momento, por favor.

Jimmy esperó a que Malone apareciera en el vano de la puerta. La mujer se metió en el baño y cerró la puerta dando un portazo. Jimmy dijo:

—Hola, Winston. ¿Tu mujer tiene algún problema o siempre es así? —Miró la habitación del hotel esquivando a Malone y sus ojos se detuvieron en la bolsa de deporte de *La guerra de las galaxias* que había sobre la cama—. Son unas bolsas estupendas, ¿eh? Puedes meter lo que quieras, y si llueve incluso puedes usarlas como paraguas.

Era evidente que Malone no se sentía cómodo. Se había cruzado de brazos y en su frente brillaban pequeñas gotas de sudor.

—¿Como paraguas? Sí, podría ser. Son impermeables.

—¿Puedo entrar?

—¿Para qué?

—Me envía Leo Roma. Soy su hijo. ¿Tengo que decir algo más?

—Depende —dijo Winston, que había reconocido al hombre de inmediato por la calva enrojecida y los ojos azul claro.

Aquél era el hombre de Mary Ann's, el hombre del que había intentado en vano adivinar qué estaba comiendo. El hombre del extra de jalapeños. Así que su presentimiento era correcto; alguien le había vigilado mientras comía.

Winston indicó por señas al hombre que podía entrar.

—Leo me ha pedido que me encargue de que no olvides que tienes un acuerdo comercial con él —dijo Jimmy Roma cuando estuvieron en el centro de la habitación del hotel.

Al igual que hacía un momento cuando habló con el hombre por teléfono, a Winston le sorprendió el acento del italiano. Sonaba un poco falso, y dijo:

—No he olvidado el acuerdo. Leo sabe que hoy tendrá su pasta: cuatro mil quinientos dólares con setenta céntimos.

—Olvidas el interés —matizó Jimmy Roma—. El heladero ha establecido que lo redondeemos en cinco mil dólares. Y eso porque valora el gran esfuerzo que haces para cumplir con tus obligaciones.

—Puedo vivir con ellas —dijo Winston—. Dile que pasaré por allí más tarde.

Jimmy Roma negó con la cabeza.

—No tienes por qué pasarte.

—¿Qué quieres decir?

—Quiero decir que puedes quedarte aquí. Yo me llevaré la pasta.

Jimmy vio que Malone pensaba. Después el negro negó con la cabeza:

—Prefiero entregar la pasta en persona. El heladero me la ha prestado a mí, así que seré yo el que se la devuelva.

Jimmy suspiró.

—No me entiendes. Trabajo para Leo. Me ha enviado a recoger la pasta. Tú me das el dinero y yo me encargo de que Leo la recupere. Así lo haremos.

Malone volvió a negar con la cabeza.

—Te entiendo perfectamente. El único problema es que no te había visto antes. No es nada personal, pero prefiero llevar la pasta yo mismo para estar allí cuando Leo la reciba. ¿Quieres saber por qué quiero estar presente? Porque quiero pedirle que la cuente delante de mí y porque quiero oírle decir que ya no tengo que temer sufrir algún accidente. ¿Comprendes?

Jimmy se hartó. Quería salir de la habitación del hotel, alejarse de aquel idiota y de su mujer que continuaba en el baño sin hacer ruido. Aquello empezaba a parecerse peligrosamente a una discusión que no le apetecía nada tener. Había ido para llevarse la pasta y el hecho de que un negro testarudo sintiese esa necesidad de devolverla en persona no le interesaba. Si perseveraba tendría que explicarle de otro modo qué quería decir. Así que comentó:

—Winston, no tengo todo el día.

—Pues vayamos ahora —respondió Malone haciendo ademán de coger la bolsa de *La guerra de las galaxias*.

—Winston —dijo Jimmy—. No escuchas. —Agarró al negro por el cuello y le aplastó contra la pared que estaba junto a la cama—. Tú no vienes.

En ese momento se abrió la puerta del baño y la mujer salió como un vendaval.

Jimmy la ignoró.

—Te contaré lo que vamos a hacer —dijo a Malone sin aflojar su garra—. Vas a sacar cincuenta billetes de cien dólares de esa bolsa de deporte. Después volverás a contarlos para asegurarte de que la cantidad es correcta, y me lo darás todo ordenado en un montón. Yo me encargo del resto. Más simple no puede ser.

Malone iba a decir algo pero no logró emitir nada más que un agonizante sonido gutural. Jimmy apretó más su garra y dijo:

—Entiendo que quieres decir algo, Winston, pero antes de que lo hagas quiero avisarte: sólo hay una cosa que quiero oírte decir y es que yo me llevaré la pasta. Si continúas llevándome la contraria se va a armar la gorda. Asiente para que sepa que me comprendes.

El negro asintió.

—Muy bien —dijo Jimmy. Empujó a Malone hacia la bolsa de deporte que estaba sobre la cama—. Y ahora a contar.

Malone se sentó al borde de la cama y abrió la cremallera de la bolsa de deporte. Sacó unos cuantos billetes sueltos y comenzó a contar en voz baja. A continuación la mano de Malone desapareció por segunda vez en el interior de la bolsa y sacó otro montoncito de billetes. Tras haber contado el segundo montón, Malone masculló algo que sonó a cuatro mil. La mano de Malone volvió a desaparecer en la bolsa, pero en lugar de sacar el siguiente montón, apareció la Beretta 9 mm que Jimmy ya había visto salir de esa bolsa en el restaurante mexicano. Malone apuntó la pistola al pecho de Jimmy y preguntó:

—¿Jimmy? Cuando almorzaste esta tarde en Mary Ann's, ¿qué comías?

La mujer soltó un grito.

—¡Por Jesucristo, Winston! No dispares o jamás saldrás de la cárcel.

Malone ignoró a su mujer y mantuvo la mirada fija en Jimmy.

—¿Y bien?

—¿Quieres saber qué estaba comiendo? —preguntó Jimmy mirando con los ojos muy abiertos la Beretta que Malone tenía en la mano.

Le costaba creerlo, pero el negro le había sorprendido. Jimmy decidió no correr riesgos y esperar, al menos de momento.

Malone lo miraba expectante. Al parecer al negro le interesaba realmente la respuesta. Puede que el negro fuera un friqui, pero tenía una Beretta en la mano.

—Dios, ya no me acuerdo. Algo con pollo y muchos jalapeños... Ah sí, y una ración de frijoles.

—¿Venía en la carta?

—No, ¿por qué?

—Lo suponía.

Jimmy Roma ya no parecía tan seguro de sí como antes y le dijo a Winston:

—¿Te importaría apuntar esa pistola hacia otra parte? ¿O quieres saber antes qué comí ayer?

Winston no respondió. Continuó apuntando a Jimmy con firmeza. Después se volvió hacia Cordelia y dijo:

—Cielo, ¿serías tan amable de llamar a recepción y pedir que una limusina nos espere en la puerta dentro de cinco minutos? Va siendo hora de devolver el dinero a Leo Roma, y como a Jimmy le apetece tanto, vendrá con nosotros.

Jimmy negó con la cabeza y se frotó el cráneo enrojecido.

Winston encendió un cigarrillo y dio dos rápidas caladas. Soltó el humo por la nariz y dijo:

—¿Jimmy? Créeme, no es nada personal.

El chófer de la limusina condujo a una velocidad constante. Cruzaron el puente Verrazano hacia Staten Island. Jimmy vio pasar el contorno de Manhattan a su derecha, a la izquierda vio la cara satisfecha de Winston Malone júnior. Jimmy intentaba mantener la vista fija hacia la derecha, pero a veces, como en ese momento, dirigía una mirada fugaz a Malone, el ladrón de bancos tan insensato como para insistir en devolver personalmente su préstamo a Leo. La mujer de Malone estaba sentada al lado de su marido y no dejaba de mirar al otro lado, como intentando imaginar que se encontraba en otro lugar. Malone sostenía la Beretta detrás de la bolsa de deporte, fuera de la vista del chófer y continuaba apuntando a Jimmy. Sin duda el padre de Jimmy no se alegraría de que éste llamara a la puerta en compañía de Malone y de su aterrorizada esposa. Pero así estaban las cosas. Jimmy le contaría lo que había ocurrido cuando todo hubiera acabado. Explicaría a su padre que él, por supuesto, habría podido dominar al negro, pero que entonces habría tenido que matarlo y eso implicaba hacer trabajos añadidos de limpieza. Por eso había dejado que aquel pesado moroso se saliera con la suya permitiendo que él mismo devolviera la pasta.

7

A pesar de su escaso metro treinta de estatura, Caesar Malvi pesaba más de sesenta y cinco kilos. El peso estaba bien distribuido por su fibroso cuerpo. A veces llevaba dentadura postiza pero cuando, como guardaespaldas del heladero, tenía que impresionar, por lo general prefería mostrar los restos de su propia dentadura. Le faltaban cuatro dientes y medio de delante y solía bastar con una sonrisa para que un moroso aflojara la mosca.

Caesar Malvi era un italiano de cuarenta y tres años emigrado a América y tenía una carrera impresionante como *All Star Wrestling* a sus espaldas. Había pasado ocho años en el ring luchando con tiarrones que a veces le sacaban hasta tres cabezas y a los que, a pesar de la diferencia de altura, había hecho barrer el suelo literal y figuradamente en la mayoría de los casos. Para ser exactos había logrado zanjar con una victoria 186 de los 204 combates de su carrera, lo que le proporcionó en la prensa los halagadores apodos de *el Mediano Malvado, el Enano Justiciero* y *Willow el Diabólico*.

Por desgracia para Caesar, la duración de la carrera de un luchador estaba determinada en gran medida por la naturaleza de las heridas corporales sufridas, que iban inseparablemente unidas a los combates perdidos y, a veces, también a los ganados. Diecisiete veces había logrado un adversario humano superar a Caesar, y una vez tuvo que reconocer la superioridad de un oso adiestrado.

Si bien su lucha con el oso era en realidad un truco publicitario, durante los preparativos Caesar había llegado a creer en sus posibilidades. Y una vez en el ring, por un momento dio la impresión de que podía sacar partido del gigantesco oso. Éste, privado de sus uñas y con bozal, durante los segundos iniciales del combate, pareció más interesado en el enloquecido público que en Caesar, que vio la oportunidad y saltó a la espalda del animal. Allí aguantó unos instantes sin saber muy bien qué más podía hacer. No tuvo que pensar mucho porque un segundo después el oso lo agarró y lo lanzó casi con indiferencia hacia el público. Aquello marcó el final del combate.

Caesar sufrió algunas contusiones, pero poco más. Salió mucho peor parado de su famoso combate con el *Amo del Caos*, un luchador gigantesco que, hasta antes de la pelea, Caesar contaba entre sus amigos. El *Amo del Caos* tenía mala reputación entre el público así que su mánager se había dirigido a Caesar pidiéndole que, a cambio de la debida compensación, ayudara al *Amo del Caos* a limpiar un poco esa imagen. A Caesar, que para entonces ya pensaba dejarlo, le pareció bien y aceptó dejarse esposar al suelo del ring. La intención era que a continuación el *Amo del Caos* le golpeara cinco veces en el tórax con una silla de metal del público, tras lo cual Caesar dejaría de moverse y el *Amo del Caos* sería proclamado vencedor del combate.

En lugar de golpear a Caesar cinco veces en el tórax, según lo acordado, su oponente dejó caer la silla catorce veces sobre la desprotegida cabeza de Caesar. Éste perdió cuatro dientes y medio de delante y sufrió una fuerte conmoción cerebral. Milagrosamente se recuperó, pero tras el incidente tenía problemas para contar el cambio en los ultramarinos y solía olvidar el nombre de su hija pequeña.

Su mujer, una fotomodelo consentida, lo abandonó exigiendo la mitad de lo que él había conseguido durante toda su carrera. A continuación Caesar perdió otro cuarto de lo que le quedaba en abogados corruptos y mánagers, y poco a poco perdió también su ya escasa confianza en la bondad humana. Continuó combatiendo para que sus tres hijos pudieran estudiar.

Cambió su imagen y un par de veces salió al ring como *Conde Drácula*. Cuando esa imagen dejó de tener éxito lo intentó como uno de los siete enanitos. Aquello volvió a funcionar, pero la adversidad seguía persiguiendo a Caesar.

Un año después de su dramático combate contra el *Amo del Caos* perdió la oreja izquierda durante una enrevesada maniobra en la que encajaba la cabeza entre las cuerdas para crear la ilusión de que estaba siendo estrangulado. Cuando quiso soltarse para abalanzarse sobre su rival, sintió un dolor horrible y comenzó a sangrar como un cerdo a la altura de la oreja. Por desgracia, el árbitro era alemán y, cuando recogió la oreja rasgada de Caesar e iba a devolvérsela, Caesar lo consideró un contrincante y no comprendió lo que el hombre le gritaba. Ciego de furia y dolor, Caesar levantó al atemorizado árbitro y lo tiró fuera del ring sin saber que el árbitro seguía empuñando su oreja izquierda. El árbitro declaró después que había dejado caer la oreja mientras volaba por los aires porque quería utilizar las manos para amortiguar la caída. De modo que probablemente había sido un espectador egoísta quien cogió el órgano y se lo llevó a casa como recuerdo.

Tras haber perdido la oreja, Caesar volvió la espalda al mundo de los combates. Estaba convencido de que sería más feliz en otro oficio. Craso error. La mayoría de las empresas no estaban precisamente ávidas por contratar a alguien al que le faltaban una oreja y una buena cantidad de dientes. Para poder pagar el alquiler, Caesar pidió dinero prestado al heladero de Staten Island. Lo hizo con la esperanza de arreglar sus asuntillos en un par de años y poder liquidar sus deudas, pero Caesar no tenía mucha suerte.

Cuando al cabo de un año le exigieron que devolviera una parte de su deuda, no tenía ni un céntimo, así que el heladero le envió a alguien. El en ese momento muy desilusionado Caesar esperaba poco más o menos que le rompieran las piernas, pero en lugar de eso dos hombres trajeados le metieron en silencio en una limusina. «¿Será una bala en la nuca?» Si bien no había contado con un castigo tan severo, decidió no protestar. Estaba por los suelos y cansado de vivir. Pero en vez de conducirle a un lugar apartado o a un muelle del East River, la limusina lo llevó a la imponente casa del propio Leo Roma. Allí donde esperaba que lo mataran a tiros, le ofrecieron un empleo como guardaespaldas del heladero con un sueldo razonable. Leo recordaba a Caesar de su época de luchador y, al parecer, le parecía genial tener a un enano como guardaespaldas. Por descontado, Caesar no tuvo que pensar mucho sobre la oferta y así fue como en los últimos seis años apenas se había apartado del lado del viejo italiano. A pesar de su larga hoja de servicios, Caesar y su patrono no eran especialmente amigos. En realidad, Leo no necesitaba otro guardaespaldas, según comprobó Caesar. Lo único que ocurría era que al viejo italiano le parecía sumamente interesante contarles a sus dudosos amigos que su guardaespaldas era un enano que había derrotado a gigantes en el ring. Para adornarlo aún más le había dado a Caesar una Beretta 9 mm como pistola de servicio, diciéndole:

—Caesar, te doy esta arma. No la utilices nunca, salvo para proteger mi vida o la de mi hijo.

Si había alguien al que Caesar no quisiera proteger, ése era Jimmy, el hijo de Leo Roma. Por su jefe no sentía más que una sana aversión, pero por su hijo Jimmy sentía verdadero odio. El hijo de Leo había salido hacía tres de meses del trullo y siempre le llamaba Willow. Pero lo que más le irritaba de Jimmy era que recurría invariablemente a su padre cuando quería que Caesar hiciera algo. Siempre era la misma historia: «¿Caesar? Recoge mis camisas del tinte. ¿Que no? Entonces se lo diré a papá... ¿Willow? Llama a Chang y pide una doble ración de pollo con sésamo. Caesar, sé que me estás oyendo. ¿No te estarás negando a cumplir una orden, eh? ¿Tengo que llamar a papá, Caesar?». Jimmy continuaba llamando papá al heladero como si todavía no fuese un adulto, si no un bebé orgulloso de decir sus primeras palabras.

Jimmy Roma era un bebé, pero un bebé peligroso. Y ahora se le había metido en la cabeza ese actor de series televisivas porque en el trullo, donde encima había aterrizado por su propia culpa, desarrolló una compulsiva obsesión por él.

Ya habían dado las tres y Jimmy seguía sin volver con la pasta. Caesar se encontraba delante del ventanal del salón mirando hacia el corto camino de entrada y la carretera de doble carril de detrás. Miró a Leo y dijo:

—Jimmy se retrasa.

El viejo italiano estaba sentado mirando una enorme pantalla de televisión en la parte más larga de la estancia. Llevaba puesto su batín rojo. En el suelo, delante de él, había un par de chinelas afelpadas. El heladero seguía fascinado por los provocativos movimientos de una negra con poca ropa en la MTV. Leo Roma siempre hacía eso cuando su mujer, Carlotta, iba de tiendas a Manhattan. La negra cantaba que le apetecía hacerlo y no importaba con quién. Caesar vio que a Leo le encantaba la letra de la canción. Sí, las mujeres de color le volvían loco, y le volvía loco la MTV porque allí podía admirarlas con frecuencia. Sin mirar a Caesar dijo:

—¿Has visto ese cuerpo? ¡Dios, ojalá nacieran todas así! ¿Sabes qué, Caesar? Las mujeres italianas son tan pequeñas… Es como si encogieran al cumplir los treinta. Pero las negras… Mira esas piernas, empiezan en los pies y parecen… interminables. Por supuesto eso también lo da el punto de vista bajo de la cámara, pero aun así… —Como Caesar no respondía, el heladero dijo—: ¿Qué decías? ¿Jimmy? No te preocupes, ya vendrá.

—Eso espero. No me sorprendería que estuviera pensando otra vez en esa estrella de las series televisivas en lugar de en su trabajo.

—¿No es divina? Mira cómo baila.

—Sí, no se le da mal.

—Pero tú prefieres a las mujeres blancas, ¿eh?

—Depende —respondió Caesar—. Ésta también me parece atractiva, aunque creo que los rizos no son suyos. ¿Llamo a Jimmy?

—¿Qué importa que los rizos no sean suyos? ¿Acaso crees que el resto de ella sí que es obra de la madre naturaleza?

Caesar se rindió.

Winston no sabía cómo reaccionar ante la repentina agresividad de Jimmy Roma en el Hotel Gramercy Park. De modo que pensó rápidamente llegando a la conclusión de que no quería correr ningún riesgo con la pasta. Entregaría al heladero el total del importe en mano. ¿Por qué? Muy sencillo. No era porque no se fiara de Jimmy Roma, si no porque nunca se era suficientemente cauto. Winston había visto bastantes películas en las que los cómplices de criminales se piraban con la pasta de su jefe, o decían que los que tenían que aflojar la mosca no lo habían hecho guardándose la pasta para ellos. Winston no quería correr el riesgo de que ese tal Jimmy Roma le contara al heladero que Winston se había dado a la fuga y por desgracia logrado escapar, cuando Winston, desde que se había levantado por la mañana, tenía pensado devolver hasta el último céntimo de la suma prestada. Quería evitar que Jimmy Roma se la pegara a él y a su jefe marchándose con el dinero. Además le era imposible tener la seguridad de que el hombre, en efecto, fuera el hijo de Leo Roma. Winston actuaría sobre seguro.

Aunque no esperaba que Jimmy se fuera a abalanzar sobre él en el interior de la limusina para intentar arrebatarle la Beretta, lo vigiló atentamente durante todo el trayecto a Staten Island. Jimmy Roma no había hecho ningún movimiento sospechoso, pero Winston estaba bastante cansado y se alegró de que la limusina por fin se detuviera delante de la imponente villa del heladero, donde aquella misma mañana el enano tozudo le había dado la bolsa y su pistola. Pagó al chófer de la limusina y esperó a que Cordelia saliera. A continuación indicó a Jimmy con gestos que siguiera el ejemplo de su mujer.

Caesar vio desde la ventana que la limusina se detenía en el camino de entrada. Vio que se bajaba una negra. La mujer apenas había salido del coche cuando la siguieron el cráneo enrojecido y el traje a medida de Jimmy. Finalmente se bajó Winston Malone júnior llevando en una mano la bolsa de deporte y en la otra... ¡santo Dios!... la Beretta que Caesar le había dado aquella mañana. Malone mantenía la pistola fuera de la vista del chófer de la limusina apuntándola hacia Jimmy Roma.

«¿Ves como sí? —pensó Caesar—. Jimmy la ha cagado bien. La expresión de su cara y las gotas de sudor de su calva lo confirman.»

Caesar iba a avisar a Leo, pero no fue necesario.

El viejo italiano había apagado la MTV. Se había puesto las chinelas afelpadas y miraba la calle, al camino de entrada, con los ojos como platos. El hecho de que Winston Malone tuviera a su hijo Jimmy a tiro no parecía llamar la atención del heladero. No, los ojos de su jefe estaban puestos en la mujer del negro. Su mirada la recorrió lentamente de arriba abajo deteniéndose en las esbeltas piernas, en sus medias que brillaban a la luz del sol.

—Mira qué tenemos ahí —dijo Leo sonriendo de oreja a oreja.

Caesar suspiró. Aquello podía ser divertido.

La colosal villa rosa del heladero tenía un pequeño camino de entrada flanqueado por rosas blancas. No había ninguna verja, algo que ya sorprendió a Winston aquella mañana cuando fue a buscar la bolsa de deporte. Los gángsters de las películas se encargaban de que sus casas estuvieran herméticamente cerradas al mundo exterior, la mayoría de las veces con verjas más altas que las propias casas. Aunque tal vez no fuese más que una treta de los cineastas: colocaban esas verjas para impedir que los héroes de las películas vencieran a los malos al final del filme. Tal vez los gángsters auténticos no tenían ninguna reja alrededor de sus casas. Así también resultaba más complicado determinar dónde vivían.

Winston no tuvo tiempo de seguir reflexionando sobre su teoría porque la puerta principal se abrió. En el vano de la puerta apareció el mismo enano que le había dado la bolsa de deporte y la Beretta por la mañana. Miró la pistola que Winston tenía en la mano y a continuación a Jimmy Roma. Después preguntó:

—¿Qué significa esto, Jimmy?

Jimmy señaló a Winston y respondió:

—Pregúntaselo a él.

Winston dijo:

—Vengo a devolver mi préstamo.

El enano pareció dudar un instante. Después añadió:

—Adelante.

Una vez en el salón del heladero, Winston dio su Beretta al enano para demostrarle que no tenía malas intenciones, aunque debía reconocer que el enano no parecía asustado por el arma. Sí parecía estar enfadado. A Winston le había llamado la atención que el enano no dejara de mirar a Jimmy Roma negando con la cabeza. Jimmy respondía a las miradas del enano con cara inexpresiva.

Leo Roma, en batín y chinelas, les había ofrecido asiento a él y a Cordelia. El viejo italiano no se fijó en Jimmy. Peor aún, ni siquiera dirigió la vista hacia el hombre que había enviado a vigilar a Winston. Jimmy estaba perplejo.

Cordelia se encontraba sentada al lado de Winston y se mantenía en silencio, como había hecho desde el momento en que salieron del Hotel Gramercy Park. Winston entregó cinco fajos de mil dólares a Leo Roma. Después se levantó y dijo que él y su mujer debían marcharse. Pero el heladero insistió en que se quedaran un poco, tras lo cual Winston, a petición de su prestamista, volvió a sentarse en el sillón.

El viejo italiano manoseó pensativo la cadena de oro de su cuello. Después miró a Winston y dijo:

—Me parece admirable que vengas tan pronto con la pasta. La mayoría de la gente que viene aquí a pedir que les preste dinero no lo devuelven. Cuando tenemos que recordarles que tienen un préstamo solemos llegar demasiado tarde. La mayoría de la gente que viene aquí a pedir que les preste pasta no es creativa. Si la necesidad es muy grande prefieren un par de piernas rotas a actuar. Pero tú sí has actuado, Winston. Has hecho un buen trabajo y yo soy de los que valoran el trabajo bien hecho. ¿Sabes una cosa? Rompemos montones de piernas de capullos que no devuelven el dinero, pero con eso no adelantamos nada. No es agradable y tampoco se disfruta, sin embargo tenemos que hacerlo. Si no hiciéramos nada, acabaría viniendo aquí todo Nueva York para pedir un préstamo para pasar unas vacaciones tropicales a todo trapo. Tú eres un caso especial. Dejas tu trabajo y pagas. Tienes clase, Winston.

A Winston le sorprendía que el hombre no diera importancia al hecho de que hubiese humillado a su hijo Jimmy. Al parecer eso no le interesaba al viejo italiano con tal de recuperar su pasta. Winston no sabía qué decir, así que dijo lo primero que se le ocurrió.

—Mi trabajo ya no me gustaba tanto.

A Leo Roma aquello le hizo reír con ganas. El torso del hombre se sacudía arriba y abajo y la cadena de oro se le quedó enredada en el pelo del pecho. Cuando el viejo italiano logró reponerse, su mirada se deslizó hacia Cordelia. Le dedicó una leve sonrisa, después una breve mirada a su hijo Jimmy y finalmente volvió a dirigirse a Winston.

—¿Qué más piensas hacer?

La pregunta sorprendió a Winston. ¿Qué le importaba al viejo italiano lo que él fuera a hacer? ¿Acaso no tenía ya su pasta? Pero Leo Roma continuaba mirándolo. El hombre estaba sinceramente interesado en sus futuros planes.

—Para serte sincero —dijo Winston—, aún no lo sé. De momento tengo suficiente dinero para no tener que preocuparme durante un tiempo. Cogeremos un autocar de Greyhound hacia el sur y seremos discretos.

Leo Roma asintió. Después se levantó y se dirigió a la pequeña barra del rincón de la habitación. Se sirvió un vaso de Johnny Walker, se dio la vuelta y preguntó:

—¿Querrías trabajar para mí?

Winston se preguntó si había entendido bien.

8

—¿Qué alternativas tienes? —preguntó Leo Roma—. ¿Buscar otro trabajo? Es una posibilidad, pero durante la entrevista te preguntarán en un momento dado qué has hecho antes.

Winston guardó silencio. No podía ser cierto. ¿Leo Roma le estaba ofreciendo un empleo?

—Sin duda te harán esa pregunta, Winston —continuó diciendo Leo Roma—. Por supuesto puedes decir la verdad y contar que trabajaste con gusto y devoción en una sucursal bancaria de la Octava Avenida, y que un buen día se te quitaron las ganas y lo dejaste. Pero entonces corres el riesgo de que en el departamento de selección de personal haya uno de esos aplicados cabroncetes que quiera saber con cuánto gusto y dedicación trabajaste en esa sucursal bancaria de la Octava Avenida, que ese aplicado cabroncete decida llamar a tu antiguo jefe para recabar información sobre tu actitud laboral. ¿Quieres saber cómo sigue?

Winston dijo:

—Puedo olvidarme de ese trabajo.

—Eso es lo menos fastidioso de todo. Te contaré lo que pasará, Winston. Te llamarán para decirte que todo el mundo está entusiasmado contigo. No sólo por tus aptitudes, si no también por tu aspecto en general, sí, incluso por tu gusto a la hora de vestir. Te colmarán de cumplidos, pero cuando vayas a la siguiente entrevista, quizás esa misma tarde, creyendo que van a ofrecerte un lucrativo contrato con tres semanas de vacaciones al año por añadidura, en lugar de eso te estarán esperando cinco agentes fuertemente armados, que te pedirán con amabilidad pero con apremio que pongas las manos sobre la cabeza y te tumbes en el suelo. Antes de que te dieras cuenta de lo que pasa, te estarían leyendo tus derechos. O tal vez no te llamen. Tal vez la policía vaya derecha a tu casa.

—Vale, comprendo lo que quieres decir —dijo Winston—. ¿Y qué tendría que hacer si trabajo para ti?

El heladero hizo un gesto de rechazo con las manos.

—Tranquilo. Eso ya vendrá. En primera instancia no harás absolutamente nada. Tengo un bungalow en el que puedes vivir con tu mujer. Te quedarás dentro, te llevarán la compra y sólo pisarás la calle cuando todo el mundo haya olvidado tu fotografía. Porque, como comprenderás, es más que probable que salga mañana en los periódicos. En cuanto estime que puedes empezar te enviaré a alguien. Y si no te gusta, siempre puedes irte.

¡Mierda! Winston no había pensado en eso. Saldría en los periódicos. Nunca le había pasado. Pensó en su padre. Él sí había salido en el periódico, pero cuando ya estaba muerto, y sin fotografía. Sólo su nombre seguido de un número. Caído en combate por la patria, como constaba al final de la lista.

Winston saldría directamente en una fotografía, al menos eso es lo que aseguraba Leo Roma. ¿Sería una foto en color o en blanco y negro? Bueno, qué importaba. Salir retratado en un periódico ya era todo un logro. Se preguntó si Cordelia se sentiría orgullosa. Miró fugazmente a su mujer. No parecía orgullosa sino más bien asustada. Tenía la mirada fija en Leo Roma. Cuando Winston iba a tocar el brazo de su nerviosa mujer, Cordelia se levantó y dijo al heladero:

—Esto no me gusta nada.

El heladero, que parecía más divertido que asombrado por la reacción de Cordelia, preguntó en tono amable:

—¿Qué es lo que no te gusta, tesoro?

Winston vio que Cordelia apretaba con tal fuerza su bolso que sus nudillos palidecieron. Leo Roma esperaba y el enano estaba con cara inexpresiva junto a la silla de su jefe.

Por fin Cordelia dijo:

—En primer lugar no me gusta que me llames «tesoro». Yo no soy tu tesoro. En segundo lugar tengo una pregunta: si tienes todo tan atado, ¿para qué necesitas a Winston?

Winston decidió que era hora de intervenir.

—Lo siento —dijo al heladero—. Creo que he olvidado presentarte a mi mujer.

Jimmy Roma creyó que la mujer daba en el clavo. ¿Qué demonios quería su padre de Winston Malone? Pero entonces le vinieron a la memoria las miradas casuales que su padre lanzaba a Cordelia Malone y cayó en la cuenta: Leo estaba pensando otra vez con sus pelotas en lugar de con la cabeza. Daría largas al negro hasta que se hartara de los favores de su mujer y después Jimmy, Caesar, o cualquier otro tendría que acabar con los dos.

«Esto puede ponerse interesante», pensó Jimmy. Sospechaba que su padre podía estar equivocado respecto a la mujer. No le parecía que fuera de las que ceden a sus escabrosas intenciones. Además debía sentir algo por su marido, si no ya habría dejado hace tiempo a ese negro testarudo.

Para averiguar si sus sospechas eran ciertas, Jimmy iba a preguntar a su viejo qué pensaba hacer con Winston. Era probable que su padre diera algún rodeo, lo que significaría que, en efecto, lo que le interesaba era su mujer.

Pero Jimmy mantuvo la boca cerrada.

El comportamiento de su padre no presagiaba nada bueno. Ni siquiera le había saludado a su llegada. Por otra parte, Leo se mostraba muy distante desde que Jimmy salió del trullo. Incluso había llegado a decirle en más de una ocasión que estaba preocupado por su estado mental. Jimmy había respondido que no tenía por qué preocuparse. Su azotea estaba bien. ¿Que si había cerrado el pico en el trullo? Ah sí, le habían hecho un montón de buenas proposiciones, deseaban ofrecerle una reducción de condena y acogerlo en uno de sus programas de protección de testigos a cambio de que contara algo más sobre las prácticas de su padre. Pero Jimmy había mantenido la boca cerrada durante seis años y cuarenta días. «No, señor, trabajo por mi cuenta. Todas esas drogas que vendí eran mías. ¿Qué dice? ¿Mi padre? Se llama Leo Roma y lleva vendiendo helados toda su vida. Nunca he oído hablar de nadie al que llamen heladero y venda armas y drogas.»

Jimmy, como era de rigor, había sido fiel a su familia, y por eso se sentía dolido por la forma en que lo trataban. ¿Realmente pensaba su padre que a él le apetecía correr detrás de idiotas como Winston durante los próximos diez años para ocuparse de que cumplieran con sus obligaciones financieras? Y además estaba la forma en que su padre y ese jodido enano lo habían mirado hacía un momento, como si hubiesen preferido que se hubiera dejado matar por Winston Malone a que apareciera con él y con la pasta.

Un susto le sacó de sus cavilaciones cuando su padre se dirigió a Caesar y dijo:

—Lleva al señor y a la señora Malone al bungalow.

9

Winston sonrió con satisfacción al recordar la forma en que Cordelia había reaccionado la mañana anterior. Por supuesto, y como siempre, había estado en desacuerdo con él. Por supuesto, ella veía la situación con su pesimismo habitual. Cordelia siempre partía de que todo le saldría mal en la vida y, por lo tanto, también en la de Winston; cuando se trataba de hacer pequeños cambios en su entorno vital era más tozuda que un asno. Los cambios implicaban riesgos, y asumir riesgos era buscar problemas, así razonaba su mujer.

Pero esta vez le había demostrado que se equivocaba con su eterno derrotismo. En esa ocasión Winston había dado más peso a las palabras de su padre que a las de su mujer. A fin de cuentas, a veces los muertos eran más sabios que los vivos, aunque sólo fuera porque tenían la boca cerrada y no podían inventar contraargumentos cuando alguien por una vez tenía una auténtica idea innovadora.

Leo Roma le había ofrecido un empleo, y además con dos semanas de vacaciones por adelantado. No podía ser mejor. Por supuesto estaba la posibilidad de que el heladero quisiera que desempeñara un trabajo que no le gustara. Pero ¿y qué? En ese caso se despediría y aún podría ir al sur con Cordelia. Sería mucho más agradable salir de un bungalow después de dos semanas de vacaciones que hacerlo ya. Especialmente porque Cordelia continuaba sintiendo pánico, lo cual aumentaba la posibilidad de llamar la atención en un abarrotado y sudoroso Greyhound.

Se dirigían a Nueva Jersey en un Jaguar beige. El enano estaba al volante y tamborileaba con las yemas de los dedos de la mano derecha en el salpicadero mientras escuchaba una cinta de Tony Joe White, que tocaba *swamp rock*. A Winston le parecía que no sonaba mal.

Por lo visto el enano tenía gusto. Al menos en cuanto a música. Winston se dio cuenta de que seguía sin saber cómo se llamaba el pequeño hombre. Se lo había preguntado cuando fue a recoger la bolsa de deporte y la Beretta, pero sólo para meterle miedo y conseguir así que le tomara en serio. Ahora la relación era diferente y sentía verdadera curiosidad. ¿Tendrían los padres en cuenta a la hora de elegir un nombre para un niño sumamente pequeño el hecho de que fuera enano? ¿Pondrían a un enano un nombre apropiado y discreto como Mike o Pete, o precisamente uno muy largo para compensar? Como Maximillian, por ejemplo.

Winston se encogió de hombros. Miró por la ventanilla a una gigantesca valla publicitaria de la carretera. Tenía un retrato de George Bush, el necio presidente que además de un mundo sin terroristas parecía aspirar a tener un mundo sin libertad. Un momento… ¿George? ¿No era ése un nombre apropiado para un enano? El pequeño Georgie. No sonaba nada mal.

El enano miró por el retrovisor y dijo:

—Casi hemos llegado.

—Pero si ya te lo he dicho —dijo Jimmy Roma a su padre—. Estaba entregándome la pasta y de repente tenía esa Beretta en la mano. No pude evitarlo. Tú mismo dijiste que no tendría problemas.

—¿De repente tenía una Beretta en la mano?

—Sí.

—¿De repente?

Jimmy respiró hondo. El tono cínico de su padre no le gustaba. Aquella conversación duraba más de cinco minutos aunque quizás había acabado ya. Su padre le había ignorado desde que llegó. Pero cuando Caesar se marchó con Malone y su mujer, Leo le dijo a Jimmy que no estaba contento con la forma en que había hecho su trabajo. Jimmy pensaba que su padre exageraba, ¿acaso no había recuperado su pasta?, y le enfadaba el tono en que le hablaba.

—Sí, de repente la tenía en la mano. La sacó de la misma bolsa en la que estaba el dinero. Me sorprendió.

—¿Te sorprendió que tuviera una pistola?

—No, claro que no. Sabía que tenía una pistola.

—Dios, Jimmy. ¿Y no se te ocurrió que tal vez intentase salirse con la suya? ¿No se te ocurrió quitarle la pistola y negociar después?

—Pero si ya te lo he dicho, parecía que iba a colaborar.

Su padre frunció el ceño.

—Acabas de decir que en primera instancia no quería colaborar en absoluto, que sólo comprendió lo que le decías después de darle un buen meneo.

—Creí que ya estaba bastante asustado.

—Pero te equivocaste.

—Sí.

—¿También levantaste las manos?

Jimmy se mordió la lengua.

—Perdona, pero ¿qué importa eso?

—Tal vez nada —dijo su padre—, pero quiero saberlo. Y por otra parte no me gusta que me preguntes si creo que mis preguntas importan. Cuando hago una pregunta, quiero una respuesta. Incluso aunque a tu modo de ver la pregunta no sea importante. Menos aún después de lo que has hecho hoy. ¿Acaso te pido tanto? Te envío con la única misión de que recuperes mi pasta. ¿Y qué sucede? Te dejas timar por un idiota. Incluso lo traes a mi casa.

Jimmy tenía la oportunidad de tantear si su teoría era correcta. Miró a su padre con los párpados apretados y preguntó:

—¿Así que crees que es idiota?

—Es idiota.

—¿Y por qué le vas a contratar?

—Por su mujer.

Jimmy hizo lo que pudo para reprimir una sonrisa, y preguntó:

—¿Y...? ¿Qué piensas hacer con ella?

—Pienso conocerla mejor.

—¿Y crees que ese negro se va a quedar mirando mientras te lo montas con su mujer?

—No. Y por eso vas a mantenerle ocupado.

—¿Qué? ¿Por qué yo? ¿No puede hacerlo Caesar?

—Tú lo has traído, Jimmy, así que tú le mantendrás ocupado.

—Ah, ya lo entiendo, como castigo. —Jimmy negó incrédulo con la cabeza—. ¿Y la mujer? ¿No merezco una recompensa por haberla traído a ella también?

—Seguro que sí —dijo su padre—. Tu recompensa es que puedes seguir trabajando para mí. Y te estoy haciendo un favor. Si dependiera de Caesar, pasarías los próximos años vendiendo Cornettos y Jives.

Claro, ese maldito enano intentaba darle por el culo. Si alguna vez tenía oportunidad de vengarse de ese jefecillo camuflado... Jimmy se dio cuenta de que no había dejado de morderse la lengua. Sentía el sabor a sangre en la garganta.

—¿Puedo irme?

—Todavía no has respondido a mi pregunta.

—¿A qué pregunta?

—¿Estabas tan asustado como para levantar las manos cuando ese negro te apuntó con la Beretta?

—Si tanto quieres saberlo —dijo Jimmy—, pregúntaselo a su mujer.

Cordelia entró en el bungalow detrás de Winston y del enano. Cuando cerró la puerta, el enano encendió la luz y preguntó:

—¿Os digo dónde están las cosas?

Mientras, refunfuñando, Winston seguía a trompicones al hombrecillo, Cordelia se metió por la primera puerta que encontró. La habitación resultó ser un dormitorio. Suspirando se dejó caer en la enorme cama de matrimonio y se estiró. Pensó en Leo Roma. En la manera en que la había analizado hacía una hora, exactamente igual que unos años antes, cuando le compró un helado y él quiso presentarle a su hijo. Cordelia había tenido que aguantar a muchos guarros en el despacho de abogados. Con frecuencia uno de esos hombres felizmente casados había intentado conseguir sus favores. Ninguno de esos tipos casados guardaba un buen recuerdo de su reacción, eso seguro. Pero aquel italiano…, eso era otra historia. No sabía si podría mandarlo a paseo tan fácilmente.

Desde el dormitorio escuchó que Winston le preguntaba al enano si podía utilizar el *pay per view*, y cuántas películas podía ver a la semana. El enano dijo que podía utilizar el *pay per view* tanto como quisiera y que no importaba cuántas películas viera siempre que, como había ordenado Leo Roma, no saliera en dos semanas. El tono de satisfacción con el que Winston preguntaba, indicaba que su marido se encontraba muy a gusto.

Entonces oyó a Winston decir que no quería ser descortés, pero que si el enano podía decirle cómo se llamaba. Tal vez lo hubiera dicho antes, pero de ser así, a Winston se le había escapado.

El enano dijo que se llamaba Caesar Malvi.

—Caesar —oyó que repetía Winston—. Eso suena a alguien con el que es mejor no tener follones.

—Has comprendido bien —respondió Caesar Malvi.

10

—En México —dijo Darío López a Jimmy—, he aprendido que es malo dejarse llevar por la ira. Cuando uno se acalora, no es capaz de pensar con claridad. El sol y el tequila son los mayores culpables de que las cárceles estén repletas, por eso decían mis padres: «Darío, si tienes un problema o te enfadas con alguien, espera a que sea de noche y piensa en ello cuando haga fresco y tengas las ideas claras. No te dejes dominar por la furia».

Se encontraban en el cruce de la calle Fulton con Broadway, mirando la luz de «no pasar». El sol brillaba y había mucho ajetreo en la calle. Delante del semáforo, junto a ellos, había un grupo de turistas escandinavos o alemanes señalando el City Hall, que podía verse a la izquierda, parcialmente oculto entre los árboles. Jimmy notaba el sol quemando su dolorido cráneo. No tardó en secar la fina capa de sudor de su frente.

—¿Lo ves? —dijo Darío—. Hace demasiado calor para ti y por eso estás colorado y hablas así de vengarte de ese astro de series televisivas y de la justicia. Busquemos antes un lugar a la sombra donde puedas refrescarte. Te creo cuando afirmas que ha llegado la hora de hacer nuestro trabajo, pero antes deberíamos hablar de ello en algún lugar fresco.

A Jimmy le enfadó la forma en que el mexicano le decía lo que le convenía y lo que no.

—En primer lugar esto no es México sino Estados Unidos. En segundo lugar no me gusta el tequila. Y en tercero: no afirmo que haya llegado la hora de hacer nuestro trabajo, estoy convencido de ello. De lo que no estoy tan convencido es de si tú estás preparado.

—Siempre he estado preparado.

—¿Ah, sí? ¿También para recoger la pasta?

El mexicano guardó silencio. Miró fijamente hacia adelante en dirección a la calle Fulton y East River. Si bien a Jimmy no le sorprendía que el mexicano callara, se sentía un poco decepcionado. Esperaba que Darío se hubiese vuelto más codicioso en las últimas semanas, que no tuviese ningún problema en asumir algo más de riesgo.

Pero no, al parecer el mexicano no había cambiado de opinión. Darío López era un hombrecillo fibroso de metro sesenta como mucho. Tenía la piel oscura con aspecto de curtida, como la de un kiwi que ha estado demasiado tiempo al sol. Llevaba una cadena de plata en el cuello con una cruz y debajo una camiseta blanca y un pantalón de chándal amarillo.

Jimmy había contactado con Darío a través de su hermano Hugo López, al que conoció en la trena, en la sala de recreo donde veía la televisión todas las tardes. Al contrario que Jimmy, la mayoría de los enchironados tenían la costumbre de ver por la tarde *While the Earth Spins*, una serie protagonizada por Jack Gardner. Después de año y medio en el trullo, Jimmy descubrió que sus compañeros de fatiga imaginaban que eran ellos mismos y no Jack Gardner los que protagonizaban la serie y, por lo tanto, que se acostaban con una mujer diferente prácticamente a diario. Jimmy no comprendía a sus compañeros de cárcel. Por mucho que se esforzara, la serie no lograba hacerle olvidar la realidad de los altos muros que le rodeaban. En lugar de disfrutar de una serie de una hora por la tarde, como hacía el resto de los presos, Jimmy comenzó a cogerle manía a la serie y en especial al protagonista, Jack Gardner; pero como tampoco había otra cosa que hacer, continuó viéndola. Durante la serie hacía algún que otro comentario a los otros detenidos. Jimmy les preguntó por qué les gustaba tanto.

No obtuvo respuesta.

Jimmy les preguntó si no se hartaban de las jugarretas del donjuán Jack Gardner. Siempre jugaba las mismas malas pasadas, sólo que a víctimas diferentes.

Sin respuesta.

Jimmy preguntó si no le oían. ¿Acaso por ver la serie además de tontos se habían vuelto sordos?

Una vez más se quedó sin respuesta, pero su comentario surtió efecto. Algunos telespectadores se mosquearon.

Finalmente Jimmy tiró del enchufe y preguntó si alguien le hacía el favor de contestar a sus preguntas.

Pasó las cuatro semanas siguientes en la enfermería. No recordaba qué había pasado con exactitud. Lo último que pervivía en su mente de aquella tarde era la imagen de unos curtidos nudillos zumbando contra su cara. Después todo se había vuelto negro.

Cuando se despertó estaba acostado en una gran cama de sábanas blancas. Junto a la cama había un médico de cara tostada vigilándole atentamente. El médico moreno resultó no ser médico sino uno de los presos de su bloque, el traficante mexicano Hugo López. El mexicano había introducido en Estados Unidos cocaína procedente de Perú. Lo habían cogido por otro delito, menos grave según decía, pero cuando fueron a buscarlo a casa encontraron cuatro kilos de cocaína en la mesilla de noche. Le cayeron ocho años, de los que ya había cumplido tres. Hugo López dijo:

—No te voy a ayudar a vengarte de los hombres que te han roto las costillas. Son demasiados y además no fuiste sensato. Lo que sí puedo hacer es ayudarte a que recibas una indemnización del astro de la serie. En cierto modo es responsable de tus costillas rotas.

Después Hugo López habló a Jimmy de su hermano Darío, que trabajaba como mayordomo para el astro televisivo y su mujer,

Heather Gardner. Contó a Jimmy que Darío solía visitarlo en la cárcel y que cada vez se quejaba más del hecho de que el actor y su mujer le trataban como a un perro. Jack Gardner y su mujer se habían separado hacía poco, y desde entonces Darío se quejaba más que antes. Sobre todo de la obsesión de la señora Gardner por Jerry Springer y de su enfermiza costumbre de poner nombre a todas las habitaciones de la casa. Heather Gardner no sólo había puesto nombre a todas las habitaciones de la casa, si no que además no dejaba de cambiar esos nombres, por lo que Darío a veces se liaba en la casa en la que llevaba años trabajando. Hugo López había sugerido a su hermano más de una vez que buscara otro trabajo, pero Darío no se atrevía a hacerlo. Le pagaban bien y, aunque su alojamiento en la buhardilla de la casa de Upper East Side no fuera ideal, era cálida y no tenía que pagar alquiler.

Hacía tres semanas, la última vez que Darío había visitado a Hugo, le contó que la separación oficial de Jack y Heather Gardner estaba cerca, y que era probable que Jack tuviera que ceder una gran parte de su fortuna a su mujer. Heather tenía un nuevo amigo, un pintor francés llamado Émile, y Jack le había partido la nariz en su primer encuentro. Por ello, además de mucho dinero, era probable que también perdiera la tutela de Darryl, su hijo de ocho años.

Y entonces a Hugo López se le ocurrió una idea. Si Jack Gardner tenía que pagar tanto dinero a su mujer, ¿no preferiría, si le obligaban, dar la pasta a otra persona? ¿A alguien que no lo hubiera engañado? Hugo López le había contado la idea a Darío dos semanas atrás.

—Y ahora —dijo Hugo López, sentado junto a la cama de Jimmy Roma—, voy a contarte esa idea. Creo que eres la persona indicada para ayudar a Darío.

Y así es como Jimmy entró en contacto con Darío López.

—Mira —dijo Darío—, comprendo perfectamente que te sientas ofendido porque tu padre te utiliza como niño de los recados y al parecer le gusta humillarte. Pero no estoy de acuerdo en que tu estado anímico influya en nuestros planes. Yo también me cabreo a menudo con la señora Heather, o con las desvergüenzas que dice Jerry Springer en la televisión, pero he aprendido a controlar mis emociones. He aprendido a tener paciencia. La paciencia siempre tiene recompensa. Nunca se debe actuar sin haber reflexionado antes. Hugo me contó lo que ocurrió cuando arrancaste en la cárcel el enchufe de la televisión. Fue muy valiente por tu parte, pero también una forma de buscar problemas. Creo que te cuesta morderte la lengua. Eso te hace vulnerable.

Cruzaron Broadway y tomaron la calle Fulton hacia East River y el puente de Brooklyn. Poco después estaban rodeados de turistas, *delis, diners* y gimnasios. Todos los negocios por los que pasaban parecían tenerlo todo rebajado, en todas partes estaban de liquidación. Un letrero amarillo chillón anunciaba un corte nuevo de pelo por seis dólares. El salón que había detrás, al que pertenecía el letrero, parecía cerrado. Darío lanzó una mirada casual al cráneo pelado de Jimmy y preguntó:

—¿Entraste aquí antes de que quebraran?

—Escucha —dijo Jimmy—. Si estás buscando mis límites, puedo decirte que estás temerariamente cerca de encontrarte con la barrera.

Darío suspiró.

—Ahí es adonde voy. Intento inculcarte un poco de autocontrol, pero no escuchas. Un simple comentario sobre tu cráneo pelado y enseguida quieres darme una lección. Acompáñame, vamos a comer algo.

Jimmy continuó andando en silencio.

—Antes de empezar tenemos que desarrollar nuestro plan —dijo Darío cuando estuvo bastante seguro de que a Jimmy se le había pasado el enfado por la broma—. Por ejemplo me parece más sensato esperar a que el juez dicte sentencia y sepamos exactamente cuánto va a recibir la señora Heather del señor Jack. Así podremos determinar cuánto queremos nosotros.

—Dijiste que serían dos millones de dólares —comentó Jimmy.

—Así es. Pero tal vez sean tres o cuatro. Si entramos ahora en acción y exigimos un rescate de dos millones de dólares, al cabo de una semana será difícil decir: «Oh, no, mejor que sean tres millones». Pensarán que están tratando con una panda de aficionados.

—Yo no soy ningún aficionado —dijo Jimmy—. ¿Estás diciendo que soy un aficionado?

—No.

—¿No?

—No, no estoy diciendo que seas un aficionado.

—Será mejor que no lo hagas. Espera a oír lo que he pensado.

Diez minutos después estaban sentados a una mesa junto a la ventana y miraban el puente de Brooklyn y el agua centelleante del East River. Darío bebía té helado con una pajita verde mientras miraba cómo Jimmy se esforzaba en tragar un trozo correoso de pollo asado. Darío solía comer allí, en Pier 17, mirando el contorno marrón grisáceo de Brooklyn en la otra orilla del río. Le gustaba aquel sitio, aunque siempre se topaba con una cantidad desmedida de banderas americanas que, aparentemente, ondeaban por doquier a su alrededor. Las banderas colgaban en los barcos, estaban plantadas en los muelles o pendían de otros objetos elegidos al azar, por si los turistas se olvidaban de dónde estaban pasando las vacaciones.

La propuesta que acababa de hacer Jimmy no sonaba mal, si bien tenía bemoles.

—¿Así que dices que quieres meter a otra persona, a alguien que recoja la pasta en nuestro lugar?

—Sí —respondió Jimmy cuando logró vaciar su boca—. ¿Qué te parece?

—Creo que es añadir riesgos.

—El tío que tengo en mente no es un aficionado. Lo he visto con mis propios ojos. Está un poco pirado, pero eso no viene mal.

—¿Cuánto le vas a contar?

—Para empezar tiene que entender que mi padre no está interesado en él si no en su mujer. Voy a contárselo para ganarme su confianza. Acto seguido le contaré nuestro plan y la cantidad que está en juego.

—Pero no va a recibir nada, ¿no?

—No, pero él no lo sabe.

—¿Y qué ocurre si le da por hablar?

—No lo hará. Le busca la policía.

Darío intentó ordenar mentalmente toda la información. Con un hombre más para hacer el trabajo espinoso, sería todo más fácil, y eso significaba que pronto podrían ponerse en acción. La separación de Jack y Heather Gardner casi era un hecho, lo que significaba que Jack tendría que aflojar la mosca en breve. Tenían que dar el golpe antes de que eso ocurriera. Tal vez lo que proponía Jimmy fuera lo mejor. Llevaban semanas a la gresca para determinar quién recogería la pasta, y ninguno estaba dispuesto a mojarse. Darío intentó imaginar el aspecto que tendrían dos millones de dólares vistos de cerca. No lograba hacerse más que una vaga idea. Tocó la cruz de la cadena que llevaba al cuello y tomó una decisión.

—Está bien. A ver si logras convencer a ese tal Malone.

11

Cordelia se encontraba en el jardín escribiendo una postal a sus padres; sin remitente, como le había ordenado Winston. Acababa de leer el *New York Post* del día anterior y la noticia de prensa la había tranquilizado un poco. Sólo venía media columna sobre el robo de Winston a la sucursal bancaria. «Empleado se lleva dinero en mano», titulaba el *Post*. Gracias a Dios el artículo no iba acompañado de una foto de Winston. Contenía una breve descripción de lo ocurrido en la Octava Avenida, basada en el testimonio de Sally Brady, una de las compañeras de Winston. Al parecer Winston le había pedido prestado su cojín poco antes de disparar a Higley. A continuación había disparado a su jefe en la rodilla a través de dicho cojín.

Eso es lo que creyó todo el mundo.

Brady contó que después del disparo Higley no había parado de gritar: «¡Llamad a un médico! ¡Haced algo! ¡Me han herido, me han herido!», incluso cuando Winston ya había salido del local. Luego, al coger su cojín, Brady pensó que la bala debía de estar en el suelo en lugar de en la intacta rodilla de Higley. El hombre no tenía ni un rasguño. Cómo era posible que hubiera gritado durante tanto tiempo sin darse cuenta de que estaba ileso, Brady no sabía explicarlo, según ponía en el artículo. Finalmente resultó que en el suelo tampoco había ninguna bala y un detective declaraba que el autor había utilizado munición de fogueo. ¿Por qué Higley, el gerente de la sucursal, había gritado de dolor durante un minuto si no le pasaba nada? Eso solía ocurrir cuando las personas eran amenazadas con armas de fuego. Entraban en una especie de estado de *shock* y perdían la noción de la realidad. No era algo a lo que hubiera que dedicarle mucha atención. Debajo del artículo ponía que el NYPD agradecería cualquier tipo de información, y que del autor, un hombre de origen afroamericano que respondía al nombre de Winston Malone, no había ninguna pista.

Aunque Cordelia se sentía aliviada porque Winston no hubiera hecho daño a nadie, tenía motivos suficientes para estar alterada. Por suerte daba la casualidad de que Jimmy Roma no era policía. No quería ni pensar dónde estaría ella en esos momentos. Posiblemente en un tren hacia la casa de sus padres en Indiana. ¿Y Winston? ¿En la cárcel?

«No pienses en ello —se propuso—. De momento no ha traído cola.»

De momento.

Pero ¿durante cuánto tiempo le saldrían bien las cosas en la vida? Tal vez en ese momento estuviese yendo algo mal. Jimmy había recogido a Winston hacía una hora para «hablar de unas cosas». «¿Para hablar de qué?», había preguntado Cordelia. «De todo un poco», había respondido el malvado traidor de Jimmy. Winston había escuchado la conversación con cierta perplejidad. En lugar de interesarse por lo que aquel escurridizo italiano pensaba hacer con él, se había limitado a preguntarle a ella que por qué no les acompañaba a comer un bocadillo. No, Cordelia tenía la sensación de que a Winston le interesaba bastante poco lo que el italiano pensara hacer con él. Lo que más le había decepcionado era tener que salir ese mismo día de casa, y que no se cumpliera la promesa de poder quedarse dos semanas viendo películas. Pero cuando Jimmy Roma pasó a recogerlo no protestó, y se fue con aquel italiano calvo en un BMW azul recién estrenado con cristales blindados.

Cristales blindados. Sí, concluyó Cordelia, suspirando. Su esposo se había convertido en un auténtico criminal.

Estaban sentados en la mesita de un *diner* barato. Malone tenía delante un BLT, uno de esos sándwiches de bacón, lechuga y tomate, además de un vaso de zumo de naranja y una taza de café. Jimmy bebía tónica y entretanto daba grandes bocados a un sándwich de comida cajún con doble ración de guindillas.

Mientras se metía el sándwich en la boca, Jimmy no dejaba de mirar a uno de los cocineros que, empapado de sudor, se afanaba en preparar cuatro hamburguesas y seis huevos en una plancha gigantesca, a la vez que trataba de perderse lo menos posible de lo que aparecía en la pantalla del televisor que había sobre la caja registradora. No era tarea fácil, ya que su jefe, un español gordo con una cuidada barba de pocos días, vigilaba que el personal hiciera su trabajo. El gordinflón, que dado que no hacía nada debía de ser el dueño del negocio, estaba sentado en un taburete alto detrás de la caja mirando con aburrimiento el televisor. Cada vez que el gordo español miraba por encima del hombro para comprobar si el personal de la cocina continuaba trabajando, el cocinero apartaba la mirada de la televisión a toda velocidad y centraba toda su atención en los chisporroteantes huevos, hamburguesas y cebollas de la plancha. Y lo hacía con éxito, porque el jefe no le pilló ni una sola vez, al contrario que la camarera griega, que según el español no hacía nada bien. Cada vez que la camarera se acercaba a la caja y el gordiflón pensaba que estaba fuera del alcance de los oídos de la clientela, le soltaba un par de insultos. La camarera se limitaba a responder mascullando que hacía cuanto podía. Tenía que servir veinte mesas sola e iba corriendo de una a otra, para después ir a la barra y correr otra vez de vuelta. Entretanto se esforzaba mucho por ser educada e incluso deseaba a los clientes más exigentes que tuvieran un buen día, aunque no hubieran hecho más que quejarse de sus pedidos y le hubieran dado menos del quince por ciento habitual de propina.

Jimmy apartó la mirada del cocinero y vio que Winston cogía un trozo de bacón frito que se había caído en el plato de su sándwich, y que tras metérselo en la boca se lo tragaba con una buena cantidad de zumo. Al parecer el negro no sabía lo que eran los buenos modales. Jimmy dio un bocado a su sándwich de comida cajún e intentó concentrarse en su historia. Sabía, a grandes rasgos, cómo iba a engatusar a Winston Malone. De momento lo más importante era caer bien a Malone, que el negro olvidara su primer encuentro en el Hotel Gramercy Park. Por eso Jimmy, durante el corto trayecto al *diner*, le había hecho un montón de preguntas sin sentido sobre su pasado, sobre su trabajo, sobre mujeres. ¡Dios!, ya no recordaba ni la mitad de lo que habían hablado en el coche, pero la interminable charla de Jimmy dio resultado. Al principio Malone no había dicho gran cosa, incluso parecía un poco distante, pero enseguida sus respuestas se fueron alargando, y cuando no se sabe cómo tocaron el tema de las películas, Jimmy apenas tuvo que esforzarse en mantener viva la conversación. Al contrario, Malone comenzó un monólogo que acabó diez minutos después, cuando dio el primer bocado a su BLT.

Tal vez Jimmy se había dado cuenta antes, de forma inconsciente, de que el negro se convertiría en alguien importante para él. En el Hotel Gramercy Park llegó a pensar seriamente en eliminar a Malone, pero por algún motivo no lo hizo. Admitía que en parte eso tenía que ver con el propio negro. El hombre le había sorprendido al sacar de repente la Beretta de la bolsa de deporte. Pero si Jimmy realmente se hubiera tomado su tiempo, si se hubiera esforzado, sin duda habría podido cambiar las tornas. Ahora ya no tenía ninguna importancia. En ese momento, mientras notaba la tónica burbujeando en su lengua, se sentía extremadamente satisfecho de haber llevado hasta su padre a Winston Malone con su bolsa de deporte, y por supuesto también a su mujer, Cordelia, porque ella le proporcionaba la oportunidad de utilizar a Malone para llevar a cabo su plan.

Winston miró la televisión que había encima de la caja registradora. El gordo español había puesto un programa de noticias de la NBC sobre los últimos planes de guerra del presidente Bush. El programa tenía el apropiado título de *Guerra contra el terrorismo*. Winston bebió café y miró a la Barbie que, desde la pantalla, hablaba tanto para él como para los que conectaban con ella. Vio que la Barbie saludaba a Patricia de Nueva York. Patricia le dijo que su *show* era *totally cool*.

—Gracias, Patricia. ¿Crees que el presidente Bush tiene razón en sus acusaciones?

—Sí, estoy segura de que sí.

—¿Y por qué estás tan segura?

—Tiene que ver con mi abuelo y con una frase hecha que solía decir.

—¿Y qué dice esa frase hecha, Patricia?

—No hay humo sin fuego.

Mientras Barbie y Patricia continuaban charlando, Winston se preguntó por qué Cordelia habría sido tan desagradable con él hacía dos horas. Le había preguntado, como Dios manda, si quería acompañarles a almorzar, pero ella no había mostrado ningún interés. Respondió que prefería quedarse en casa. ¿Por qué? «¡Porque me cago en la hostia!», ésa fue la expresión que utilizó, cosa que nunca hacía; quería seguir las noticias para saber si mencionaban algo sobre el robo cometido por Winston que pudiera llevar a su posible detención. «¿Es que no vas a comer nada?», preguntó Winston. «Sí —respondió Cordelia—, claro que voy a comer, pero prefiero hacerlo sola. Así me iré acostumbrando a cómo es eso de comer sola. Tú ve pensando cómo voy a conseguir comida cuando estés en la trena.»

Aquella mañana no estaba de buen humor.

Jimmy le dijo algo, pero no entendió qué. El comportamiento de su mujer le preocupaba. Esperaba que se sintiera orgullosa de él después de lo que había hecho.

—¿Y bien? —preguntó Jimmy—. ¿Sí o no?

Sobresaltado, Winston salió de sus cavilaciones.

—¿Qué?

—Te preguntaba si has pensado en utilizar balas de verdad.

«Es extraño», pensó Winston. En el Hotel Gramercy Park, el calvo que tenía enfrente le había dado la impresión de que estaba deseando matarle, pero ahora, desde que le había recogido en el bungalow, parecía no preferir otra cosa que ser el mejor amigo de Winston. En el coche, de camino al restaurante, Jimmy lo había acosado a preguntas y debía reconocer que el calvo le había sorprendido, en el buen sentido de la palabra. Tal vez Winston había convencido al hombre de que con él no se jugaba, de que era alguien a quien es preferible tener por amigo. Como ocurría siempre en las películas, cuando un personaje al que al principio miran por encima del hombro, de pronto es respetado por los demás tras haber hecho algo ejemplar. Y Winston había hecho algo ejemplar en el Hotel Gramercy Park: había demostrado a Jimmy que era él quien tomaba las decisiones.

Al parecer Jimmy había reflexionado sobre el asunto y llegado a la conclusión de que Winston estaba hecho de buena pasta, porque le preguntaba en tono amistoso si había pensado en utilizar balas de verdad.

—No —dijo Winston—. Quería tener suficiente dinero para devolver mi préstamo y a la vez asustar un poco a mi jefe, que había llamado a mi mujer para ponerme un ultimátum. —Jimmy lo miró sin comprender, así que Winston continuó diciendo—: La cosa era ésta: si volvía a llegar tarde en los próximos seis meses me despediría. Ése era el ultimátum. Así que decidí dar la vuelta a la tortilla y ponerle un ultimátum a él, concretamente éste: «Dame la pasta o disparo». El trabajo en la sucursal bancaria ya no me hacía gracia. Además él tuvo la culpa de que yo no pudiera devolver el préstamo a tu padre. Hace un año me prometió un aumento de sueldo, pero nunca me lo dio. Creyó que no me lo merecía. En realidad no me sorprendió, siempre le consideré un farsante.

Jimmy volvió a asentir con aprobación.

—Al parecer tomaste la decisión correcta con lo de darle una lección. Seguro que te sentiste muy bien.

—Por descontado que me sentí bien. Tendrías que haber visto cómo me miraba. Al principio no daba crédito a lo que pasaba y después casi se caga los pantalones.

—Yo he pensado hacer lo mismo.

—¿Qué? —preguntó Winston, que había perdido un momento el hilo.

—Yo también voy a dar una lección a alguien.

—¿A tu padre? —preguntó Winston, pensando en las furiosas miradas de Caesar y Leo cuando Jimmy y él fueron a devolver la pasta.

Pero Jimmy negó con la cabeza.

—No, a otra persona. ¿Conoces a Jack Gardner?

—Sólo conozco a un Jack Gardner, el astro de las series televisivas. A mi mujer le encanta, aunque no se atreva a reconocerlo. Pero seguro que no te refieres a ese Jack Gardner, ¿verdad?

Jimmy miró a Winston sin decir nada.

Winston tragó saliva.

—¿O sí?

12

—Para los que aún no lo sepan —dijo Jerry Springer—, nuestro invitado de hoy es Jack Gardner. Posiblemente ustedes lo conozcan de la televisión, donde lleva catorce años interpretando papeles en distintas series. El señor Gardner, conocido como el encantador rompecorazones Ritch Carrington en *While the Earth Spins*, ha experimentado últimamente que la vida de actor no es tan idílica como muchos de nosotros podríamos pensar. Hace un mes fracasó su matrimonio con la abogada Heather Gardner. La señora Gardner lo abandonó por el pintor francés Émile Leboeuf. Según la rumorología, esa relación también ha terminado ya. Heather Gardner vive ahora con su hijo Darryl de ocho años en su casa de Upper East Side en Manhattan. Es evidente que Jack Gardner está pasando por un momento difícil. Enseguida nos contará todos los detalles jugosos.

El público aplaudió.

—¡Jerry! ¡Jerry! ¡Jerry!

Un hombre delgado de la primera fila se levantó. Llevaba un pantalón de chándal y una camiseta con el logo de los Miami Dolphins. Señaló a Jack con un dedo acusador y gritó:

—¡Por lo visto en su vida privada no es un rompecorazones tan encantador!

Risas.

—Tal vez no —dijo Jerry gesticulando con la mano para tranquilizar al espectador—. Eso es lo que vamos a intentar averiguar hoy. —Después se volvió hacia Jack y dijo—: Te agradezco que hayas venido. Comprendo que esto debe resultarte difícil…

El público no dejó que Jerry Springer acabase su frase: comenzó de nuevo a corear el nombre del presentador.

Jack Gardner estaba petrificado. Siempre había pensado que el *show* de Springer era la mayor farsa que podía existir, y que estaba dirigido a un grupo de tipos idiotas que, a cambio de bonificaciones por desplazamiento, se ponían en evidencia ante millones de personas repartidas por todo el mundo. Al parecer no era así. Lo que Jerry acababa de decirle era totalmente cierto. Y eso incluía también el último punto. En efecto, su mujer vivía con su hijo en la casa que Jack había comprado en la calle 95. Jack, por su parte, se alojaba en el apartamento de su madre en la calle Hudson.

Por fin Jerry acabó su presentación. Jack estaba medio aturdido mirando hacia adelante cuando oyó que Jerry preguntaba si quería contarle al público qué había sido lo más difícil de las últimas semanas: el hecho de que su agente le hubiera dicho que estaba tan encasillado como actor de series televisivas que era muy improbable que interviniera en una película de acción, su género preferido, o los problemas que estaba sufriendo a raíz de su fracasado matrimonio. A Jack le sorprendió que Jerry supiera que había preguntado a su agente si existía la posibilidad de interpretar un papel en una película de acción, y que éste le hubiera respondido que era preferible que se limitara al circuito de las series. No recordaba haber hablado de eso con nadie. El escepticismo de su agente le había dolido, pero la ruptura con su mujer le había dejado una sensación de infinita impotencia. Hablar allí de su separación quedaba descartado, así que dijo:

—Bueno, Jerry, debo decir que me decepciona bastante no tener la posibilidad de actuar en una película de acción.

—¿Eso te sorprende? —preguntó Jerry—. Tu imagen es la de un actor de series televisivas.

—También la tenía George Clooney —espetó Jack que esperaba esa reacción de Jerry—. Pero él puede actuar tanto en *Urgencias* como en *Abierto hasta el amanecer*, ¿no es así? ¿Por qué no podría hacerlo yo?

—De modo que te comparas con George Clooney —dijo Jerry con ironía—. Bueno, ¿y por qué no?

El público estalló en risas.

—¡Jerry! ¡Jerry! ¡Jerry!

Jack pellizcó el respaldo de su silla. Lo admitía, no era George Clooney, pero tampoco resultaba fácil hacer que aquellos idiotas de las gradas entendieran algo sin poner un ejemplo. Cuando volvió a haber silencio, Jack dijo:

—No, no me estoy comparando con George Clooney. Sólo estoy intentando explicar con un ejemplo que un actor conocido por una serie no debe quedar por definición descartado para interpretar un papel en una película de acción.

—Ah, ya entiendo —dijo Jerry—. Pones un ejemplo porque piensas que mi público no tiene suficiente inteligencia para seguir una conversación normal, ¿es eso? ¿Crees que en estas gradas sólo hay idiotas?

En la sala se hizo un silencio absoluto.

Jack suspiró.

—No, yo...

—¡Yo no soy idiota! —exclamó el hombre delgado de la primera fila. Furioso se quitó la camiseta de los Miami Dolphins y la tiró al suelo—. Tal vez no sea el más listo, pero eso no significa que sea idiota.

El hombre se había puesto rojo, las venas le latían en la frente.

Jack se alegraba de que hubiese suficiente personal de seguridad entre el público y él. El hombre no lograría acercársele. Pero en pocos segundos otras personas comenzaron a gritar que no eran tontas.

Y de pronto Jack quiso irse, alejarse de esa locura. Daba la impresión de que aquello se les iba a ir de las manos. Miraba paralizado los furiosos dedos que lo señalaban.

—¡Perdedor! ¡Perdedor! ¡Perdedor! —gritó el público.

Jack estaba harto. Se levantó y, entre sonoros abucheos, se dirigió a la puerta lateral; pero no llegó lejos. Cuatro vigilantes de seguridad lo agarraron con rudeza y lo devolvieron a su asiento.

—¡No hemos terminado todavía! —ladró uno de ellos a Jack cuando pasaba ante él.

—Acabará cuando Jerry lo diga —gruñó un segundo.

El personal de seguridad no atendió a sus protestas. Cuatro fuertes manos lo mantenían sentado. Una de las cámaras móviles fue hacia él y se detuvo cerca del pequeño escenario. Jack sabía que le estaban tomando un primer plano, y que a partir de ese momento todos los espectadores de *While the Earth Spins* le considerarían un hombre débil, un perdedor. Entonces fue consciente de que en un millón de hogares se estaban riendo de él. Conocía como ningún otro el poder de ese tipo de *shows*, de las personas como Jerry Springer. Cuando el productor de *While the Earth Spins* viese aquel bochornoso espectáculo, el personaje de Jack, Ritch Carrington, pasaría a la historia. Moriría en algún extraño accidente, como solía pasar en las series; te borraban de un plumazo.

—¡Perdedor! ¡Perdedor! —gritaba a coro el frenético público.

—Continúen con nosotros —dijo Jerry por su micrófono—. Volveremos en un momento con «La caída de una estrella de series televisivas». ¡El próximo invitado será el padre de Jack Gardner!

—¡Eso es imposible! —gritó Jack—. ¡Mi padre está muerto! ¡Mi padre está muerto!

Se despertó bañado en sudor.

Por un momento tuvo la impresión de que el personal de seguridad de Jerry Springer volvía a agarrarlo, pero entonces comprobó que aquella sensación de opresión se la causaban las sudadas sábanas azules que tenía enrolladas de forma extraña en sus piernas y torso. Suspiró profundamente y se dio la vuelta para poder ver el despertador: marcaba las 13.16.

Aquélla era la cuarta vez en los últimos nueve días que sufría esa pesadilla. Si bien los sueños tenían pequeñas variaciones, el hecho era que siempre aparecía como invitado de Jerry Springer, el programa de televisión preferido de Heather. En todas las ocasiones lo dejaban por los suelos, y el sueño parecía alargarse cada vez más.

Oyó que alguien tosía inusualmente fuerte. Cuando levantó la mirada vio que su madre estaba en el vano de la puerta con cara de preocupación.

—Buenos días, Jack —dijo Grace Gardner, acentuando como siempre la palabra «días» para que Jack estuviese seguro de que era por la tarde.

Jack intentó incorporarse, pero un punzante dolor en las sienes le hizo volver a caer en la cama. Reconocía el tipo de resaca que iba a padecer el resto de la tarde. Era de las que producían la sensación de tener la cabeza dentro de un acuario y ver el mundo como debía verlo un pez. Su madre parecía moverse más despacio que de costumbre y su voz le sonaba hueca en los oídos.

—Buenos días —dijo con más conciencia de su propia voz que en otras ocasiones.

Su madre le observó con mirada penetrante.

—Jack, no sé a qué hora llegaste ayer, y tampoco me importa, ya tienes treinta y seis años. Pero huelo que has vuelto a beber demasiado, y eso sí me importa. Eres mi hijo. Y no hagas como si no pasara nada. Has vuelto a gritar en sueños. Quiero que vayas a ver al doctor Smiley. Yo no puedo seguir viendo esto. Y no me vengas con que eres adulto y solucionas tus propios problemas porque no pienso escucharte. Ésta es mi casa, y mientras estés aquí te atendrás a las normas. Una de ellas es que si yo considero que no estás bien, tú vas al médico. Y si no quieres hacerlo por ti, hazlo por mí.

Sin esperar respuesta salió de la habitación.

—¡Ah, sí! —gritó desde la cocina—. Te han llamado Chester, Heather y esa operadora de cámara de *Spins*. Les he pedido que vuelvan a llamarte y dejen un mensaje, de lo contrario no pararé de escribir notitas. Me niego. Si necesitas una secretaria búscate a otra.

Poco después Jack oyó que la puerta del apartamento se cerraba. Al parecer su madre había salido a hacer recados. Bien, eso le daba un cuarto de hora para refrescarse e irse.

Haciendo un esfuerzo descomunal logró incorporarse. Se desprendió de las sábanas húmedas y fue a trompicones hacia el fregadero de la cocina. No tenía tiempo para ducharse. Además prefería evitar el enorme espejo del baño. Jack no lograba recordar cómo había ido a parar a aquel bar *country*. Poco más o menos había «aterrizado allí» cuando volvía a casa después de visitar el Chelsea Market. Lo único que recordaba del bar eran dos grandes televisores en los que se veían alternativamente imágenes de competiciones deportivas y películas porno, y que, si a pesar de ello te aburrías, podías comprar peces de colores a un dólar cada uno, que estaban metidos en una jarra de cerveza llena de agua detrás de la barra, y dar de comer a las tortugas asesinas especialmente adiestradas que se encontraban en una especie de aljibe cerca de la entrada del bar.

Lo único bueno del bar es que nadie le reconoció. Los clientes del bar *country* estaban absortos en los vasos que tenían delante de sus narices, en la televisión o en una combinación de ambos. Jack había podido ahogar tranquilamente sus frustraciones en alcohol sin que lo molestaran.

Cuando sintió el agua del grifo chocando contra su cráneo, tembló. Dolía como siempre, pero a la vez tenía un efecto refrescante. Pasados unos segundos retiró la cabeza. Cogió un paño de cocina, secó su corto pelo negro y se dirigió al salón donde llamó a su buzón de voz. Se vistió mientras escuchaba.

El primer mensaje era de su agente. Había llamado hacía más de tres horas. «Buenos días, Jack, sé que es domingo, pero esta mañana voy a estar por tu barrio. Si te viene bien podríamos vernos. ¿Qué te parece en Bubby's a las dos menos cuarto? Hasta luego.»

Domingo 10.23, dijo la voz del contestador.

«Hola, Jack, soy Susan Stone. ¿Sigue en pie nuestra cita? Si no oigo otra cosa, cuento contigo mañana a las tres menos cuarto. Un saludo.»

Clic. Susan Stone era la operadora de cámara de *While the Earth Spins*, y además una de las pocas personas del estudio con las que se llevaba más o menos bien. Tal vez fuese porque las ambiciones de Susan, al igual que las suyas, estaban en otro terreno totalmente diferente.

Domingo, 11.36: «Escúchame, Jack —decía la voz de Heather—. No pretendo enfadarte, pero como sabes...».

Jack apretó el «2», borrar mensaje.

Estaba de acuerdo con su ex; aquella mañana no tenía ganas de enfadarse.

Además debía darse prisa para llegar a la cita con Chester, y quería estar fuera del apartamento antes de que regresara su madre.

Chester le esperaba en Bubby's a las dos menos cuarto. Si se marchaba ya, no tendría que correr y llegaría a tiempo. Jack cogió sus gafas de sol Gucci y su cartera de la mesa del salón. Después bajó paseando por la soleada calle Hudson.

13

Heather Gardner estaba orgullosa de su casa residencial en el Upper East Side de Manhattan. La casa, que contaba con dieciséis habitaciones, se encontraba en la calle 95 entre Park Avenue y Lexington. Era, con mucho, la casa más bonita de la calle. Al menos, eso le parecía a Heather. Y sobre todo por el discreto jardín floral que había plantado en la parte delantera. Por supuesto, no lo había plantado ella misma, pero la idea sí era totalmente suya. Al igual que la idea de las habitaciones temáticas.

Esta última se le había ocurrido mientras veía uno de los programas de Oprah Winfrey. Oprah tenía a John Travolta y a su mujer Kelly Preston como invitados. Travolta contó a Oprah que su casa tenía veintidós habitaciones, siete de ellas para los niños. John y Kelly revelaron a Oprah que cada habitación tenía un tema: así estaban la habitación Peter Pan, la habitación *cowboy* y la habitación princesa, entre otras. Buena parte de las habitaciones de su casa de ensueño tenían nombre. Travolta y Preston aclararon además que ellos solían desayunar en su dormitorio porque así tenían la sensación de estar en un hotel, y lo encontraban romántico.

Cuando Heather le contó a Jack el programa, él se rió de ella.

—¿Ves lo que ocurre con mis compañeros estrellas? En cuanto tienen una casa con veintidós habitaciones, quieren sentirse como en un hotel.

Jack, tan cínico como siempre, no había querido entender nada. Cuando Heather le aclaró que ella deseaba hacer lo mismo y que no tardando mucho todas las habitaciones de su casa tendrían un nombre como la habitación Armani, la habitación de invitados y la habitación de relax, Jack se dio cuenta de que hablaba en serio. Incluso accedió con una rapidez asombrosa, aunque lo hiciera con su falta de tacto habitual.

—Haz lo que quieras —dijo—, siempre y cuando la piscina siga siendo sólo la piscina, pueda conservar mi estudio y no tenga que desayunar en la cama.

Al cabo de tres semanas, todas las habitaciones tenían un nombre escrito en una placa dorada que colgaba sobre cada una de las respectivas puertas. Heather disfrutaba con eso. Cuando tenía a su estilista personal al teléfono, decía: «Un momentito, Steve. Para ver el color de ese vestido tengo que ir a mi ropero. Estoy en la habitación de la televisión y, como ya sabes, mi ropero está en la habitación Armani. Espera, subo un instante».

Heather Gardner tenía treinta y cuatro años. Ejercía como abogada desde hacía siete. Pronto se separaría oficialmente de Jack y volvería a llamarse Heather Brooks. Con los dos millones de dólares que le quedarían de la separación, montaría su propio bufete. Había decidido trabajar en casa y convertir el estudio de Jack en su oficina. Era probable que su nuevo despacho se llamara habitación Heather Brooks, pero aún no lo había decidido.

En aquel momento tenía otra cosa en la cabeza.

Después de su breve relación con Émile Leboeuf, que apenas había sido una vía de escape para huir de Jack, se había inscrito en una agencia matrimonial. Ese día tenía que redactar una carta ensalzando sus cualidades. Debía darse prisa porque a las dos y media vendrían unos periodistas del New York Post para hacerle una entrevista acerca de su divorcio. Ya eran las dos menos cinco, lo que significaba que disponía como mucho de treinta y cinco minutos para perfeccionar la carta, en la que llevaba más de tres horas trabajando con afán.

Nunca había considerado la posibilidad de buscar al hombre adecuado de aquella forma, pero Marie-Louise, la niñera del número 86, le había asegurado que a esas agencias no sólo recurrían los fracasados. También acudían a ellas empresarios con éxito que no disponían de tiempo para entablar relaciones. Heather cedió. Además existía una agencia especial que trabajaba para la selecta Ivy League. Independientemente de la persona que se conociera a través de la agencia, la probabilidad de que alguien que había estudiado en una de las universidades más prestigiosas de Estados Unidos tuviera apuros económicos, era más que pequeña.

Heather miró la carta que tenía ante sí sobre la mesa de la cocina. Había terminado la cuarta versión, de la que se sentía bastante satisfecha, y decidió que era hora de llamar a su mayordomo. Darío López era mexicano, pero seguro que era capaz de juzgar una carta. Sólo tenía que ponerse en el lugar de un hombre de la edad de su patrona que busca una pareja adecuada.

Si bien Heather sabía que Darío siempre había sentido más aprecio por Jack que por ella, el no muy avispado mexicano continuaba siéndole fiel incluso después de la separación. Darío López dormía en una pequeña buhardilla, donde además disponía de ducha, de servicio y de camping gas para cocinar. De esa manera los Gardner hacían su pequeña contribución a la ayuda al desarrollo.

Heather pinchó una rodaja de pepino de su ensalada y miró a medias una repetición del programa de Jerry Springer en el que éste tanteaba a unos hombres que mantenían unas relaciones sexuales bastante insólitas. En ese momento un tiarrón llamado Ronald contaba que le encantaba que una mujer musculosa lo aupara y lo sujetara como a un bebé.

Justo en el momento en que Heather iba a llamar a Darío para pedirle consejo sobre la redacción, el mexicano bajó la escalera con calma y entró en la cocina.

—Darío —dijo Heather—, me creas o no, ahora mismo iba a llamarte. ¿Recuerdas que te conté que me había inscrito en una agencia matrimonial?

—Sí, lo recuerdo, señora Heather —contestó Darío asintiendo para reforzar su respuesta—. ¿Ha encontrado a alguien que pueda hacerla feliz?

—Tal vez, Darío. Le he escrito una carta. Escucha, antes te contaré algo sobre él. —Cogió el papel con la descripción del hombre al que había escrito la carta y leyó en voz alta—: Es deportista, de buena constitución, de confianza, y... —miró a Darío— tiene treinta y cinco años... ¿Te lo puedes creer? Creo seriamente que él es lo que busco.

Como Darío tardaba en reaccionar, Heather volvió a mirar el papel y continuó leyendo:

—Le gusta salir y viajar a países lejanos. Reside en Nueva York... Darío, suena a cuento de hadas. ¿Tú qué opinas? Ven a sentarte a mi lado.

Darío cogió una silla y se sentó frente a Heather a la mesa de la cocina.

—Bueno, señora Heather, suena muy bien. ¿Cómo se llama?

—Todavía no lo sé.

Darío frunció el ceño.

—¿Cómo dice?

—Sólo tengo su número —dijo Heather—. Uno se dirige al otro mediante un número con la intermediación de la agencia. Mira. —Le pasó la lista de números deslizándola sobre la mesa y esperó a que el mexicano terminara de leer—. Ésta es una lista con los números de todos los hombres disponibles. Junto a cada número hay una breve descripción del hombre en cuestión. Si me interesa el perfil de alguno de ellos, puedo escribirle. Se puede responder a tantos números como se desee.

—¿Y cómo encabeza su carta?

Heather suspiró. Sabía que Darío no era muy rápido de entendederas, pero continuaba irritándola que le hiciera sentirse como si no explicara las cosas con claridad. De modo que en tono arisco dijo:

—Con el número del hombre al que escribo. El número del hombre del que acabo de hablarte es GB 43674. —Señaló la lista que Darío tenía ante sus narices—. Búscalo.

Darío estudió la lista.

—Así que empieza la carta con «estimado GB», después el número, y ¿cómo continúa?

Heather asintió.

—La intimidad es lo primero. Es un sistema muy bueno. La agencia organiza el primer encuentro. Yo también tengo un número, de modo que envío mi carta a la agencia, que por supuesto dispone de mis datos personales, y después la agencia mete mi carta en un sobre especialmente impreso para mí con mi número. Ese sobre va a GB 43674. Él, GB 43674, dispone así tanto de mi carta como de la descripción que él ya tenía en su propia lista. Los hombres inscritos reciben, por descontado, la misma lista que te acabo de enseñar, pero con todos los números de las candidatas femeninas. Podría decirse que es impersonal, pero a mí me parece un sistema seguro y efectivo.

—¿Señora Heather? —preguntó Darío con picardía—. ¿No querrá revelarme su número?

Heather miró a Darío por encima de sus gafas. El mexicano intentaba hacerse el gracioso y no lo era en absoluto. Podía echarle una reprimenda, pero decidió no mostrar su enfado. Andaba escasa de tiempo de cara a su próxima entrevista con el *New York Post*, así que dijo:

—Necesito que me ayudes con la carta. —Buscó la hoja con la última versión, le acercó el papel y preguntó—: ¿Lo harás, Darío? ¿Quieres ayudarme y decirme si hay algo que te suena mal? —Darío asintió con la cabeza y Heather comenzó a leer—: Estimado GB 43674...

Darío la interrumpió.

—¿Por qué no le llama simplemente GB? Es más personal que todos esos números.

Heather suspiró. Debería haber dado más explicaciones a su mayordomo.

—No estoy de acuerdo contigo —dijo ella—, hay otros cientos de números que comienzan con GB. ¿Entiendes, Darío?

—Sí, lo entiendo —respondió Darío—. Pero me refiero al comienzo de la carta, o al «encabezamiento», como dice usted con esa palabra pedante. Si el número completo ya está en el sobre, la carta llegará de todos modos, ¿o no? De modo que en el encabezamiento puede escribir sólo «estimado GB».

A Heather le irritó no haber pensado en esa posibilidad, así que dijo:

—Espera. Deja que termine de leer la carta. Después hablamos de lo que no sirve, ¿vale? Dentro de un cuarto de hora vienen unos periodistas para hacerme algunas preguntas. Así que tenemos que darnos un poco de prisa.

Darío levantó las manos en un gesto defensivo.

Heather buscó dónde se había quedado y continuó leyendo. Comprobó con satisfacción que el mexicano no tenía nada que comentar sobre las dos primeras frases.

—… Por lo demás estoy en forma, me gusta la vida y soy de trato fácil. Suelen echarme diez años menos. Tengo una salud estupenda y soy de mucha confianza. —Había subrayado la última palabra y también la enfatizó al leer. Dirigió una mirada fugaz a Darío y dijo—: He escrito eso de «confianza» porque en su perfil pone que da mucha importancia a la confianza mutua en una relación.

Darío levantó el pulgar. Al parecer el mexicano no tenía nada que comentar, pero cuando Heather iba a seguir leyendo, dijo:

—En la línea anterior, yo quitaría lo de «tengo una salud estupenda».

Heather releyó la línea en cuestión sin entender a qué se refería el mexicano.

—¿Por qué no voy a decirle que tengo una salud estupenda?

—Porque poco antes ya ha utilizado la expresión «en forma». Me parece algo repetitivo pero por supuesto usted sabrá.

Leyó todo el párrafo en voz alta otra vez, y luego otra más pero despacio. Darío volvía a tener razón. Enfadada cogió el grueso lápiz rojo con el que había estado enredando tres horas y tachó el pasaje redundante. Cuando diez minutos después habían repasado toda la carta, Heather cogió la caja de zapatos que tenía al lado y dijo:

—Y ahora debes ayudarme a elegir una foto adecuada.

Mientras Heather Gardner esparcía fotos sobre la mesa de la cocina, Darío López miró con incredulidad el pequeño televisor de la encimera. Aquel hombre llamado Jerry Springer corría de un loco a otro y formulaba preguntas destinadas a azuzar a sus invitados. «En México —pensó Darío—, nadie como Jerry viviría mucho tiempo, pero esto es Estados Unidos, el país donde todo es posible.» Darío se quitó de la cabeza hacer cualquier comentario crítico sobre las inmoralidades que Jerry Springer y sus invitados debatían en sus detalles más íntimos. El señor Jack lo había hecho cuando vivía allí. Una vez amenazó con arrojar la televisión por la ventana porque la señora Heather había permitido que su hijo Darryl, de ocho años, viera a Jerry Springer. Si bien el señor Jack también hacía cosas raras a veces, tenía mucha más decencia en el cuerpo que la señora Heather con todas sus perversas preferencias.

Y además estaba la forma en que la señora Heather se dirigía a él, como si fuese un niño difícil al que hay que explicar todo seis veces para que lo entienda. Igual que hacía un momento. Primero había dicho: «...pero hay otros cientos de números que comienzan con GB. ¿Entiendes, Darío?». Como si no sólo procediese de otro país, si no que además fuera un perturbado mental. Y después: «Dentro de un cuarto de hora vienen unos periodistas para hacerme algunas preguntas. Así que tenemos que darnos un poco de prisa». Como si pensara que Darío estaba tan escaso de cerebro que no entendía qué hacen los periodistas. ¿O acaso pensaba que los periodistas de México no empleaban su tiempo como los periodistas americanos? ¿Creía, quizá, que los periodistas en México en lugar de hacer preguntas se follaban gallinas para después llenar los periódicos escribiendo sobre el asunto?

Tal vez la señora Heather pensase eso.

En ese momento Jerry Springer hablaba con un hombre que tenía la cara repleta de granos y que, sin vergüenza alguna, declaraba que le encantaba que unas cuantas prostitutas en lencería picante dieran vueltas alrededor de su cama en triciclo. No, no hacía falta que le tocaran, con que dieran vueltas bastaba. Ya con eso, la palanca de cambios se le ponía en cuarta.

Darío se tragó un comentario cínico. En una ocasión había preguntado a la señora Heather, con extrema precaución y muchos rodeos, qué era lo que le resultaba tan intrigante del programa de Jerry Springer. La señora Heather respondió que Jerry —llamaba a ese payaso por su nombre, como si fuera un viejo conocido— nos mostraba a nosotros, a la gente, lo que realmente somos. La señora Heather argumentaba que a veces daba la impresión de que Jerry enfrentaba a la gente, pero en realidad no era así; lo único que provocaba era que emergieran los deseos ocultos. Hacía que la gente se enfrentara a sí misma. La señora Heather argumentó con tanta convicción que a Darío sólo le quedaba suponer que no le estaba tomando el pelo.

En ese momento estaba algo nervioso. Se había esforzado en ayudar a la señora Heather con su carta pero sus sugerencias la habían irritado, y sabía que debía tener cuidado con lo que decía al aconsejarla sobre las fotos que había en la mesa. Darío creía que sus sugerencias acerca de la carta dirigida a la agencia matrimonial eran buenas, que había hecho las consideraciones oportunas. Sabía que ella se tomaría cualquier corrección que viniera de él como una ofensa. Y si la señora Heather se sentía tan ofendida que despedía de manera fulminante a Darío, el plan que había hecho con Jimmy Roma se vendría abajo. Eso sería un desastre. Por otra parte también sabía que podía hacer más sugerencias, porque si la carta no servía y el hombre al que iba destinada no mostraba interés, no respondería y la señora Heather culparía a Darío. De esa forma también tendría problemas, sólo que un par de días después. Pero tal vez no. Si ejecutaban su plan con la suficiente rapidez no importaría que alguien respondiera o no a esa carta.

14

Aunque Caesar Malvi en su función de guardaespaldas nunca había tenido que entrar en acción, apenas se separaba de Leo Roma, salvo cuando el anciano quería estar a solas con una mujer, en cuyo caso Caesar esperaba a una distancia prudente, la mayoría de las veces al otro lado del dormitorio o de la puerta de entrada.

De ahí que en ese momento, mientras Leo «visitaba» a la mujer de su nuevo empleado, esperase fuera del bungalow. Estaba sentado en el pequeño porche y con el anillo golpeaba distraído la barandilla de madera, deseando entender lo menos posible del diálogo que iba a producirse. Caesar conocía las perversas fantasías de su jefe más de lo que estimaba deseable, pero no había forma de evitarlo. El viejo cerdo quería que lo esperase siempre y en todo lugar y que no lo perdiera de vista. Así que eso es lo que hacía Caesar.

Cuando vio quién estaba en la escalera, Cordelia quiso darle un portazo en su jeta de autosuficiencia, pero no llegó a tiempo. Leo Roma ya había puesto el pie en el umbral. Al parecer tenía experiencia en ese tipo de situaciones. Sonrió de oreja a oreja y dijo:

—Vaya. Venía a ver si está todo bien.

Winston había salido con Jimmy hacía dos horas. Había suplicado a su marido que tuviese cuidado, y a su vez él le había pedido que no se preocupara por su salud. Cordelia no había hecho otra cosa en las últimas cuarenta y ocho horas, y a pesar de la verborrea de Winston destinada a tranquilizarla, iba a continuar haciéndolo hasta... Sí, ¿hasta cuándo? Lo peor era que Winston parecía estar realmente a sus anchas. Cada vez se llevaba mejor con Caesar Malvi. Incluso había invitado al enano a ver películas, algo que en otras circunstancias prefería hacer con la única compañía de una bolsa de patatas picantes y un paquete de seis Budweiser. No, Cordelia sospechaba que tendría que apañárselas por un tiempo en ese bungalow, hasta que Winston volviese a entrar en razón, si es que llegaba ese momento. Mientras tanto, lo mejor que podía hacer era intentar disfrutar del hecho de que por primera vez en su vida tenía a su disposición un lavavajillas y una bañera de hidromasaje, y debía reconocer que también era agradable tener esa enorme televisión en color. Pero si las frecuentes visitas del viejo italiano que tenía delante de su puerta formaban parte de su estancia allí, se imponía una marcha anticipada.

Había que verlo... Leo Roma llevaba deportivas blancas con unos calcetines muy subidos, un ridículo pantalón rojo de deporte demasiado pequeño, y encima una camisa gris azulada de una tela parecida a la seda. Llevaba la camisa abierta casi hasta el ombligo. De esto último Cordelia no podía estar del todo segura ya que a la altura a la que debía de tener el ombligo sólo se veía una gran mata de pelo. Cordelia sospechaba que la forma en que la miraba pretendía ser sensual, y debía reconocer que la mirada tuvo cierto efecto en ella. Aunque no el efecto que Leo Roma pretendía. En cuanto el viejo italiano levantó las comisuras de los labios a Cordelia se le puso la piel de gallina. Decidió no dejarse intimidar y de forma significativa se plantó en jarras sin moverse ni un palmo del vano de la puerta.

—Winston no está —dijo.

Enseguida se dio cuenta de lo ingenuo que había sonado aquello. ¡Claro que Winston no estaba! Leo Roma sabía que Winston no se encontraba en el bungalow y por eso precisamente había aparecido por allí para preguntarle si estaba todo bien. ¡Santo Dios!, el viejo cerdo ni siquiera se había molestado en inventar una excusa decente.

—No vengo a ver a Winston —dijo Leo mirándola de frente.

El viejo italiano no perdía el tiempo.

Y si la ingenuidad no funcionaba, ¿qué debía hacer? ¿Darle una fuerte patada en sus peludas espinillas y cerrar la puerta de un portazo? Era una opción, pero ¿y si fallaba? ¿Y si ese mono peludo no tiraba la toalla y se enfadaba más? Lo último que quería Cordelia era enfadar a Leo Roma. No le parecía buena idea. «En lugar de eso, dejemos que se sienta satisfecho de sí mismo, que piense que es el machito. Siempre tendré tiempo de utilizar la violencia si es necesario.»

Leo Roma frunció el ceño.

—¿No vas a invitarme a entrar?

«Es tu bungalow —pensó Cordelia—. ¿Quién le está tomando el pelo a quién?»

—Si no es por Winston, ¿por qué vienes?

Leo sonrió de oreja a oreja.

—Estaba por aquí cerca y pensé: «Vayamos a conocer mejor a una mujer de excepcional belleza».

A Cordelia se le abrió la boca. Durante un instante consideró la posibilidad de empezar a gritar y salir corriendo. Después volvió a mirar al hombre que tenía delante. Esperaba no equivocarse, pero creía que, en caso necesario, podría realmente con él. De no ser así, siempre quedaba la opción del rodillo o el cascanueces.

—Ya nos conocemos —dijo—. Intentaste liarme con tu hijo Jimmy. Ya le he conocido y no me interesa.

—Lo sé —respondió Leo—. Cometí una equivocación al pedirte que salieras con mi hijo. Perdóname. Pero ¿no podríamos seguir hablando dentro?

Cordelia miró su reloj. Luego se apartó un par de pasos.

—Sólo diez minutos. Después empieza *While the Earth Spins* y no quiero perderme ni un segundo.

El capítulo de aquel día era repetido, pero ese viejo cerdo no tenía por qué saberlo.

Jimmy había ido al baño y Winston miraba la pantalla sobre la caja registradora. La muñeca Barbie hablaba con un tal Rod de Virginia. Preguntó si Rod podía oírla. «Alto y claro», dijo Rod satisfecho, como si se sintiera orgulloso de haber oído a Barbie.

—¿Qué opinas de la situación, Rod?

—Bueno, te diré lo que opino.

—Hazlo, Rod.

Rod contó su historia y después tomó la palabra una mujer que abogaba por poner en el puesto de presidente a una mujer, lo cual solucionaría todos los problemas de Estados Unidos y del resto del mundo.

—O un presidente negro —dijo Winston en voz alta.

El gordo español de detrás de la caja le lanzó una mirada furiosa.

—Un español ya sería toda una mejora —se apresuró a decir Winston mientras veía que Jimmy regresaba del baño.

Jimmy se sentó y se quedó mirando a Winston durante un buen rato. Después dijo:

—Winston, ¿qué te parecería ganar dos millones de dólares en tres días?

—¿Qué?

—Me has entendido bien.

Winston estaba totalmente abrumado. Intentó a toda costa ocultar su repentino interés, pero por la forma en que Jimmy sonreía, dedujo que su intento había fracasado. Jimmy Roma había visto que se había entusiasmado. Winston no podía echárselo a sí mismo en cara, había entendido bien: dos millones de dólares en tres días. ¡Dios santo! Nunca hubiera pensado que trabajar para el heladero resultara tan lucrativo. A Winston le pareció que el acento rudo de Jimmy Roma de pronto hasta sonaba bien.

—¿De qué se trata?

—Se trata… —dijo Jimmy— de un secuestro.

—¿Un secuestro? ¿Te refieres a lo mismo que le pasó a Mel Gibson en esa película, *Rescate*, en la que unos cerdos secuestraban a su hijo?

—Eso es exactamente a lo que me refiero.

—¿Cómo estás tan seguro de que pagarán?

—Siempre pagan.

—Mel Gibson no pagó.

—No, *Rescate* sólo es una película.

—Sí, vale, pero da la casualidad de que es una película que ha visto muchísima gente. Quién sabe si han cambiado las formas de combatir a los secuestradores. Tal vez ya no se paguen los rescates así como así. Antes de que te des cuenta alguien decide que asesinarte es el objetivo de su vida y te encuentras con esa tontería del cazador cazado.

—Si te garantizara que ese actor nos pagará, ¿estarías interesado en colaborar?

—¿En colaborar? ¿Te refieres a que esto no es un encargo de tu padre?

—No, es algo entre tú y yo.

Winston frunció el ceño. Leo Roma le había ofrecido un empleo y Jimmy casi le había matado en el Hotel Gramercy Park. Lo admitía, estaba siendo mucho más amable con él, pero, bueno, quizá se comportaba así porque quería algo de él, por la colaboración que acababa de proponerle a espaldas de Leo. ¿Intentaba Jimmy engañar a su padre? ¿O acaso el heladero le había encargado que pusiera a Winston a prueba para averiguar si ya en el primer día de trabajo se vendía por un buen precio? ¿Había mencionado Jimmy los dos millones de dólares con esa intención? Aquella conversación no le gustaba en absoluto. Era mejor no entrar en ella. Daba igual cómo estuvieran las cosas, ante todo quería demostrar que estaba agradecido a Leo Roma por haberle proporcionado un empleo. Mostrarse leal a quien le pagaba. Así que miró a Jimmy y dijo:

—No, si es a espaldas de tu padre, no me parece un buen asunto.

Jimmy suspiró. Dio un trago de tónica negando con la cabeza.

—Winston, ¿puedo hacerte una pregunta?

—Adelante.

—¿Por qué crees que te ha contratado mi padre?

—Esperaba que me lo contaras tú mismo.

—Y lo haré. Acabas de decir que hacer cosas a espaldas de mi padre no te parece buen asunto, ¿no es así?

Winston asintió.

—Así que tampoco te parecería buen asunto que mi padre hiciera cosas a tus espaldas.

—No si esas cosas me afectan personalmente.

—¿Cosas como tu mujer?

—Mi mujer no es ninguna cosa. Ella es… una mujer.

—Mi padre lo ve de otro modo.

Winston comenzaba a estar más que harto de todas esas chorradas crípticas. Jimmy había sido amable, pero ahora parecía enfermizamente satisfecho, como si esperase el momento adecuado para decirle que acababa de comer un BLT podrido.

—¿Qué intentas explicarme?

Jimmy se encogió de hombros.

—¿Por qué no volvemos al bungalow? Así podrás charlar con tu mujer. Si después sigues pensando que hacer cosas a espaldas de mi padre no es un buen asunto, no volveremos a hablar del tema. Pero si la charla con tu mujer te hace cambiar de opinión, te contaré más cosas sobre ese astro televisivo y lo fácil que resulta ganar dos millones de dólares.

15

Jack llegó a Bubby's justo a tiempo. Le dieron una mesa en la terraza cerca de la de Harvey Keitel. Jack nunca había hablado con el actor, que además era propietario del local, pero pensaba que Keitel y él tenían algunas cosas en común. Bubby's no era precisamente el lugar que las celebridades frecuentaban cuando querían ser vistas. Al parecer a Harvey Keitel, al igual que a Jack, le gustaba almorzar tranquilamente sin llamar demasiado la atención. Aparte de eso, Keitel solía vestir ropa muy informal, y Jack tampoco prestaba mucha atención a su indumentaria. Si en ese momento llevaba una camisa planchada era porque había un almuerzo de negocios en el programa. Eran las dos menos dieciséis minutos.

Mientras esperaba a su agente, Jack pidió una taza de café. El sol había desaparecido y unas nubes que amenazaban lluvia ocuparon su lugar. Ya había desaparecido la resaca de la pesadilla, la del alcohol sin embargo persistía; pero poco a poco Jack se iba sintiendo otra vez persona. Podía volver a pensar con perspectiva, como por ejemplo en el próximo día. Al día siguiente por la tarde pasaría por casa de su mujer —desde que le había dejado, hablaba a todo el mundo de ella como «mi ex mujer», aunque todavía no fuese su título oficial—, y recogería a Darryl para hacer su excursión semanal. Sería la última vez que vería a Darryl ese verano. Tenía pensado llevar a su hijo al zoo del Bronx.

El viernes siguiente volaría a Denver donde se alojaría dos semanas con su tío. Después continuaría viajando hasta Los Ángeles para grabar las primeras tomas de la nueva temporada de *While the Earth Spins*. Jack estaba saturado. Aquella sería la decimocuarta temporada.

Pensó un momento en ello mientras miraba las oscuras nubes que había por encima de él.

Catorce años.

Catorce años como actor de series televisivas.

Una ingente cantidad de tiempo, eso es lo que era, además de insano. Seguro que debía de haberlo, pero no lograba recordar ni un solo colega que llevase tanto tiempo en el mismo trabajo sin intercalarlo con algún papel interesante de vez en cuando. A los ojos de los telespectadores norteamericanos, en los últimos catorce años se había acostado con al menos cuarenta y ocho mujeres diferentes, había sido ingresado siete veces en el hospital, dos de las cuales en cuidados intensivos, tenía cuatro divorcios a sus espaldas, e incluso había sido asesinado una vez. Pero los espectadores se lo tragaban todo, así que el productor lo había revivido al cabo de unos capítulos. Falleció en un accidente de helicóptero porque había anunciado su marcha tras ser solicitado para una nueva serie, *Urgencias*, de Michael Crichton. En su momento *Urgencias* le había interesado, Crichton gozaba de excelente reputación y la serie tenía buena pinta. Poco antes del comienzo de la nueva temporada cambió de opinión. Si interpretaba a un médico en una serie de hospitales, que es lo que era *Urgencias*, nunca lo tendrían en cuenta para una película de acción. Al menos, así es como razonó. De modo que permaneció fiel a *While the Earth Spins*, y el productor lo devolvió sin más a la vida al comienzo de la temporada. El accidente de helicóptero en el que había muerto la temporada anterior se despachó como el sueño de un personaje que deseaba su muerte. Para *Urgencias* ficharon a George Clooney, y el resto de la historia pertenecía a una de las pesadillas recurrentes de Jack en los últimos años.

Para la siguiente temporada no quería volver a soltar los mismos textos aunque fuera con otras personas y en otro orden. Ese día tenía que convencer a su agente de que estaba preparado para hacer un trabajo de verdad, para rodar una película de acción, su sueño. No era demasiado tarde. Tenía treinta y seis años. La edad no era obstáculo. Más de un actor continuaba hasta pasados los cuarenta. Uno de ellos estaba almorzando en una mesa cercana.

Examinó a Harvey Keitel y desesperado se preguntó por qué aquel robusto actor, que en persona resultaba bastante más bajito que en la pantalla grande, podía desempeñar papeles tan diversos mientras que Jack parecía condenado a ser actor de series televisivas de por vida. Por más que lo pensaba no lograba dar con una explicación. No obstante la situación estaba clara: a Harvey Keitel le daban papeles en *Reservoir Dogs* y *Pulp Fiction*, y además podía pasearse tranquilamente medio desnudo en un drama romántico como *El piano* sin que nadie, su agente por ejemplo, decidiera que ese papel podía poner en peligro su imagen de tipo duro. Al igual que ocurría con Clooney, que lo mismo podía hacer de médico en *Urgencias* que de ladrón de bancos en *Un romance muy peligroso*. Tal vez George Clooney y Harvey Keitel tenían agentes más tolerantes. Algún día Jack debería hablar de ello con Keitel. Así podría pedirle de paso el nombre de su agente. No conocía a Harvey Keitel personalmente, pero el actor almorzaba con tanta asiduidad en su propio negocio, que no le costaría mucho abordarle algún día. Tal vez sólo tuviera que ser algo más agresivo. Tal vez debería comunicarle a su agente, como quien no quiere la cosa, que le habían dicho que varios agentes estaban impacientes por llevarle a una película de acción para después, en tono de amonestación, preguntarle a qué se debía que nunca le enviase un guión con algo de chispa, un poco de acción, un muerto aquí y allá. Sí, tal vez esa estrategia funcionara.

La llegada de su agente le sacó con brusquedad de sus cavilaciones.

—¿Cómo va, Jack? —dijo Chester Thomas en su tono jovial de siempre—. Siento llegar tan tarde. Como de costumbre, el tráfico no ayuda. —Miró su reloj—. ¿Has pedido ya?

—No, aún no —bramó Jack preguntándose por qué su agente siempre se disculpaba por llegar tarde y después miraba su reloj como queriendo saber si, a pesar de todo, había sido puntual.

—Pidamos primero —dijo Chester con la mirada puesta en el cielo oscuro que tenían encima y del que ya empezaban a caer las primeras gotas de lluvia—. Pero mejor dentro.

Chester Thomas dijo a Jack que tenía suerte. Tal vez no era del todo consciente de la situación en que se encontraba. Jack preguntó a qué «situación» se refería. Después Chester le contó que era un actor de series con muchísimo talento, y que interpretaba el papel protagonista en una de las series más vistas del país cobrando un pastón. Según Chester había cientos, no, incluso miles de actores jóvenes y ambiciosos esperando ansiosos una oportunidad para dar su gran golpe. Jack aún parecía joven, a pesar de sus treinta y seis años. De momento no tenía nada que temer de todos esos jóvenes actores. Podía continuar en su papel del rompecorazones Ritch Carrington al menos cinco años más. Eso si no perdía la cabeza y no hacía estupideces.

Jack preguntó a su agente a qué se refería.

—Me refiero —dijo Chester— a que tengo el oscuro presentimiento de que sigues convencido de que puedes protagonizar una película de acción.

—Y tú estás convencido de lo contrario.

—No he dicho eso…

—Pero lo piensas. Y apreciaría que me lo dijeras a la cara para estar seguro de que, según mi agente, estoy predestinado a representar a un gigoló el resto de mi vida.

Chester Thomas negó con la cabeza y pinchó con su tenedor un trozo de pimiento asado.

—Es más complicado que eso, Jack. Opino que un papel en una película de acción pondría en peligro tu carrera como actor de series de televisión. Temo que tendría una influencia negativa en tu imagen de cara a los millones de amas de casa que ven todos los días *While the Earth Spins*. Temo que no quieran verte como alguien que dispara con una uzi a la gente sin ton ni son.

—¿Una uzi? Yo no he dicho que quiera interpretar a nadie que lleve una uzi.

—Es una forma de hablar.

—Pero puedo hacer las dos cosas, series y acción, ¿verdad? —Giró la cabeza hacia donde estaba Harvey Keitel—. Él lo hace.

—Estás hablando de los más grandes, Jack. ¿De verdad querrías correr el riesgo de quedarte sin trabajo el año que viene?

Jack suspiró.

—¿Riesgo, Chester? Eso vas a tener que explicármelo mejor. Creo que he olvidado el significado de esa palabra, es lo que causan catorce años de series en tu cerebro. Sí, claro que quiero correr el riesgo. ¡Nada me apetecería más! Proporcióname un guión decente y soy tu hombre.

—Veré qué puedo hacer, Jack.

—Eso espero, Chester. Si no, tal vez tenga que intercambiar opiniones con otros agentes. Me han llegado rumores de que hay muchos agentes a los que les gustaría echarme una mano.

Eso era mentira.

Chester pareció darse cuenta porque se encogió de hombros.

—Haz lo que tengas que hacer, Jack.

16

A Cordelia le parecía que tenía al heladero demasiado cerca en el sofá, pero tampoco tanto como para hacer algún comentario. Además aún no había intentado tocarla.

Leo Roma manoseó un momento su ridículo pantaloncito de deporte y la miró.

—¿Vas a ofrecerme algo de beber o no?

Cordelia miró su reloj.

—*While the Earth Spins* empieza dentro de siete minutos. ¿Bebes rápido?

—Cordelia, detecto cierta hostilidad en tu actitud —dijo Leo—. ¿Quieres explicarme a qué se debe? He puesto un techo sobre tu cabeza, tu marido vuelve a tener un empleo, ¿qué más quieres?

—¿Que qué más quiero? Ésa no es la pregunta. Lo que me resulta extraño es que aparezcas justo cuando Winston ha salido. No sólo me parece extraño, me parece incluso horrible. ¿Me equivoco si digo que has esperado hasta que saliera para presentarte aquí corriendo? —Miró la desafortunada vestimenta del heladero y no pudo evitar sonreír—. ¿O has venido después de cambiarte de ropa?

Por primera vez, Leo Roma se enfadó un poco.

—Cordelia —dijo con cara seria—. Estoy seguro de que emplearías otro tono si supieras de lo que es capaz de hacer mi lanza del amor.

147

Cordelia se quedó un momento fuera de juego ante tanta franqueza. El hombre no tenía modales. En el despacho de abogados había visto muchas cosas y conocía los pensamientos de los hombres poderosos mejor de lo que estimaba deseable, pero aquel italiano era el colmo. Decidió tratarlo con la misma arrogancia con la que él se había dirigido a ella.

—Si tu lanza es tan larga como tu nombre, Leo, puedes ahorrarme el resto de la historia. Además, ¿no estás casado? ¿Sabe tu mujer de lo que es capaz tu lanza del amor? ¿O hace tanto que no la miras que se le ha olvidado?

—A mi mujer no le falta de nada.

—Bueno, a mí tampoco. Creo que con esto hemos llegado al final de nuestra relación.

—Yo no lo creo. No puedes rechazarme sin saber qué te pierdes, ¿a que no?

Cordelia se sentía cada vez más a disgusto, pero se negó a apartarse del italiano. No iba a demostrarle el miedo que le tenía. Tal vez a ese italiano había que darle un poco de su propia medicina machista para aclararle cuál era tu punto de vista.

—Partiendo de que Winston me satisface de sobra, sólo por la forma en la que hablas de tu herramienta dudo que seas capaz de hacer gran cosa. ¿Cómo la has llamado? ¿Tu «lanza del amor»? Siempre me han dicho que, por lo general, los hombres que cuentan grandes historias sobre sus medidas, a la hora de la verdad se quedan cortos.

Ahí estaba; le había herido en su orgullo. El heladero parpadeó y enderezó la espalda.

—Mírame, Cordelia, y te contaré cómo están las cosas. Mi mujer grita cuando se lo hago. A veces, lo creas o no, me suplica que pare porque se muere de placer. Siempre que hacemos el amor tiene un orgasmo, a veces varios seguidos. Deja de resistirte y permite que te demuestre que no miento.

Cordelia no tiró la toalla.

—Tal vez tu mujer te tenga miedo.

—¿Qué?

—Tal vez tenga miedo de tu reacción si te dice que no está excitada. —Habló con lentitud para que Leo Roma tuviera tiempo de asimilar las palabras—. Te lo diré de otro modo: ¿crees que si ya no disfrutara de vuestro sexo te lo diría?

—Sí disfruta. Acabo de decírtelo, siempre tiene orgasmos. ¿Quién puede saberlo mejor que yo?

Cordelia negó con la cabeza con cierta compasión.

—Leo, ninguna mujer tiene orgasmos siempre.

—Entonces mi mujer es una excepción.

—Olvídalo. Lo único que puede pasar es que de vez en cuando los simule. Todas las mujeres fingen los orgasmos de vez en cuando y eso no tiene nada de malo. Incluso puede significar que tu mujer te quiere muchísimo y no quiere estropearte el placer si ella alguna vez no lo tiene.

—Mi mujer no finge los orgasmos. Si fuese así, lo sabría.

La cara del italiano comenzaba a sonrojarse. Cordelia se dio cuenta de que había logrado su objetivo. Leo Roma estaba de golpe menos excitado. Lo único que quería en aquel momento era demostrar que su propia mujer quedaba satisfecha. Ella debía seguir así, arrinconándolo contra las cuerdas.

—¿Leo? ¿Tú quieres a tu mujer?

—¿Y eso qué tiene que ver?

—Todo. ¿Sientes amor por ella?

—En cierto modo.

—No me creo nada —dijo Cordelia—. Creo que no sabes qué es el amor.

Eso a Leo le hizo reír.

—Crees que no sé qué es el amor —repitió acercándose a Cordelia y rozando su rodilla con una mano peluda—. Pero sí lo sé, mi querida Cordelia. Lo veo en ti y en tu marido Winston: el amor es un malentendido entre dos tontos.

—Está bien —dijo Cordelia—. Respeto tu opinión. Pero Winston y yo seguimos creyendo en nuestro malentendido. ¿Te importaría dejarme sola? Va a empezar *While the Earth Spins*.

Volvió a reprimir el impulso de apartarse de él. Leo parecía sumido en sus pensamientos, pero cuando Cordelia iba a pedirle amablemente y por segunda vez que saliera del bungalow, se levantó por propia iniciativa y se dirigió a la puerta. Cordelia soltó un sonoro suspiro. Sin darse la vuelta, Leo Roma dijo:

—Me caes bien, Cordelia. Eres una mujer con chispa. Continuaremos esta charla más adelante. —Abrió la puerta y dijo—: Intenta verte como un puzzle. Así te darás cuenta de que no estás completa; falta una pieza y esa pieza soy yo.

En cuanto Winston entró en el bungalow se dio cuenta de que a Cordelia le pasaba algo. Estaba en el sofá y se negaba a mirarlo. En lugar de eso jugueteaba nerviosa con las uñas de sus manos mirando con cara seria la televisión.

En el trayecto al bungalow, Winston apenas había pensado en la historia que le había contado Jimmy sobre Leo Roma y Cordelia; pero al ver a su mujer tan tensa en el sofá, las palabras le volvieron con una dolorosa claridad: «Así que tampoco te parecería buen asunto que mi padre hiciera cosas a tus espaldas».

«No si esas cosas me afectan personalmente.»

«¿Cosas como tu mujer?»

¡Mierda! Winston miró a Cordelia preguntándose por dónde debía empezar. Parecía aún más estresada que cuando él se fue por la mañana. ¿Por qué no decía nada? ¿Y por qué no le miraba? ¿Había pasado Leo Roma por allí mientras él estaba fuera?

Si al menos le mirase durante un momento, tal vez podría evaluar mejor la gravedad de la situación. Finalmente Winston decidió hacer como si no hubiese oído lo que Jimmy le había contado y dijo de la forma más neutra posible:

—Hola, cielo, ¿has tenido un buen día?

Cordelia lo miró pero no dijo nada.

«No —pensó Winston—, no ha tenido un buen día en absoluto.» Si su mujer no respondía de inmediato a una pregunta es que algo le preocupaba. Winston se preguntó qué debía decir. Después tomó una decisión. ¿Qué sentido tenía andarse con rodeos? Así que dijo:

—Jimmy me ha dicho que tal vez Leo se pasara por aquí.

Cordelia no dijo nada.

—¿Y? ¿Ha venido?

—Sí, ha venido.

—¡Ah!

Cordelia estaba perdiendo la calma. Winston lo notó en la vena de su frente que había empezado a latir con más fuerza. Ella cerró los ojos y dijo:

—¿Jimmy también te ha dicho por qué se ha pasado por aquí tu «patrón»?

—No, Jimmy no me lo ha dicho —respondió echando un vistazo al dormitorio. La cama estaba hecha, igual que esa mañana.

—Y si no te lo ha dicho, ¿por qué controlas si ha dormido alguien en la cama?

—No lo hago, sólo miraba…

—¿Qué?

—Nada.

Jimmy tenía razón. Leo Roma había hecho una visita a su mujer mientras él comía un BLT, y por el comportamiento de Cordelia se notaba que no había sido una visita normal.

Entonces Cordelia dijo:

—Winston, quiero irme de aquí. Hoy mismo.

Algo iba fatal. Winston estaba seguro.

—¿Te ha…? ¿Te ha…?

—No, Winston. Todavía no. Pero ¿tan mal te parece que no me quede esperando hasta que lo haga? Me ha costado mucho sacarle por la puerta y en su cara se notaba que no iba a dejar así las cosas.

Poco antes de irse dijo que soy una «mujer con chispa» y que regresaría para continuar la charla. Lo peor es que me llamó «puzzle». —Lo miró—. Tú me crees, ¿verdad, Winston? ¿O tengo que contarte más detalles?

Winston tragó saliva.

—Claro que te creo.

—Quiero irme de aquí hoy mismo.

—Sí, sí, claro. No vamos a quedarnos mucho.

—¿No vamos a quedarnos mucho? Winston, creo que no me escuchas. He dicho que quiero irme hoy mismo de aquí.

—Confía en mí, cariño. Todo va a salir bien. Jimmy me ha prevenido contra su padre y quiere ayudarnos. Tiene un plan.

La mirada que le dirigía Cordelia era de las que Winston no podía resistir. Durante un enajenante segundo creyó que su mujer iba a estallar ante sus ojos. Un instante después pasó a su lado encaminándose a grandes pasos al dormitorio. Cerró la puerta con tanto sigilo que a Winston le dolió oírlo. Winston quería entrar con ella en el dormitorio para convencerla de que todo saldría bien, pero entonces recordó que una vez había visto en la televisión a alguien que aseguraba que todo lo que se repetía dos veces perdía poder de convicción, así que decidió dejar tranquila a Cordelia. Sacó una lata de Budweiser del frigorífico, encontró el mando a distancia de la televisión y la encendió. Pasó de canal en canal hasta que encontró un programa sobre delfines. Una voz masculina narraba que los delfines tienen una masa cerebral mayor que la humana, y que la utilizan sobre todo para elaborar sonidos. La voz del hombre enseguida se convirtió en una especie de ruido de fondo y Winston siguió sólo con la mirada al delfín que, con agilidad y fuerza, se deslizaba por la cristalina agua azul.

Caesar se preguntaba qué estaría haciendo Jimmy Roma. Había llamado hacía diez minutos para preguntar si su padre había pasado a ver a Cordelia. Caesar dijo que, en efecto, así era, pero que la mujer lo había despachado. Jimmy quería saber si su padre se había esmerado, si había intentado manosear a la mujer. Caesar dijo que no podía asegurarlo, pero que sospechaba que sí. Eso pareció alegrar mucho a Jimmy. Luego dio las gracias a Caesar y cortó la comunicación.

Lo que más le extrañaba a Caesar de la conversación era el hecho de que Jimmy hubiera sido amable por teléfono, casi respetuoso. Por lo general decía cosas como: «Eh, Willow, pásame a mi padre», o «Di, Willow, ¿has crecido esta semana?». Pero esta vez no le había insultado. Jimmy incluso le había llamado por su nombre, algo que no había hecho en los últimos tres meses. Y eso a Caesar le preocupaba. Tenía la sensación de que Jimmy tramaba algo.

Habían dado las diez y comenzaba a anochecer. Caesar sacó del Jaguar dos bolsas de la compra completamente llenas y entró en la villa. Sólo vio una luz encendida en el salón. Al parecer Leo estaba viendo la MTV. Se dirigió a la cocina, dejó las compras en la encimera y después fue al comedor para preguntar a Leo si necesitaba algo más antes de que se fuera a su apartamento. Estaba a punto de entrar en el salón cuando oyó a una mujer sollozando en voz baja. Enseguida se dio cuenta de que era Carlotta Roma, la mujer legítima de su adúltero jefe. Miró con cautela al otro lado de la puerta. Carlotta estaba sentada en la butaca con su camisón de seda, tapándose la cara con las manos.

Caesar sabía que lo mejor era salir de allí. A Leo Roma no le gustaba que otros hombres se relacionaran con su mujer sin su permiso, pero Caesar vio que Carlotta levantaba la vista y le resultó muy violento volver sin más a la cocina.

Antes de que a Caesar le diera tiempo a pensar algún comentario sensato, Carlotta se levantó y dijo:

—Oh, Caesar, ¿qué le pasa? Pero ¿qué le pasa? No quiere calmarse.

Mientras pronunciaba esas palabras volvió a derrumbarse.

Caesar entró en la habitación, sacó un pañuelo de su bolsillo trasero y se lo dio.

—¿Qué le pasa a quién? —preguntó aunque sabía a quién se refería.

—¿Qué le ha pasado? Está fuera de sí, no ha parado hasta que...

No logró terminar la frase.

Caesar se asustó cuando lo agarró y lo apretó contra ella. Carlotta Roma le sacaba dos cabezas por lo que su nariz quedó atrapada entre los pechos de ella y casi se ahoga.

Caesar consiguió liberarse de su abrazo con cierta dificultad y preguntó:

—¿Señora? ¿Con qué es con lo que no ha parado?

Carlotta Roma continuó sollozando. Suspiró desmoralizada y se dejó caer otra vez en la butaca.

—Oh, Caesar —dijo—. Casi no me atrevo a decirlo.

—Señora, entiendo que prefiera guardarlo para usted —respondió Caesar porque no quería ponerla en un apuro y porque no estaba seguro de si quería oír lo que iba a contar.

Carlotta Roma lo miró y dijo:

—Leo cree que llevo diez años fingiendo.

17

Vieron que Jack Gardner y la joven de pelo liso se detenían junto a la pista de golf y después continuaban andando por Chelsea Piers, a lo largo del muelle de Hudson y los muchos yates privados atracados en él. Pasados veinte minutos vieron que Gardner señalaba una terraza. La mujer del pelo liso asintió con aprobación, tras lo cual Gardner le ofreció una silla y luego se sentó.

Jimmy señaló una terraza cercana desde donde podían vigilar al actor sin llamar la atención. Winston Malone se sentó en una silla de madera debajo de una de las sombrillas blancas y verdes. Darío López siguió el ejemplo del negro, aunque el mexicano se encargó de que el sol le diera en la cara.

Jimmy nunca pensó que Malone tardaría tan poco en cambiar de opinión, pero después de dejarle en el bungalow el día anterior, no habían pasado ni dos horas cuando sonó la melodía de su móvil. Era Malone que quería saber más sobre el plan de Jimmy, sobre Jack Gardner y los dos millones de dólares. Malone no dijo ni una palabra sobre su mujer y la visita de Leo Roma, pero Jimmy notó en su voz lo que pasaba. Propuso entrar en acción de inmediato. A Malone le pareció estupendo y Jimmy llamó a Darío. Al principio el mexicano se resistió diciendo que no podía tomarse tiempo libre así como así. «¿Por qué no? —preguntó Jimmy—. ¿Tienes miedo de perder un empleo que dentro de dos días no vas a necesitar?»

Había logrado convencer al mexicano de que había llegado la hora de actuar.

Jimmy había presentado a sus dos socios hacía media hora, y se había fijado bien. Quería ver cómo reaccionaban los dos, pero en realidad el mexicano y el negro no habían reaccionado de ninguna manera: se estrecharon la mano con cara inexpresiva, intercambiaron algún formalismo y después volvieron a dirigirse a Jimmy, el hombre del plan.

Habían seguido al actor desde su casa en la calle Hudson, donde la mujer del pelo liso fue a recogerlo. Los dos habían paseado durante veinte minutos bajo el sol abrasador, y Jimmy se alegró cuando por fin les entró sed porque su ya quemado cráneo le dolía bastante. Mientras seguían al actor y a la mujer, se dio cuenta de que Darío le miraba de vez en cuando. Hacía un par de minutos, cuando pasaban por el quiosco para turistas, el mexicano había mirado de forma significativa las gorras de béisbol de los New York Mets y después el cráneo enrojecido de Jimmy. Éste pensó lo que le haría al mexicano si volvía a bromear sobre su cabeza encendida, pero Darío era sensato y mantuvo la boca cerrada.

La camarera dejó tres Budweiser en la mesa. Cuando se fue, Darío preguntó:

—¿Cómo quieres hacerlo?

—Esperaremos a que él vaya al baño. Después Winston le dará el paquete a ella.

—¿Qué paquete? —preguntó Malone que pareció ponerse nervioso al saber que dentro de poco entraría en acción.

Jimmy había considerado mejor no contar a Malone lo que iba a suceder. Por una parte porque así el negro no haría preguntas, y por otra porque creía que había menos posibilidades de que Malone protestara estando Darío López delante. Si no se equivocaba con Malone, éste era de los que no quiere mostrarse como un blandengue frente a perfectos desconocidos.

—He hecho un paquetito para Jack Gardner, para asustarle un poco y para que se dé cuenta de que está tratando con profesionales.

—Pero ¿por qué tengo yo…?

Malone cerró de golpe la boca y miró asustado a Darío López. El mexicano disfrutaba del sol con los ojos cerrados y la cruz de su cadena brillaba como un diamante.

Ahí estaba. Malone no quería darse a conocer.

—Todo lo que tienes que hacer —dijo Jimmy— es dar ese paquete a la mujer. Y lo harás en cuanto el actor vaya al baño. Él no te verá la cara. No tienes que temer a esa mujer, no te va a morder.

Llevaban casi media hora sentados en la terraza y Darío López comenzó a preguntarse cuándo iba a ir Jack Gardner de una vez al baño, para que Malone diera el paquete a la mujer y pudieran irse a casa.

Darío había preguntado a Jimmy si era realmente necesario el paquete para su plan y Jimmy había contestado:

—Queremos que nos tomen en serio, así que debemos ser meticulosos. Por eso le daremos primero el paquete, para que comprenda que vamos en serio.

Darío miró su reloj. La señora Heather ya se habría dado cuenta de que no estaba en casa. Quería preguntar a Jimmy si podía irse. A fin de cuentas no era él quien iba a entregar el paquete, eso lo haría Winston Malone. Pero la cabeza de Jimmy estaba tan roja que Darío decidió esperar un poco. No quería enfadar a Jimmy. Y menos en ese momento en el que el hombre hablaba por los codos contando historias fuertes sobre su época en la prisión de Riker's.

—Uno de esos chicos —dijo Jimmy limpiándose un resto de espuma del labio superior— fue tan listo como para, en un asalto a un banco, no sólo llevarse la pasta sino también las dos cámaras de seguridad con las cintas. Con lo que no contó ese lince, fue con que las dos cámaras en funcionamiento estaban conectadas de forma inalámbrica con un tercer videograbador situado en un lugar seguro del banco. De eso se enteró cuando la policía llamó cinco minutos después a su puerta.

Jimmy sonrió de oreja a oreja y dio otro trago de cerveza. Darío intentaba ignorar la charla pero no perdía de vista a Jack Gardner y a la mujer. Jimmy Roma tenía serias quemaduras y la cerveza se le subiría a la cabeza más rápido de lo normal. Darío se preguntó si Jimmy, después del segundo vaso, sabría aún por qué estaba sentado allí.

Ahora le tocaba a Malone:

—Una vez oí una historia sobre un hombre de Carolina del Norte, el Estado con la política antidrogas más estricta, que llamó a la policía totalmente desquiciado para contarles que unos ladrones habían entrado por la noche en su casa. Cuando el agente de turno le preguntó qué le habían robado, él contestó: «Las quinientas plantas de cannabis de mi huerto, señor».

—Darío —dijo Jimmy—, cuéntale a Winston cómo acabó tu hermano Hugo en la trena.

Darío sospechaba que llegaría la pregunta, no era la primera vez que Jimmy le ponía en evidencia en presencia de desconocidos.

—Mi hermano y yo intentamos arrancar un cajero automático con una fuerte cadena que atamos al *pick-up* de mi hermano. En el intento se partió el parachoques, así que nos fuimos tan rápido como pudimos. Abandonamos la cadena, pero no nos dimos cuenta de que la matrícula de su *pick-up* también se había roto. Aquella misma noche vinieron a buscar a mi hermano. Le cayeron ocho años. Yo tuve suerte porque cuando entró la policía había ido a comprar cigarrillos. Vi los coches delante de la casa y salí por piernas.

—Ocho años —dijo Malone—. Y eso que vuestro plan ni siquiera funcionó. ¿No fue, cómo se llama eso... una circunstancia atenuante?

Darío asintió.

158

—Sí, así fue. Pero el asunto se complicó: cuando los policías registraron la casa, encontraron cuatro kilos de cocaína en la mesilla de noche de Hugo.

Jimmy rió de oreja a oreja. Darío suspiró intentando no escuchar a Jimmy que había comenzado a contar la historia del ladrón que se durmió mientras robaba en una casa y después... De pronto Jimmy pareció recordar algo muy desagradable. Miró a Jack Gardner con expresión de amargura en su cara encendida y dijo:

—No tienes ni idea de la cantidad de veces que tuve que ver en el trullo la falsa jeta de ese actor de poca monta.

Winston dio un trago de cerveza y preguntó:

—¿Qué tuviste que ver?

Lo admitía, nunca había estado en la trena, pero conocía gente de Staten Island que sí. Ninguno de ellos se había quejado, tras su puesta en libertad, de estar obligado a ver series de televisión en el trullo. A la gente que llevaba mucho tiempo en chirona le pasaban muchas cosas desagradables; algunas personas nunca volvían a ser las mismas tras conseguir la libertad pero, hasta donde estimaba Winston, eso no se podía achacar a que en el talego estuvieran obligados a ver series de televisión.

—No podía hacer otra cosa —dijo Jimmy—. Los demás sólo veían series.

—¿Por qué no cambiabas de canal?

—Porque no querían.

—¿Quiénes?

—¿Tú quién crees?

Winston se fijó con más atención en el cuerpo de Jimmy Roma. El hombre no era precisamente un renacuajo al que poder ordenar que hiciera o dejara de hacer algo por ti. Su torso era como una pirámide invertida; tenía un grueso cuello de toro y sus muñecas eran macizas e irrompibles. Parecía el hermano calvo de Jean-Claude van Damme, el luchador de *kick boxing* con todos sus inverosímiles trucos. ¿Podría una panda de presos obligar a Jean-Claude van Damme a ver una serie de televisión? No, jamás. Jean-Claude cogería el mando a distancia, lanzaría un par de sus famosas miradas de «conmigo no se juega», y después cambiaría de canal sin problema. Winston iba a preguntar por qué Jimmy no había cambiado de cadena sin pedir permiso, pero Darío López se le adelantó.

—Perdonad que interrumpa vuestra importante conversación, pero creo que habéis olvidado por qué estamos aquí.

Winston miró a la terraza en la que se encontraba Jack Gardner. Precisamente en ese momento el actor entraba en el café anexo.

Antes de que pudiera decir nada, Jimmy le pasó un sobre grueso en formato A4. En cuanto Winston cogió el sobre, supo lo que contenía: una cinta de vídeo.

18

Jack miraba con total incredulidad la imagen congelada en el televisor que tenía enfrente, al tiempo que leía las palabras que figuraban bajo la sonriente cara de su hijo pequeño: «Vas a pagar. ¡Hasta pronto!». Como la boca de su hijo estaba abierta parecía que fuera el pequeño Darryl quien pronunciaba esas palabras; pero, por supuesto, aquella miserable broma no era obra de un niño de ocho años.

Ya había visto la cinta dos veces y empezaba a comprender la intención que tenía. La película apenas duraba diez minutos, pero el período en el que se había grabado abarcaba al menos tres semanas, y el protagonista era él. Alguien lo había seguido con una videocámara tanto de día como de noche. Cuando regresó del baño, Susan Stone le contó que un nervioso hombre negro con una gorra de béisbol le había dado el sobre con el mensaje de que era para Jack. Susan no había podido ver bien su rostro, pues el hombre se había calado la gorra casi hasta los ojos y el resto de la cara quedaba en sombras. No tenía importancia quién fuera aquel hombre. Jack entendía perfectamente la jugada: era un truco de Heather y del hipócrita de su abogado. Pretendían provocarle para que hiciera alguna estupidez, como un par de semanas atrás, cuando en un calentón le había partido la nariz a Émile Leboeuf, aunque reconocía que no se arrepentía mucho. Pero esta vez no ocurriría eso, conservaría la calma. Posiblemente el hombre negro de la gorra de béisbol había sido contratado para entregar el paquete, de modo que sería imposible averiguar de dónde procedía la cinta y quién la había hecho.

Rebobinó la cinta una vez más y apretó el *play*. Ahí se veía andando con su hijo de la mano, cerca de Strawberry Fields. De eso hacía unas tres semanas. El realizador de la cinta había puesto una musiquillla alegre a las imágenes, *Don't worry, be happy*. «Sí», pensó Jack, entonces todo parecía bastante alegre: la separación de Heather sólo iba a costarle dinero y podía ver a su hijo todos los fines de semana. Vio a Darryl en la pantalla corriendo hacia un árbol y subiéndose a él mientras Jack miraba sonriente a cierta distancia. Después el vídeo pasaba a otra escena en la que se vio delante de la puerta de Heather. Eso debió de ocurrir una semana después. Darío López abría, asentía, y poco después aparecía Heather en el umbral. Hablaba con dureza, en el vídeo no se oía nada, pero Jack recordaba que su mujer se había enfadado porque llegó dos minutos tarde a recoger a Darryl, y al final ella entraba y volvía a salir seguida por su hijo que llevaba la gorra roja que Jack le había regalado en Navidad. En los siguientes cinco minutos se veían planos cortos de diversas escenas. Después llegaba la parte más dolorosa del vídeo: una serie de imágenes encadenadas con él y su hijo divirtiéndose. Vio que entraban en el cine, que salían riendo y comiendo palomitas. Vio que aupaba a su hijo para enseñarle algo en un escaparate, que alimentaban a las ardillas en el parque de Washington Square, que escuchaban a un músico callejero en una soleada terraza. Vio que deambulaban de la mano por Broadway, que levantaba a su hijo en mitad de la calle y le hacía carantoñas... Luego seguían unas cuantas escenas similares, hasta que al final la imagen se congelaba en la cara radiante de su hijo mirándole y debajo de él las palabras que había escuchado con demasiada frecuencia en los últimos tiempos: «Vas a pagar. ¡Hasta pronto!».

Había esperado que en la cinta también apareciese la escena en que partía la nariz a Émile, eso al menos le habría proporcionado alguna satisfacción; pero al parecer Heather y su abogado lo habían intuido porque ese punto culminante no había sido grabado. Habían hecho cuanto les era posible para mostrar lo feliz que se sentía cuando podía ver a su hijo. Poco a poco Jack notó que, a pesar de sus buenos propósitos de no quemarse la sangre, estaba empezando a enfadarse. ¿Es que su mujer no tenía ya bastante? ¿Qué es lo que quería de él? ¿Que hiciese algo peor que romperle la nariz a Émile para que ella pudiera darle aún más fuerte? A Jack le costaba pensar que Heather pudiera quitarle más cosas. Ya se había encargado de que no pudiera ver a su hijo, tenía la casa y el juez además había dictaminado que tenía derecho a dos millones de dólares. Y no obstante ella y su abogado habían estimado necesario continuar frustrándolo por medio de esa cinta que además era anónima. No podían ser más cobardes. Aunque sabía que en su estado anímico no era lo más sensato, agarró el teléfono y llamó a Terrance Mimms, el abogado de su mujer.

—Iré a ver si el señor Mimms dispone de un momento para atenderle, señor Gardner —dijo la secretaria del hombre que en poco tiempo le había quitado todo lo que él quería.

Cuando al cabo de unos segundos escuchó la voz de Terrance Mimms, dijo:

—Terrance, ¿puedes decirme qué significa esto? ¿Acaso no tienes ya todo atado? Ella tiene a Darryl, mi casa y dos millones. ¿Qué más quieres? ¿Que enloquezca tanto como para saltar del Empire State Building para que ella se lleve también el resto de mi dinero?

Tras un breve silencio, Terrance Mimms dijo:

—Jack, no comprendo de qué me estás hablando. Me limito a hacer mi trabajo, igual que tú. Tu mujer es mi cliente, de modo que yo sólo velo por sus intereses. No debes tomarlo como algo personal.

—Apreciaría que te dirigieras a mí como «señor Gardner». No soy amigo tuyo. Y si dices que te limitas a hacer tu trabajo, deberías explicarme en qué consiste actualmente el trabajo de un abogado. ¿En acosar a la gente y hacer vídeos caseros?

—Escucha, Jack… eh, señor Gardner. Ahora en serio. No sé de qué estás hablando y tengo muchísimo trabajo. Quería ser amable respondiendo a tu llamada. Sabes que no estoy obligado a hacerlo. Pero si continúas hablándome así, me temo que nuestra conversación ha concluido. Supongo que no has olvidado que la semana pasada fue la última vez en que pudiste salir con tu hijo. Heather me llamó esta mañana porque no sabía si estabas al corriente de la sentencia del tribunal. Éste ha fallado que se te imponga una orden de alejamiento para los próximos noventa días. Considéralo una especie de período de prueba. ¿No te lo ha comunicado Heather? Dijo que no estabas cuando dictaron sentencia.

Jack pensó en el mensaje de Heather. Lo había borrado sin escucharlo. ¿Qué había dicho Heather exactamente? «Jack, no quiero enfadarte, pero…» Algo así había sido. Él tampoco había querido enfadarse, tenía resaca… Así que el juez le había privado hasta de su salida de los lunes por la tarde, de la única posibilidad que tenía de seguir viendo a su hijo.

Adiós.

—¿Sigues ahí?

La voz de Terrance Mimms reclamó su atención.

Jack intentó pensar pero no lograba ordenar sus pensamientos. Por fin dijo:

—Sí, aquí sigo.

—¿Me prometes que no harás ninguna estupidez?

—¿Estupidez? ¿Y lo dices tú?

—Buenas tardes, Jack.

—Para ti, señor Gardner, miserable…

Terrance Mimms había cortado la comunicación.

Jack tiró el teléfono al otro lado de la habitación.

—¿Eh, Terrance? —continuó gritando al aparato—. Espero que estés contento con lo que ves por las mañanas cuando te miras en el espejo.

19

Jack no podía contenerse, tenía que ver a su hijo. Y quería que su mujer le diera explicaciones sobre la cinta de vídeo. No podía dejar pasar aquello sin más. «Sal a la calle —se recomendó—, bebe un café exprés en Bubby's. No dejes que esa canalla te vuelva loco.» Finalmente prefirió tomar un par de vasos de whisky. Después pensó en salir a despejarse, pero el whisky, combinado con su creciente furia, le había conducido al metro. Durante el viaje a la parte alta de la ciudad vio, a través de un velo de alcohol, desfilar ante él sus años con Heather.

«La única conclusión a la que llego es que debería haberlo visto venir», pensó cuando, de repente, se encontró ante la puerta de la casa de la calle 95. Tocó el timbre mientras la visión de la puerta cerrada, acentuada por su tasa de alcohol en sangre, hacía que emergiera una nueva serie de dolorosos recuerdos.

Por enésima vez en las últimas semanas se vio preparando chile con carne. De nuevo oyó a Heather pronunciar aquellas letales palabras: «Jack, por fin sé lo que es el amor verdadero». Recordó que él había sonreído orgulloso al medio pimiento que tenía delante en la tabla de cortar, convencido de que hablaba de su relación, de que ella hablaba de una especie de enamoramiento renovado. Pero cuando le preguntó en aquel tono extraño si estaba enfadado, empezó a darse cuenta de que no estaba hablando de su relación. Ella hablaba de otra persona. Se llamaba Émile. Se sentía como renacida cuando estaba con él, como si hubiese comenzado una nueva vida. Émile era pintor. Un expresionista.

Jack se quedó mudo.

Heather lo había mirado con la misma expresión que si acabara de decir que se habían terminado los filtros de café.

Antes de que pudiera reaccionar le contó que Émile en ese momento no tenía casa, pero que dentro de dos semanas se instalaría en su nuevo apartamento en el Soho, y que ella y el pequeño Darryl se irían a vivir con él. Desde luego era consciente de que aún no habían hablado de ello, pero esperaba que no tuviera inconveniente en que se llevara a Darryl con ella. Por supuesto Jack podría visitar a su hijo de vez en cuando. Ya llegarían a algún acuerdo, preferiblemente sin la intervención de abogados. A fin de cuentas los abogados sólo costaban dinero —¡tenía motivos para saberlo, siendo ella del gremio!—, y podían emplearlo en algo mejor. Para concluir, ambos eran personas adultas con bastante educación. Sí, lograrían resolverlo juntos, de eso ella no tenía duda.

Durante ese tiempo Jack no había logrado decir ni una palabra. Necesitaba toda su energía para asimilar todo lo que acababa de oír. Por fin preguntó:

—¿Me dejas?

Su pregunta fue respondida con un parsimonioso «no». Al menos, aún no. No antes de que Émile tuviese su nuevo apartamento, lo que sucedería, como acababa de contarle, dentro de dos semanas. ¿Le suponía un problema que ella y Émile se alojaran en su casa mientras tanto?

Mientras tanto...

No hacía falta que él reorganizara la casa, Émile se contentaría con la habitación de invitados. Además estaría fuera todo el día, ya que tenía un estudio en el Soho en el que trabajaba doce horas. Émile no causaría molestias. Sin pestañear ni una sola vez, acto seguido le comunicó que agradecía realmente su colaboración y que Émile tenía muchísimas ganas de conocerle. Había visto todos los capítulos de *While the Earth Spins* y la serie le parecía genial. Sí, esperaba de verdad que él y Émile se hicieran amigos. Al igual que Jack, su nuevo amor también era gemelo. Al parecer le gustaban los gemelos, pero Émile y él eran tan distintos...

Lo único que Jack había preguntado con cierta perplejidad era si su mujer ya había visto de cerca la brocha de Émile, y en caso afirmativo, con qué frecuencia.

Jack nunca pensó que Heather se convertiría en una astuta abogada, pero en los últimos tiempos estaba experimentando todo lo que su mujer había aprendido con la ayuda de su dinero. Como consecuencia él se alojaba en casa de su madre —porque odiaba los hoteles— y de momento ni siquiera podía ver a su hijo, aunque esto último debía agradecérselo ante todo al hecho de haberle roto la nariz a Émile en su primer encuentro.

Lo que Heather también había aprendido durante sus estudios de derecho era que no conviene hablar más de lo estrictamente necesario cuando tu futuro ex marido llama a tu puerta después de que doce desconocidos que se denominan «jurado» acabaran de decidir que ni siquiera podía aparecer por los alrededores.

Desde que abrió la puerta medio minuto antes, Heather Gardner no había hecho otra cosa que mirarlo sin decir nada, con las mandíbulas apretadas. No parecía que estuviese pensando en dejarle entrar.

—Heather —logró decir Jack intentando ordenar sus pensamientos—. ¿Cómo eh... cómo estás?

Ella continuó mirándolo como si fuera un testigo de Jehová.

Él había intentado prepararse para algo así. Aunque durante los últimos meses odiaba de todo corazón a la mujer que estaba en el umbral de la casa, no podía ignorar el sentimiento que en ese momento se había apoderado de él.

Continuaba haciéndole daño.

Jack oyó el débil sonido de la televisión procedente de la habitación de relax de la primera planta: Jerry Springer, no podía ser de otro modo. «Sí, yo lo hice. Me he acostado con estos cuatro tíos, ¡con los cuatro a la vez! ¡Y no me arrepiento ni una pizca! ¡Estaba sola, Ronnie! No me prestas atención. Con los Chicago White Sox ya tienes bastante; pero todavía soy joven, Ronnie, y para mí hay cosas más importantes que el béisbol. Yo...».

Jack carraspeó.

—¿Está...?

—¿Émile? —espetó su futura ex mujer, recordándole el nombre de su amiguito pintor—. No, Émile ya no está. Echaba de menos su libertad. Pero me las apaño muy bien sola. ¿No te ha llamado Terrance?

Así estaban las cosas: su nuevo amiguito se había marchado, de modo que Heather había elaborado con su abogado un sucio plan para hundir a su ex marido un poco más en el abismo.

—No, he sido yo el que ha llamado a Terrance después de recibir vuestro regalito.

Heather frunció el ceño.

—¿Nuestro regalito? No sé a qué te refieres, Jack. Lo único que sé es que has hablado hace hora y media con Terrance y que te ha contado que para ti esta calle es territorio prohibido. No podrás llevarte más veces a Darryl. Y no finjas que no lo sabes, porque Terrance acaba de llamarme. Dijo que parecías muy raro por teléfono, como si estuvieras a punto de volver a hacer estupideces. —Suspiró y le miró con una desesperación fingida; él conocía esa mirada—. Jack, ¿por qué continúas dando la matraca?

—¿No sabes a qué regalito me refiero? No, claro que no lo sabes.

Heather lo miraba con verdadera preocupación.

—Jack, estás borracho. No lo empeores más.

Estaba borracho. Sí, tenía razón; pero seguía ignorando su comentario sobre el regalito y eso le irritaba.

—¿Por casualidad hay alguien con una videocámara detrás de tu ventana esperando que yo haga algo que pueda costarme más dinero?

La expresión facial de Heather se endureció.

—¿Una videocámara? Jack, ¿de qué hablas? Me estás asustando.

Quería cerrar la puerta. Por un momento Jack consideró la idea de poner el pie, pero logró mantener la calma. Si esperaba que él volviera a hacer algún acto irreflexivo, podía irse olvidando de ello.

«Volvemos después de la publicidad», prometió Jerry Springer. Aplausos. Alguien, posiblemente Marie-Louise, la niñera, subió el volumen. Lo último que escuchó Jack antes de que la puerta se cerrara fue una voz femenina recomendando Nivea Body Milk.

20

Darío López se encontraba en la parte superior de la escalera sonriendo a un retrato de la señora Heather que lo miraba desde la pared opuesta. La cinta de vídeo había surtido efecto. Aunque al parecer Jack pensaba que la señora Heather y su abogado eran los responsables de la cinta, Darío al menos estaba seguro de que Jack la había visto, lo que significaba que se había tomado la cinta en serio. Jack sabía que le habían seguido de cerca durante tres semanas, pero no sabía quién. Darío jugueteó con la cruz plateada que llevaba en una cadena alrededor de su cuello y entró en la habitación de estudios. Miró a su alrededor, cerró la puerta con sigilo detrás de él y llamó a Jimmy Roma. Después de que Darío le informara de la visita de Jack Gardner, Jimmy dijo:

—Darío, ésa es una buena noticia. Significa que es hora de ponernos manos a la obra.

—Sí —respondió Darío que guardaba otra sorpresa, algo que no había dicho a Jimmy porque quería sorprenderle—. Te diré cuándo vamos a intervenir.

—Vaya, vaya —dijo Jimmy—. Has estado pensando.

—Yo siempre pienso en todo —respondió Darío—. Pero lo que voy a decirte se me acaba de ocurrir. La señora Heather se ha apuntado a una agencia matrimonial. Mañana por la noche tiene su primera cita con un tipo sin nombre. Entonces Marie-Louise estará sola en casa; es la niñera y ya tiene bastante con ocuparse de Darryl. Creo que ése es el momento adecuado para dar el golpe. Engañamos a la niñera y esperamos a que la señora Heather vuelva a casa.

—No suena mal. ¿Quieres decir que tú te encargas de la niñera y luego entramos Malone y yo en la casa?

—No, yo no me encargo de la niñera. Por la noche tengo que quedarme en la buhardilla, si no, despertaré sospechas. No suelo bajar a partir de las nueve de la noche.

Darío resopló enfadado cuando oyó que Jimmy reía al otro lado de la línea. Al parecer a Jimmy le parecía muy gracioso que la señora Heather no lo dejara bajar a partir de las nueve.

—Está bien —dijo Jimmy—. Yo me encargo de la niñera. ¿Tienes idea de cuánto tiempo disponemos hasta que Heather vuelva a casa?

—Eso depende de lo emocionante que sea su cita.

—¿Y si es tan emocionante que decide volver a casa al día siguiente?

—Lo dudo; pero si se da el caso, haremos que la niñera llame por teléfono diciendo que el niño se ha puesto malo. —Darío miró la puerta. Alguien subía por las escaleras—. Tengo que colgar —susurró—. Viene alguien.

Mientras pensaba si tenía que preguntar algo más a Jimmy, la puerta de la habitación de estudios se abrió y la señora Heather apareció en el umbral.

Sin tener en cuenta que Darío estaba hablando por teléfono dijo:

—Darío, quiero que limpies la piscina ahora mismo. He adelantado una hora la clase de natación de Darryl.

Darío levantó el índice en un gesto que pretendía aclararle que tenía una pesada conversación que debía terminar. Entonces dijo en tono cortante al teléfono:

—Señor, volveré a explicárselo una vez más: estamos más que satisfechos con la lavadora que tenemos y me gustaría mucho acabar esta conversación ahora mismo, antes de que me vea obligado a perder los modales. No… Señor, no quiero que vuelvan a llamarme dentro de tres meses para ver si he cambiado de opinión. Yo no cambio de opinión, y menos cuando se trata de elegir una lavadora. No, tampoco quiero ningún folleto. Por mi parte puede meterse ese folleto por… ¿Qué dice? No, sólo tiene que dejar de llamar. ¿Podrá hacerlo? Bien. Voy a colgar. Buenas tardes.

Darío colgó y negó con la cabeza mirando a la señora Heather.

—Estas ventas telefónicas… No paran. ¿Limpiar la piscina? Por supuesto, señora, ahora mismo me pongo con ello.

«Películas para los que les gustan las películas», ése era el eslogan con el que se promocionaba el canal que estaba viendo Winston en ese momento. Por la noche ponían una película que ya había visto cuatro años atrás. En ella salía Steven Seagal, que luchaba en un barco contra una banda de malhechores. Por suerte en otro canal pasaban *Heat*. Habían interrumpido la película para poner un bloque publicitario, por eso Winston estaba siguiendo el filme protagonizado por Seagal. Bebió el último trago de Budweiser y lanzó la lata vacía a los pies de la cama.

Winston estaba impresionado por el plan de Jimmy. Era sencillo y eficaz. Además parecía que no podía salir mal. El objetivo estaba fijado: la mujer y el hijo de Jack Gardner, la estrella de las series de televisión. Si todo encajaba como Jimmy le había explicado, Gardner pagaría en cuanto secuestraran a su mujer y a su hijo.

Winston había preguntado qué harían si a Jack no le importaba que secuestraran a su mujer y amenazaran con matarla si no les pagaba dos millones de dólares. Jimmy también había pensado en eso. Por ese motivo secuestraban a la mujer y a su hijo. Jack Gardner adoraba a su pequeño Darryl, la prensa sensacionalista lo había hecho más que patente en las últimas semanas. Además Jimmy lo había comprobado con sus propios ojos mientras seguía a Jack durante la grabación de la cinta de vídeo.

El plan era coherente. Esa misma noche había intentado poner al corriente a Cordelia, pero cuando le contó que Jimmy y él habían tenido ese día una charla sobre la forma de ganar dos millones de dólares, Cordelia había huido al baño tapándose las orejas con las manos. Después había regresado al comedor, pero aún no había abierto la boca.

Winston abrió otra lata de cerveza, cambió de canal hasta dar otra vez con *Heat* y vio aliviado que De Niro y Pacino aparecían en pantalla, y además juntos. Se volvió hacia Cordelia y dijo:

—Si esto en lugar de una película fuera una grabación de los auténticos Robert De Niro y Al Pacino, no de los actores, y alguien les diera una pistola a cada uno para que eliminara al otro, ¿quién crees que sobreviviría?

Cordelia no respondió.

—Sé lo que yo creo, pero antes debes decirme qué crees tú.

Cordelia preguntó por qué iba nadie a darles una pistola.

Responder a una pregunta con otra pregunta era típico de Cordelia.

—Eso no importa, cielo —dijo Winston—. Es una pregunta hipotética.

Cordelia estaba sentada a una pequeña mesa de madera cerca de la puerta abierta del jardín intentando concentrarse en un crucigrama. A la vez escuchaba la radio que tenía a su lado sobre la mesa. Había puesto el volumen bajo para no molestar a Winston mientras veía su película. Winston había visto tantas veces *Heat* que casi conocía los diálogos de memoria.

Hacía dos horas le había contado que Jimmy Roma y él habían vuelto a hablar ese mismo día. Jimmy tenía un plan para enriquecerse rápidamente y necesitaba a Winston para llevarlo a cabo, de eso se trataba. Y al parecer Winston lo creía, pues por su forma de mirarla había comprendido que su marido ya se sentía millonario. Cuando iba a contarle los detalles, ella había huido al baño presa del pánico. No quería saber nada, pero sospechaba que, en un plazo razonable, volvería a sacar el tema; lo veía en su gesto de satisfacción mientras estaba allí, acostado sobre la cama con dos cojines debajo de la cabeza y rodeado de latas vacías de Budweiser y paquetes con restos de comida china.

Winston la miró.

—¿Y? ¿Tú qué crees? ¿De Niro o Pacino?

Cordelia suspiró.

—¿Realmente quieres saber qué creo? Está bien. Creo que te están utilizando.

—¿Qué?

—Que creo que te están utilizando, Winston.

—¿Quién?

—Jimmy.

—Claro que no, cielo. Jimmy es legal.

—¿Cómo estás tan seguro?

—Tesoro, intento ver una película. ¿Por qué me haces siempre esas preguntas tan difíciles en mitad de una película?

—¿Crees que hablo por hablar?

Winston dio tres tragos seguidos, negó con la cabeza como si no quisiera seguir hablando del tema y dijo:

—Te lo preguntaré de otro modo. Tú crees que… sobreviviría De Niro. ¿Tengo razón o no?

Cordelia no dijo nada.

—Lo sabía —oyó que decía Winston a sus espaldas—. Sabía que elegirías a De Niro.

Cordelia continuó ignorando a Winston. Miraba los árboles del jardín.

Winston preguntó:

—¿Y qué crees que pasaría si el duelo fuese entre De Niro y Val Kilmer?

Cordelia negó con la cabeza y miró para otro lado. Sólo se volvió pasados unos veinte minutos, cuando oyó de pronto la sintonía de *While the Earth Spins*. Sabía que a esa hora pasaban capítulos de la temporada anterior, y se sorprendió de que Winston hubiese cambiado *Heat* para poner eso. Winston nunca había puesto su serie favorita voluntariamente. ¿Sería un intento de limar asperezas?

—¿Qué haces, Winston?

Winston no dijo nada; parecía estar esperando a que acabara la presentación en la que todos los protagonistas de la serie sonreían durante tres segundos al espectador con sus artificiales dentaduras blancas. Pero entonces Jack Gardner, alias Ritch Carrington, apareció en pantalla.

—Ése es —dijo Winston—. El hombre que nos va a hacer ricos.

Demasiado sorprendida para reaccionar, Cordelia escuchó a Winston contarle el plan de Jimmy Roma que concluyó con:

—Lo único que tiene que hacer Jack es pagarnos un pequeño rescate.

—¿Un pequeño rescate?

—Sí, cielo. Dos millones.

—¿Dos millones de dólares es un pequeño rescate?

Winston la miró con triunfalismo.

—Sí.

—¿Winston?

—¿Sí?

—¿Eres consciente de lo que haces?

—Por supuesto, cielo. Estoy construyendo nuestro futuro.

Por enésima vez Cordelia cerró los ojos con la vana ilusión de encontrarse en otra parte cuando volviera a abrirlos. No le apetecía nada volver a contarle a Winston que, con toda probabilidad, dentro de poco iría a la cárcel y que tendría que compartir una sola televisión con al menos cien tipos fornidos que preferirían las competiciones deportivas a las películas. Y quién sabe si esos tipos no tendrían otras preferencias que Winston no compartía. Pensó en *Cadena perpetua*, una de las películas favoritas de Winston. Tal vez debería recordar a su marido cómo ese pobre Andy Dufresne era violado una y otra vez por las «hermanas». Probablemente no serviría para nada. Winston diría: «Sí, cielo, pero ese inteligente Andy acaba escapando. Todo termina bien y al final está en la playa con su barca».

Era mejor ceñirse a los hechos, averiguar por sus propios medios qué se traía su marido entre manos para prepararse en la medida en que le fuera posible.

—¿Te lo imaginas? —preguntó Winston—. Antes de que te des cuenta esto habrá pasado y estaremos en Sudamérica.

—No, Winston, no me lo imagino. Últimamente lo que imagino son altos muros de hormigón, rejas, alambradas... ¿Y dónde has pensado retener a la mujer de Jack Gardner mientras esperas el rescate? ¿Aquí?

—La retendremos en su propia casa. Su mayordomo nos ayuda.

—¿Su mayordomo?

—Se llama Darío.

—¡No me importa cómo se llama, Winston! —Cordelia se levantó y se dirigió al dormitorio—. Prefiero que me cuentes cuándo nos vamos, así tendré mi maleta hecha a tiempo.

—Eh...

—¿Qué? ¿Es que no lo sabes?

Winston parpadeó.

—No, no es eso. Es sólo que... Bueno, lo importante es que tú, eh... que tú te quedes aquí. Leo no debe sospechar que Jimmy no está trabajando para él. Piensa que Jimmy está iniciándome. Y si Leo pasa casualmente por aquí y no hay nadie, entonces... eh... bueno, tú ya me entiendes, empezará a sospechar.

—¿Sospechar? —preguntó Cordelia.

Winston miró a Jack Gardner, que estaba besando a una graciosa enfermera en un almacén escasamente iluminado. Al parecer aquello debía de ser una escena romántica y en ese momento por toda América habría amas de casa flotando sobre su sofá, fantaseando que eran la enfermera y que se encontraban en el almacén con Jack Gardner en lugar de en el sofá de su casa con una bolsa de patatas fritas.

—¿Winston? ¿Me escuchas? Estuve a punto de ser agredida. No me importa que Leo sospeche. ¿No pensarás que voy a quedarme esperando aquí hasta que me digas que puedo salir, verdad?

—Ha sido idea de Jimmy.

—Eso ya lo has dicho, Winston. Estás evitando mi pregunta.

—No, me refiero a eso de... bueno, a eso de que es mejor que te quedes aquí. Eso también es idea de Jimmy. —Una voz le susurró en su interior que ésa no era la respuesta correcta, y al ver la cara de Cordelia dijo—: Pero yo no estoy de acuerdo.

—Entonces cuéntame muy rápidamente qué es lo que tú tienes planeado, sea lo que sea. Pero no pienses que voy a quedarme aquí esperando a que ese asqueroso llame a la puerta, o hasta que pueda leer en la prensa a qué cárcel vas y por cuánto tiempo. No estoy dispuesta. Te quiero, Winston. Eres mi esposo. Prometí apoyarte en la fortuna y en la adversidad, y aunque no esperaba tanta adversidad, no hay nada que desee más que salir juntos de aquí. —Fue hacia él y le cogió de la mano—. ¿Winston? Si nos vamos ahora y cogemos un autobús hacia el sur, ¿no podríamos empezar otra vez? Ya has pagado tu préstamo. No debes nada a nadie. Créeme, esta gente no es de fiar.

—No permitiré que me tomen el pelo.

—Uno sabe que le han tomado el pelo cuando ya es demasiado tarde.

—Cordelia, ¿quieres confiar en mí, por favor?

Ella deseaba de todo corazón confiar en él. Creer que él tenía razón y que todo saldría bien. A esas alturas ya tenía claro que no podía hacerle cambiar de opinión. De modo que sólo podía hacer una cosa: decidir si quería acompañarlo o no. La alternativa era coger un autobús e ir a Indiana a casa de sus padres.

—Está bien, Winston —dijo—. Confío en ti, pero no me quedaré sola en este bungalow. Voy contigo. Si intentan tomarte el pelo, antes tendrán que vérselas conmigo.

21

Parecían turistas.

Winston vestía una camiseta de los Chicago Bulls y un pantalón de chándal azul, además de unas deportivas blancas sin calcetines. Llevaba dos horas dando vueltas con Cordelia por Macy's y había logrado convencer a su mujer para que se comprara unos cuantos vestidos nuevos con el «dinero de Higley». Jimmy iba vestido de negro de pies a cabeza y llevaba una camiseta en la que ponía «I love New Jersey». Winston le preguntó si realmente sentía algo especial por Nueva Jersey. ¿Cómo se podía amar de verdad Nueva Jersey? Jimmy explicó que no amaba Nueva Jersey, pero que había comprado la camiseta hacía poco en un club de *striptease*. Según Jimmy, el alcalde exigía que todos los clubes de *striptease* destinaran una parte de su superficie a, como él expresó, «la venta de material no pornográfico». Esto incluía, entre otras cosas, representaciones en miniatura de la Estatua de la Libertad y camisetas con el mensaje «I love New Jersey». Winston preguntó si Jimmy, además de comprar camisetas, había hecho de las suyas en el club, y Jimmy le dio a entender que eso era algo que no le importaba.

Habían estado en danza con los preparativos y por fin había llegado el día. Se encontraban en el *deli* de la esquina de Lexington con la calle 95 esperando a que les sirvieran el café. Uno de los propietarios iraníes leía un periódico lleno de signos que Winston no entendía en absoluto. El iraní había desplegado el periódico en el mostrador y las hojas estaban manchadas de café. El otro iraní les servía el café en vasos de cartón.

El bloque en el que se encontraba la casa de Jack Gardner estaba permanentemente vigilado por un guardia de barrio. Había uno por el día y otro por la noche. Desde la valla que había junto a la cancha de baloncesto detrás de la avenida Lexington habían visto al guardia deambulando de un lado a otro sin objetivo alguno. Winston se había preguntado cómo era capaz de aguantar aquel hombre. Su trabajo parecía un coñazo, y además humillante. Los malcriados habitantes del Upper East Side ni se dignaban mirar al pobre hombre. Le ignoraban por completo cuando pasaban a su lado de camino a sus trabajos, y sin embargo eran ellos los que le pagaban el sueldo.

Darío había dicho que le sorprendería que al guardia de barrio le importase un carajo que secuestraran a Heather Gardner en su propia casa; pero no podían correr el riesgo, y por eso habían estudiado las costumbres del guardia anotando la hora a la que le relevaban y cuándo entraba en el *deli* para tomar una taza de café.

Eso siempre ocurría a las diez y diez de la noche, poco antes de que tuviera lugar el relevo y otro guardia iniciara el turno de noche. Por lo general se quedaba allí veinte minutos y luego salía a recibir a su reemplazo, que siempre llegaba en torno a las diez y media paseando desde Park Avenue. Como mínimo permanecía en el *deli* quince minutos, según había cronometrado Jimmy tres días seguidos. Jimmy había dicho a Winston que ése sería el momento en el que darían el golpe, cuando el guardia estuviera tomando café y no hubiera nadie más por los alrededores. Winston se quedaría en el *deli*, escondido tras un periódico y una taza de café, para vigilar al guardia. Quizá no alterara sus costumbres; pero eran tres hombres, y ¿por qué iban a correr el riesgo de perder de vista al guardia si eso podría provocar que su plan fracasara? Mientras

Winston se aseguraba de que el guardia permanecía en el *deli*, Jimmy llamaría a la casa de los Gardner.

Eran las nueve y veinte.

Era su primera cita a ciegas. La invitación había sido tan inesperada como bienvenida. Había dudado un poco, pero enseguida llegó a la conclusión de que ya que había comenzado, tenía que continuar. Tres días antes había recibido una llamada de la agencia matrimonial: GB 43674 quería conocerla y a poder ser, al día siguiente por la noche. Quería llevarla a cenar en Little Italy y después tenía reservada una agradable sorpresa; eso es lo que le había dicho la mujer de la agencia. A continuación ésta le había dado todos los detalles y Heather había respondido que al día siguiente no podría ser —¡mentira!—, pero que le encantaría quedar dos días después. Pretendía parecer una mujer ocupada, alguien que no tiene todos los días disponibles. De ese modo se incrementaba su valor en el mercado. Marie-Louise no tuvo problema en quedarse cuidando al niño, así que podía alargar la cita tanto como deseara.

En ese momento no quería alargarla en absoluto. Sólo deseaba una cosa: volver a casa tan rápido como fuera posible, pero acompañada por Alfred, el hombre que había detrás del número 43674.

Heather Gardner estaba más que excitada.

Apenas podía esperar a que acabara esa estúpida película para pedir a Alfred que la llevara a casa y tal vez que entrara un momento a tomar una taza de té. Así lo plantearía, con gran indiferencia. Si no estaba equivocada, Alfred no rechazaría su invitación. En el restaurante italiano en el que habían cenado durante tres horas a la luz de las velas, él no había dejado de darle pistas que le habían llevado a deducir que estaba interesado en ella.

Miró su reloj; sabía que la película no podía durar mucho más.

Una triste Jeanne Moreau con los hombros descubiertos caminaba lentamente junto a Marcello Mastroianni en un campo de golf y a continuación desaparecía de la pantalla.

Se encontraban en una cancha de baloncesto en Little Italy reconvertida en una especie de cine al aire libre. A su alrededor había mujeres italianas con largos vestidos de verano de muchos colores y hombres italianos con pantalones caqui y polos. La película que estaban viendo era *La noche* de Michelangelo Antonioni. Alfred le había prometido que sería una experiencia curiosa, y no había exagerado. Si Heather no hubiera preferido ir de inmediato a casa con Alfred, es probable que se hubiera divertido muchísimo.

La proyección de la película en blanco y negro ni siquiera llenaba toda la pantalla, un rectángulo blanco pintado en el muro posterior de la cancha de baloncesto. Los diálogos emitidos a través del amplificador Peavy competían con los chillidos de los niños del parque que había un poco más allá. Heather dijo a Alfred que, en su opinión, la imperfección técnica añadía encanto al conjunto. Alfred se limitó a sonreír como llevaba haciendo toda la noche, y Heather de nuevo sintió en su abdomen la confirmación de lo que ya había constatado esa noche: volvía a estar enamorada.

Era otro tipo de enamoramiento al que sintió por Émile. Con él había sido una especie de enamoramiento distante, algo fugaz, pero con Alfred era otra historia.

Las sillas en las que estaban sentados eran de metal, y el alumbrado público, procedente de la calle Mulberry, arrojaba una misteriosa luz sobre los espectadores. Dos ancianos sentados cerca de ellos se habían llevado dos tumbonas y una botella de Dom Pérignon, cuyo contenido vertían en dos grandes copas.

Heather se volvió de nuevo hacia Alfred y analizó sus rasgos faciales. Tenía una cara bastante angulosa, una mandíbula marcada. Su pelo corto y negro brillaba tanto como sus ojos de ciervo, que le recordaban a los ojos del peluche de Bambi de la habitación Disney.

Por la pantalla pasaban los últimos fotogramas de la película. Heather miró a Alfred y sonrió con picardía.

—¿Me llevas a casa?

Marie-Louise estaba a punto de llevar a Darryl a la cama y leerle alguno de sus cuentos cuando sonó el timbre. Era extraño, porque juraría que había visto a Heather coger las llaves del cesto de mimbre de la cocina. Además era demasiado pronto, no esperaba a Heather a esa hora.

Dejó a Darryl en la habitación Disney, fue hacia la habitación de estudios, apartó una de las cortinas de color verde oscuro y echó un rápido vistazo a la acera que tenía debajo. En la calle había un hombre robusto, vestido de negro de pies a cabeza. Llevaba una camiseta con el texto «I love New Jersey» y miraba la puerta principal. Marie-Louise se rascó la cabeza.

Jimmy Roma llamó por segunda vez.

Por el rabillo del ojo había visto que alguien apartaba la cortina en la habitación de la primera planta, pero no había mirado hacia arriba porque no quería parecer sospechoso de ninguna de las maneras. La cortina había vuelto a su sitio. Jimmy estiró su ridícula camiseta y esperó.

Diez segundos. Quince.

Se encendió una luz. Por el ventanuco que había en la puerta principal a la altura de los ojos, Jimmy vio la silueta de una mujer. Ésa debía ser Marie-Louise, la niñera.

El ventanuco se abrió y, en efecto, apareció la cara de la niñera que, al parecer, no estaba dispuesta a abrir la puerta a un desconocido a las diez y media de la noche. La mujer miró a Jimmy con recelo.

—Hola —dijo Jimmy—. ¿Es usted Marie-Louise?

—¿Sí? —respondió la niñera.

Jimmy asintió satisfecho a la cara que había tras el ventanuco y dijo:

—Heather me ha hablado de usted, de lo bien que se lleva con Darryl y esas cosas. Esperaba conocerla algún día.

Aguardó unos segundos.

—¿Va a salir ya o la espero dentro?

—Lo siento —dijo Marie-Louise—, pero no tengo ni idea de quién es usted.

—Ah, por supuesto, perdone. Soy Ray Coburn, el primo segundo de Heather de Nueva Jersey. ¿Llego tarde?

—¿Qué? No sabía que tuviera una cita. Heather no me ha contado nunca que tuviera un primo segundo en Nueva Jersey. Hasta donde yo sé, toda su familia, salvo sus padres, viven en Salt Lake City. Además, Heather no está.

—Espere un momento —dijo Jimmy—. ¿Heather nunca le ha hablado de mí?

—Señor —contestó Marie-Louise—, ella no conoce a nadie en Nueva Jersey y, hasta donde sé, nunca ha estado allí.

Jimmy rió.

—¿Sabe qué, Marie-Louise?, Heather nunca ha soportado que me hiciera mormón, como el resto de la familia. Creo…

—Heather no es mormona —dijo Marie-Louise—, en su familia no hay ningún mormón.

Por un momento Jimmy pensó que la mujer iba a cerrar el ventanuco, pero entonces dio vuelta a la cerradura y la puerta se abrió.

—Escuche —dijo Marie-Louise—, vuelva mañana, cuando…

Jimmy apuntó su Smith & Wesson 9 mm recién estrenada directamente al lugar en el que estaba el ventanuco y donde ahora se encontraba la cabeza de Marie-Louise, y dijo:

—No, escúchame tú, Marie. Esta pistola está cargada con balas XTP. ¿Sabes qué son?

Marie-Louise negó asustada con la cabeza.

—Son balas que al impactar se expanden hasta ser una vez y media más grandes de su tamaño. ¿Puedes imaginar qué debe sentirse con algo así? ¿Con una bala que se expande dentro de tu cuerpo?

Marie-Louise continuaba negando con la cabeza.

—Y es probable que tampoco quieras averiguarlo, ¿no es así?

—¡Dios mío, no! Yo…

—Eso pensaba yo. Te aconsejo que hagas exactamente lo que yo te diga.

La niñera estaba lívida.

—¿Le ha enviado ese pedazo de basura de Jack? —balbuceó pasados unos segundos.

—No, sólo soy basura enviada por sí misma.

—¿Qué quiere?

—Para empezar, me gustaría entrar un momento.

22

—*¿Lapetecetrocafé, jefe?* —preguntó el iraní desde detrás del mostrador.

A Winston, al que nadie en su vida le había llamado «jefe», ni siquiera en broma, le pareció que no sonaba nada mal.

Así que preguntó:

—¿Qué? Dilo otra vez.

El iraní, con un bigote negro de las dimensiones de una escobilla de váter, frunció el ceño. Después repitió la pregunta, pero sin añadir la palabra «jefe».

Winston negó con la cabeza y señaló su taza de café, en la que aún quedaba una buena cantidad. El iraní levantó las manos a modo de disculpa y continuó leyendo el periódico.

El guardia estaba inmerso en el *New York Post*, y por la media taza de café que tenía en la mano, el hombre aún tardaría un rato. Jimmy ya debía de estar dentro de la casa.

Jimmy esperaba tener el dinero en dos días, lo que significaba que no tendrían que quedarse mucho tiempo en la casa. A continuación lo repartirían y cada cual seguiría su camino, sólo que setecientos mil dólares más rico que antes. Cordelia se uniría a ellos a la mañana siguiente, en cuanto la situación estuviera controlada, como decía Jimmy. Tras una larga y aburrida charla, Winston había logrado convencer a su mujer para que reservara una habitación en el Hotel Gramercy Park. Así saldría del bungalow y no tendría que asistir a la parte «menos agradable» del secuestro. Winston había llamado así a esa parte del secuestro para evitar contar a Cordelia que iban a utilizar una pistola. No quería poner a su mujer más nerviosa de lo que ya estaba. En cuanto la situación en casa de los Gardner estuviera controlada, Winston llamaría a Cordelia al Gramercy y ella cogería un taxi para unirse a ellos. Jimmy se enfadó mucho cuando Winston le contó que su mujer no deseaba quedarse más tiempo en el bungalow. Según Jimmy, ella estaba más segura allí que en la casa. Nunca se sabía cómo iban a reaccionar los rehenes. Pero después de insistir un poco, Winston había logrado convencerle de que no se podía discutir con Cordelia sobre ese punto. Finalmente Jimmy accedió a condición de que a Cordelia se le asignara una habitación en la casa y se quedase en ella el mayor tiempo posible hasta que todo hubiera pasado.

Winston sabía que, en cuanto llegase Cordelia, tendría que dar alguna que otra explicación. Por ejemplo, no le había contado que también iban a raptar a un niño de ocho años, y eso a Cordelia no le iba a hacer ninguna gracia.

En realidad Winston ni siquiera sabía si, desde un punto de vista ético, le parecía justificable intimidar a un niño de ocho años con una pistola. Esperaba que no fuera necesario hacerlo. En cualquier caso Jimmy no había dicho ni una palabra al respecto.

Tras echar una última mirada al guardia, Winston se despidió del iraní del mostrador y salió caminando con tanta despreocupación como le fue posible. Tiró su taza de café en la rebosante papelera metálica de la esquina de la calle y se dirigió a la casa de los Gardner.

Jimmy abrió.

—¿Y? —preguntó Winston mientras seguía a Jimmy por un largo pasillo hasta la cocina.

En ese pasillo había todo tipo de muebles de madera polvorientos, por lo que Winston supuso que debían de ser antiguos. En las estanterías se exhibían jarrones en apariencia caros con dibujos de lo más extraños. Winston oyó que sus deportivas chirriaban en el suelo de parqué.

—Todo está listo —dijo Jimmy—. Sólo tenemos que esperar a que Heather llegue a casa.

—¿Dónde está la niñera?

—En la habitación de relax. Darío la está vigilando. No creo que nos cause grandes problemas. Tal vez sea buena idea que vayas a echar un vistazo a ese crío.

Cuando entró en la estancia, Winston comprendió por qué se llamaba habitación Disney. Allí todo era Disney: muñecos Disney, muebles Disney, alfombra Disney. Había televisores en dos esquinas de la habitación. En las dos pantallas se veía la misma película de Disney: *Blancanieves*. El niño estaba sentado en el sofá, en un rincón de la habitación, y miró a Winston con curiosidad. No parecía asustado. Llevaba puesta una sudadera de Bambi.

—Hola, amiguito —dijo Winston—. ¿Cómo te llamas?

—Darryl.

—¿Darryl? Bonito nombre. —Winston señaló los muñecos de Disney; el niño casi se perdía entre ellos—. ¿Son tuyos todos estos muñecos?

—Sí —respondió Darryl con orgullo.

—Vaya, vaya —dijo Winston. Fue hacia el sofá en el que se encontraba el niño, se sentó a su lado y dijo—: Marie-Louise me ha dicho que eres capaz de decirme cómo se llaman todos estos muñecos. ¿Es verdad?

Desde que se mudó a Nueva York hacía catorce años, Heather Gardner nunca se había sentido intimidada. Hasta ese día. Hasta el instante en que, unos segundos antes, había entrado en la habitación Disney esperando encontrar allí a Marie-Louise y a Darryl.

En lugar de eso se encontró a Darryl en el regazo de un hombre que no había visto en su vida: un negro.

El negro sostenía el muñeco de goma de Goofy delante de la cara de Darryl y dijo:

—Mira quién ha venido. Es mamá.

Por su tono amable, debía de ser un amigo de Marie-Louise, pero ¿dónde estaba Marie-Louise? Y ¿por qué no había recibido a su amigo en la habitación de invitados como de costumbre?

—Perdone —dijo Heather—, ¿puedo preguntarle qué hace aquí? Ésta es la habitación Disney.

—Lo sé —respondió el hombre sin apartar la mirada de su hijo.

La forma en la que lo dijo ya no fue tan amable.

—¿Dónde está Marie-Louise?

—En la habitación de relax.

—¿Y qué hace allí?

—¿Qué es lo que suele hacerse en una habitación de relax? —preguntó el hombre.

Heather frunció el ceño.

—¿Quién eres?

—El nuevo niñero.

—¿El nuevo niñero? ¿Te ha contratado Marie-Louise? No me creo una palabra.

—¿Por qué no? ¿Porque soy negro?

La mujer lo miró y dijo:

—No me creo una palabra porque nunca te había visto.

Winston pensó: «Mírala, flanqueada por esos muñecos a tamaño natural del pato Donald y Mickey Mouse, ¡muñecos de Disney que le sacan una cabeza!». La mujer le miraba intentando averiguar quién era. Debía de pensar: «¿De verdad ha contratado Marie-Louise a un negro, instalándolo con todas estas adorables criaturas blancas en la habitación Disney?». Winston optó por ir directamente al grano.

—Está bien —dijo—. He mentido. No soy niñero. He venido a secuestrarte. Marie-Louise está en la habitación de relax porque no estaba de acuerdo con nosotros. Mis socios y yo hemos tenido que atarla.

—¿Tus socios?

—Sí, mis socios.

—Usted... tú no estás bien de la cabeza —dijo Heather con acritud—. Quiero que desaparezcas ahora mismo de mi casa. ¡Darío, ven aquí!

Winston sacó la Beretta, apuntó a Heather y dijo:

—Darío ya no trabaja para ti. Escucha, sé que abajo hay un hombre esperándote. Vas a pedirle que suba, pero de una forma convincente. Debe dar la impresión de que realmente le deseas. No debe sospechar que aquí hay alguien sentado a tu lado con una Beretta. ¿Crees que podrás hacerlo?

Alfred A. Cunningham aguardaba al pie de la escalera. Se preguntaba por qué arriba había tanto silencio de repente. ¿Se trataría de un juego? ¿Acaso esperaba aquella mujer que fuera en su busca en bóxer? ¿Le estaría esperando en el dormitorio?

Empezó a ponerse nervioso. Aquél era un momento muy importante. Tenía la poderosa sensación de que le gustaba a aquella mujer, pero eso lo había pensado de más mujeres. La cicatriz bajo su ojo derecho le recordaba todos los días una de las primeras y más dolorosas experiencias de su vida, cuando malinterpretó por completo las señales de una mujer. Quería evitar caer en antiguos errores.

Hasta el momento la agencia matrimonial de la Ivy League no le había proporcionado más que desgracias. Se había citado con cuatro mujeres distintas, aunque la primera apenas podía decirse que fuera una cita. Había tomado café en un *diner* en algún lugar de la parte baja de la ciudad y escuchado a una mujer que le preguntó su nombre, cuál era su profesión y su sueldo, después a qué se dedicaba su padre, y todo eso para acabar diciéndole que todo le parecía bien menos el sexo antes del matrimonio.

Las dos siguientes citas también concluyeron en fracaso. Las señoras con las que salió a comer acabaron decepcionándole: «Te llamaré pronto. ¿Mi número? Ay, no, voy a estar muy ocupada próximamente, ya te llamaré yo». Aún se sofocaba al recordarlo.

Y luego estaba la última, su cuarta cita. Había acompañado a la mujer a casa pensando que por fin tendría una noche de buen sexo; pero había vuelto a equivocarse. Cuando a las dos de la madrugada bebían una taza de té chino en su casa del East Village, le puso una mano en el muslo sin darle mayor importancia, y eso le convirtió en víctima de un curso de defensa personal. No, últimamente la cosas no le eran muy favorables.

«No pienses en ello —se aconsejó—. Ésta es diferente. No te va a dar una paliza por tocarla. Ella no. A ella le gustas de verdad.»

Por supuesto también podía subir como estaba en lugar de hacerlo en bóxer, pero si ella era de las salvajes, como Alfred sospechaba, se llevaría un chasco al ver un acercamiento tan convencional.

Lentamente comenzó a desatarse su corbata Hugo Boss. A continuación dejó resbalar la chaqueta de sus hombros y se quitó los zapatos. Poco después se encontraba al pie de la escalera vestido únicamente con su bóxer de Calvin Klein.

Respiró hondo y comenzó a subir.

Jimmy tuvo que acostumbrarse a que todas las habitaciones de la casa tuvieran esos ridículos nombres. Incluso encima de las puertas colgaban letreros dorados con el nombre de las dichosas habitaciones. Las únicas estancias sin nombre eran la sencilla cocina de la planta baja, donde Jimmy se había sentido a gusto al instante, y la piscina del sótano. Aunque la piscina no tuviera nombre, sobre la puerta de la escalera de caracol que conducía a ella colgaba, para evitar equívocos, un letrero en el que ponía «piscina». Detrás de la palabra, una flecha señalaba hacia abajo. Heather Gardner no dejaba nada al azar.

Diez minutos antes Jimmy había sido presa del pánico durante un instante, cuando Darío le dijo que Heather Gardner había llegado a casa y que su acompañante estaba con ella. No habían contado con eso. Jimmy no tuvo tiempo de enfadarse. Esperarían a que Heather subiera para echar un vistazo a Darryl y a Marie-Louise. Primero Heather, y después su pretendiente; así es como lo abordarían.

Jimmy había atado a Marie-Louise, dejándola en la habitación de relax sobre un par de cojines. Conforme a su plan, en cuanto hubieran cogido a la mujer y a su acompañante, instalarían a todo el mundo en la habitación Disney, que estaba en la primera planta junto a la habitación de relax. Darío le había contado que, si la puerta estaba cerrada, la habitación Disney no dejaba pasar ningún sonido. Heather había ordenado que insonorizaran completamente la habitación dos años atrás, cuando de un día para otro decidió despedirse de la abogacía para convertirse en concertista de piano. Una semana después de haber insonorizado la habitación por una cantidad exorbitante de dólares, llegó a la conclusión de que no tenía suficiente talento como para convertirse en concertista de piano y que además no tenía ganas de tomar clases. Al parecer esperaba que las cosas se hicieran solas, había dicho Darío, pues todo en la vida de Heather Gardner parecía hacerse solo. Sea como fuere, no había ordenado que quitaran el material de insonorización porque, según dijo, eso convertía la habitación en el lugar perfecto para que el pequeño Darryl se desahogara si al niño le daba por gritar.

Jimmy acababa de salir al pasillo para averiguar si Malone tenía sus cosas en orden cuando oyó la temblorosa voz de Heather Gardner.

—¿Alfred? ¿Subes? Te estoy esperando.

Bien. Malone había hecho exactamente lo que le había encargado.

—¿Alfred? —repitió Heather.

Jimmy se detuvo en seco. Por el tramo de escalera opuesto adonde él estaba subía un hombre, sin ropa. No, un momento, no estaba desnudo del todo. El hombre llevaba un bóxer de Calvin Klein a rayas blancas y amarillas y sudaba mucho. Aquél debía ser Alfred. Jimmy se preguntó por qué tenía que pasarle eso a él. ¿No podía haber esperado un poco para desnudarse?

Alfred se encontraba al final de la escalera intentando orientarse. ¿Y ahora adónde? Aún no había visto a Jimmy porque estaba de espaldas a él y además la habitación desde la que lo llamaba Heather se encontraba al otro lado del pasillo.

—Estoy arriba —dijo Alfred—. ¿Dónde estás tú?

—Aquí, cielo —oyó Jimmy que decía Heather con su temblorosa voz.

El hombre pareció notar el temblor en la voz de Heather porque dudaba y rascaba con cierta incomodidad el elástico de su bóxer.

—¿Va… va todo bien?

—Sí, todo va bien —respondió Jimmy—. Mientras no te des la vuelta, no te quites el bóxer y continúes andando despacio, no pasará nada. Seguirás vivo y podrás volver a vestirte.

Jimmy vio que el hombre, a pesar de su advertencia, se daba la vuelta. Cuando vio la Smith & Wesson 9 mm en la mano de Jimmy apuntando sus partes nobles, se dejó caer de rodillas y comenzó a suplicar:

—¡No! ¡No lo haga! No, por favor. No lo sabía. Lo juro. No me dijo que estaba casada. Yo sólo quería hablar. Por favor.

—¿Siempre hablas en calzoncillos, Alfred? —preguntó Jimmy.

—No, yo… Eso es porque…

El hombre en bóxer levantó las manos al cielo en un gesto de desesperación y —Jimmy no podía creer lo que estaba viendo— se echó a llorar como si fuera un crío.

23

—Jimmy —dijo Winston—. ¿Has visto esto bien?

Señaló los formularios de ingreso en la agencia matrimonial de la Ivy League que tenía junto al plato. Eran las once de la mañana y estaban sentados en la mesa de la cocina. Winston tenía delante una taza de café y Jimmy un sándwich de carne cajún. Darío vigilaba a los rehenes.

Cordelia aún no se había dejado ver aquella mañana. Había llegado hacía una hora y, después de haber echado un vistazo a los rehenes en la habitación Disney, había ido directamente al dormitorio de Heather Gardner, la habitación que le había asignado Jimmy en la tercera planta.

Winston cogió uno de los formularios y lo puso delante de las narices de Jimmy.

—¡Una agencia matrimonial para personas con estudios superiores! ¿Tú sabías que existía algo así?

Como Jimmy continuaba sin responder, Winston dijo:

—Bueno, yo no.

Volvió a analizar el formulario. Agencia matrimonial de la Ivy League. «¡Menuda panda! —pensó—. Los perdedores más ricos de América. Los más jodidos.»

Jimmy levantó la vista de su sándwich y dijo:

—¿Por qué no vas un momento al supermercado de la esquina

de la calle 96 con Lexington? Seguro que allí puedes comprar un par de latas de alubias blancas con tomate.

—No me gustan.

—No es para ti, pirado. Es para los rehenes.

A Winston no le apetecía ir al supermercado. Se levantó, abrió el congelador y tiró de algunos cajones y puertas. Por fin sus ojos detectaron una caja alargada. «Plato de berenjenas», ponía. Sacó la caja de la nevera.

—Eh, Jimmy, ¿por qué no les damos esto a los rehenes? Así no tendré que salir.

Al ver que Jimmy no respondía, Winston abrió la caja. Cogió una cuchara de la encimera e intentó sacar un poco para probarlo. La cuchara se dobló y los nudillos de Winston impactaron en la dura capa superior del plato de berenjenas. Soltó la caja y frotó sus doloridos nudillos.

—Vuelve a intentarlo después de haberlo pasado un par de minutos por el microondas —dijo Jimmy—. Es un plato congelado de berenjenas.

Winston miró el microondas. Tantos botones lo confundían.

—No, creo que a esos rehenes no les apetecerá mucho comer berenjena. Iré al supermercado.

El negro le había llevado el desayuno hacía una hora, alubias blancas con tomate de lata. A Heather Gardner no le gustaban las alubias blancas con tomate, pero comió un poco de todos modos. No quería enfadar a los criminales. Esa chusma ni siquiera se había tomado la molestia de calentar las alubias. Entretanto a Heather ya le había quedado claro qué les esperaba: pretendían sacarle a Jack un rescate de dos millones de dólares, o si no los que se encontraban en la habitación Disney acabarían mal. A ella aún le costaba comprenderlo. Su propio mayordomo, Darío López, se había unido a aquellos dos miserables para desplumarla. Darío había pasado toda la mañana en la habitación Disney, pero no quiso responder a sus preguntas. Había estado sentado en el sofá en absoluto silencio, hasta que Heather se dio por vencida.

En la habitación acababan de entrar los otros dos hombres, el negro y el calvo. El calvo dijo a Darío: «Puedes bajar», tras lo cual Darío salió de la habitación.

Entonces el calvo se dirigió a ella.

—Esperemos que todavía le importes a Jack. Eso lo averiguaremos más tarde. Mientras tanto, los demás debéis prometerme que vais a portaros bien. Mi socio, Winston, se quedará cerca de vosotros las próximas dos horas, y si considera inaceptable el comportamiento de alguno de vosotros, me informará directamente. ¿No es así, Winston?

Volviendo la cara por encima de su hombro, miró al negro que estaba detrás de él y que al parecer se llamaba Winston. El negro asintió.

—Así es.

Esa misma mañana se había incorporado una mujer y había mucho movimiento. Ella no parecía constituir una amenaza. Había asomado una sola vez por la habitación Disney y después se había marchado a la tercera planta negando con la cabeza. Heather tenía la sensación de que la mujer debía de estar con Winston. También tenía la impresión de que ese tal Winston tampoco sabía exactamente qué se traía entre manos. Pero el otro, el calvo que le estaba hablando, el hombre de la camiseta con el lema «I love New Jersey», le daba escalofríos. No sólo por lo que decía, sino también por la forma en que lo decía. Él era el jefe, el que llevaba las riendas.

—¿Me prometes que vas a portarte bien, Heather? —volvió a preguntar el calvo.

—Sí, lo prometo.

—Bien. Entonces dame el número de Jack.

Le dio el número de Grace Gardner, la madre de Jack, y rezó para que respondiera el propio Jack. Grace llamaría sin dudarlo a la policía, haciendo caso omiso de las amenazas que le hicieran.

El calvo salió de la estancia y el negro, Winston, se sentó en la alfombra.

—Bien —dijo—. Ya habéis oído a mi socio.

Daba la impresión de que quería decir algo más, pero que no sabía qué. Heather deseó fervientemente que Marie-Louise y Darryl mantuvieran la boca cerrada. De momento los dos estaban muy callados, sentados a su lado, en el sofá, y mirando la televisión que había encima de la puerta. El DVD de *Blancanieves* estaba en función de *repeat*. Los enanitos volvían cantando a casa, *aihó, aihó*, donde descubrirían que Blancanieves había sido envenenada.

Heather miró a Alfred, que gemía en un rincón de la habitación. A modo de protesta, había tirado sus alubias blancas con tomate en la alfombra de Bambi, donde el tomate empezaba a filtrarse entre las patas delanteras del simpático cervatillo. El negro no les prestaba atención. Seguía fascinado por las aventuras de los siete enanitos.

Intentó imaginar qué diría Jack cuando le localizaran. ¿Pagaría sin más los dos millones de dólares? ¿Creería que la habían secuestrado? Y de ser así, ¿le importaría?

Por supuesto que no le importaba. Debía odiarla a muerte, pero ¿dejaría que la mataran por las buenas? Él quería a Darryl, de eso estaba convencida. Seguro que Jack colaboraría. ¿O no?

En la habitación Disney había un reproductor de DVD conectado a las dos televisiones gigantescas que Winston había visto cuando entró por primera vez en la habitación. Mientras veía *Blancanieves* con los rehenes pensó en lo que acababa de decir Jimmy. Le jodía que Jimmy le hubiera llamado por su nombre en presencia de los rehenes. No habían quedado en nada de antemano, pero Winston sabía de sobra que, cuando en una película salía un secuestro, los secuestradores no se llamaban por el nombre, sino que tenían pseudónimos, como en *Reservoir Dogs*: señor Blanco, señor Azul. Aún recordaba el revuelo que se formó en torno a Steve Buscemi porque no quería llamarse señor Rosa. Sea como fuere, en la película se dedicaban al menos dos minutos a pensar pseudónimos. En ese negocio, los pseudónimos eran de vital importancia.

Al parecer para Jimmy no. «Mi socio, Winston, se quedará cerca de vosotros las próximas dos horas —había dicho; y luego añadió—: ¿No es así, Winston?» Por si a los rehenes se les hubiera olvidado el nombre. Ese segundo comentario era el que tenía más atravesado. Jimmy había dicho de forma implícita que él llevaba las riendas, que Winston era un subordinado. Incluso había hablado de informar: «Si considera inaceptable el comportamiento de alguno de vosotros, me informará directamente». Informar era una palabra que Wayne Higley utilizaba con frecuencia en la sucursal bancaria de la Octava Avenida. Winston estaba harto de tener que informar a los demás.

Tal vez no debería alterarse tanto. Posiblemente Jimmy había mencionado su nombre con alguna intención. Quizá lo había hecho para que los rehenes no le llamaran «señor» cuando tuvieran que ir al baño; pero, aun así, ¿no podía haber optado por un pseudónimo?

El baño, eso era algo que le preocupaba desde el principio. Los rehenes estaban atados de pies y manos, así que tendría que ayudarles en todo. Tendría que arrastrarles al baño, bajarles los pantalones. ¡Uf! Esperaba que pudieran aguantarse para que fuera Jimmy quien les ayudase cuando tuvieran que hacer sus necesidades. Y tal vez entonces podría averiguar qué le parecería que diera a conocer su nombre a los rehenes. Podría decir algo así como: «Y tened esto en cuenta: si alguien tiene que ir al baño, ha de pedírselo a mi socio Jimmy». Sólo para ver cómo reaccionaba Jimmy.

Miró la pantalla de televisión y vio que los enanitos lloraban alrededor del ataúd de cristal de Blancanieves. Dios, esa pobre niña, había que verla, tumbada en ese féretro de cristal, con todos esos consternados hombrecillos a su alrededor. A Winston se le hizo un nudo en la garganta y sintió una lágrima escociéndole en el lagrimal.

El niño, Darryl, le pilló enjugándose la lágrima y lo miró con mucha pena.

—¿Señor? —dijo el niño.

Winston lo miró de reojo.

—¿Sí, Darryl?

—No está muerta de verdad. Enseguida se despertará.

—Lo sé —respondió Winston.

El niño continuó mirándolo.

—Pero puede llorar si quiere. Mamá también me dejó llorar la primera vez que la vi.

—Prefiero poner otra cosa. ¿Te parece bien, Darryl? No aguanto este tipo de películas.

—Vale —contestó Darryl.

Winston cogió la guía de televisión. Miró las películas y se llevó una agradable sorpresa.

—Darryl —dijo—. ¿Has visto *Espartaco* alguna vez?

Darryl negó con la cabeza.

—¿De qué va?

—Es difícil de explicar. Es una especie de *Blancanieves*, pero de otra forma.

Cordelia estaba echada en la cama de Heather Gardner siguiendo con la mirada las minúsculas grietas del techo. Se preguntaba cómo podía echar una mano y a la vez mantener los ojos abiertos. Jimmy le había dicho a Winston que quería que su mujer se quedara en la habitación de Heather Gardner el mayor tiempo posible; pero ella no estaba dispuesta a dejarse encerrar en una jaula como si fuera un canario. Cuando vio a los rehenes, y en especial al niño, había sopesado la idea de llamar a la policía, pero entonces Winston iría a la cárcel.

Lo único que podía hacer por el momento era quedarse en la cama con la esperanza de que aquella pesadilla pasara rápidamente, que Winston llamara a su puerta para decirle que tenía razón y que lo mejor era marcharse de allí cuanto antes, alejarse del mexicano Darío López y, sobre todo, alejarse de Jimmy Roma, el malvado hijo del heladero que le ponía la carne de gallina. Pero en su interior sabía que eso no ocurriría. Winston estaba absolutamente convencido de que había millones esperándolo, de que eso marcaría el cambio en su vida, así que a ella no le quedaba más remedio que esperar.

La habitación de Heather Gardner estaba oscura. No sólo porque Jimmy Roma le había ordenado mantener las cortinas cerradas, sino también porque todos los muebles eran de madera oscura. Cordelia no entendía de antigüedades, pero sospechaba que todo lo que había en la habitación era o debía pasar por antiguo. No era de su gusto. Lo único que le gustaba de la habitación era la lámpara del techo.

Decidió echar una cabezada. Se quitó el collar, lo dejó en la mesilla de noche y cerró los ojos. Entonces cambió de idea y se levantó de la cama. Abrió el cajón de la mesilla y metió el collar; allí al menos estaba seguro. Cuando iba a cerrar el cajón vio un objeto que brillaba. Cogió aquella cosa, la sacó un poco del cajón y la soltó asustada. Jamás en su vida había visto una pistola tan grande. ¿Qué hacía una decente abogada con un arma así al lado de la cama? Por supuesto Cordelia sabía que había muchísimos americanos que no cerraban un ojo si no tenían una pistola en la mesilla de noche, pero siempre había pensado que era la gente del campo la que dormía con armas bajo la almohada, gente que vivía tan apartada que, en caso de robo, no podía contar con la ayuda de la policía. Pero ¿allí en Manhattan? Cordelia dejó el arma donde estaba y cerró el cajón. Después se acurrucó bajo las mantas y cerró los ojos.

24

No sabía por qué, pero todos los meses Caesar sentía la necesidad de volver a ver su dramático combate de años atrás contra el *Amo del Caos*. Tal vez lo hacía para recordar el dolor de los golpes y así convencerse de que allí, trabajando para Leo Roma y el pelmazo de su hijo, no estaba tan mal. Posiblemente lo veía por nostalgia pese a las lesiones físicas y psíquicas que había sufrido, y porque añoraba la época en la que era el *Mediano Malvado*. O tal vez sólo echaba de menos el griterío de un público enloquecido. El caso es que todos los meses sacaba del armario la cinta de vídeo de su combate contra el *Amo del Caos*. Caesar estaba repantigado en el sofá del apartamento que le había regalado Leo Roma. Era bastante amplio y tenía todas las comodidades que Caesar podía desear: una cocina, una televisión y un gran baño. Caesar había instalado altavoces en el baño para poder escuchar música mientras se duchaba después de un largo día y se quitaba de encima la mierda del trabajo que hacía para Leo Roma.

Los vídeos de su época de luchador eran de las pocas cosas que había conservado de lo que él mismo llamaba su vida anterior. Los textos del lomo de las cintas solían hacer referencia a sus adversarios: *El oso y yo* (su combate perdido contra el oso), *Rey del dolor extremo* (al que había mostrado todas las esquinas del ring), *El Lagarto* (¡vencido en un minuto!), *El Amo del Caos* (la cinta que estaba viendo), y *El retorno del trol* (una de sus muchas reapariciones a lo largo de los años).

Caesar miraba la pantalla en la que veía cómo el *Amo del Caos* le tiraba al suelo y le ponía las esposas, y pensó en la visita que había hecho al bungalow aquella misma mañana en compañía del heladero. La mujer, Cordelia Malone, había desaparecido. Su marcha, y el hecho de que ni Jimmy ni Winston Malone hubieran regresado esa noche, habían puesto de mal humor al heladero, que había querido visitar de nuevo a la mujer para «acabar lo que había empezado», según dijo a Caesar. Pero la mujer no estaba, así que no hubo nada que acabar. Leo Roma había dicho que necesitaba tiempo para pensar y Caesar se había ido a su apartamento a beber una cerveza.

A Caesar no le sorprendía la desaparición de Jimmy. Desde su puesta en libertad, Jimmy Roma había sido un desastre andante para la organización. Y ahora había desaparecido sin avisar a nadie, ni a su propio padre. A Caesar le parecía excelente, podía prescindir de Jimmy Roma tanto como de un dolor de muelas.

El teléfono sonó.

Caesar reconoció el número. Era Leo. ¿Habría terminado de pensar? ¿Acaso quería volver al bungalow para ver si la mujer había regresado?

Caesar puso el vídeo en pausa. En la pantalla apareció una imagen congelada del *Amo del Caos* inclinado sobre Caesar, amenazándole con una silla levantada sobre su cabeza, preparado para repartir la primera serie de golpes letales.

—¿Caesar?

—Sí.

—He estado pensando y creo que tenías razón cuando comentaste que mi hijo había perdido el norte.

—¿Sí?

—Tenía que haberte escuchado. Soy... Quiero pedirte un favor. Busca a Jimmy, donde quiera que esté, y tráelo aquí. Y busca también a esa mujer. Me intriga.

Caesar se preguntó a quién preferiría Leo ver otra vez, a su hijo Jimmy o a Cordelia Malone.

—Haré lo que pueda, pero para serte sincero, no tengo ni idea de dónde buscar.

—Entiendo. Estate atento. Haz lo que puedas.

—Lo haré. ¿Necesitas algo más?

—No, voy a echarme una siestecita.

Las dos de la tarde y su jefe se iba a dormir como un niño decepcionado que acaba de enterarse de que su juguete favorito se ha perdido.

Cuando el heladero cortó la comunicación, Caesar se quedó un momento mirando la imagen congelada del *Amo del Caos*. Pensó en Jimmy Roma. Había prometido a Leo estar atento y es lo que pensaba hacer, pero buscar a Jimmy Roma era lo último que se le pasaba por la cabeza. La idea de una vida sin Jimmy le gustaba demasiado. No iba a invertir ni una pizca de energía en la búsqueda del gilipollas del hijo del jefe. En cuanto a la mujer, a Caesar no le sorprendía que hubiera desaparecido sin dejar rastro. Una vida en la calle era mucho más atractiva que dejarse cortejar por su jefe. Caesar dio un trago de cerveza y pensó en la llamada que le había hecho Jimmy Roma unos días atrás, en el tono extraño en que le había preguntado si Leo había ido a visitar a Cordelia Malone y en el hecho de que no había ofendido a Caesar de ningún modo. Caesar se había puesto en guardia de inmediato. Jimmy Roma le había hablado con amabilidad. No cuadraba. Y ahora Jimmy había desaparecido con Winston Malone y la mujer de éste. ¿Intentaba Jimmy utilizar a esos dos para algo? Y en caso afirmativo, ¿para qué? Caesar se encogió de hombros. No era el momento de llenarse la cabeza con preguntas difíciles cuya respuesta no le interesaba. Se limitaría a disfrutar de los días sin los encargos de Jimmy Roma y después ya se vería. Y quién sabe, a lo mejor tenía suerte y el hijo del heladero no regresaba nunca; volvía a hacer alguna estupidez y acababa de nuevo en la cárcel, sólo que esta vez para siempre. Con esa perspectiva y la correspondiente sonrisa en la cara, Caesar cogió el mando a distancia, apretó el *play* y miró por enésima vez cómo la silla metálica del *Amo del Caos* caía contra su desprotegida cara.

25

—Señor Keitel —dijo Jack—. Lamento molestarle, pero ¿podría hacerle un par de preguntas? —Esperó un momento e intentó no parpadear. Era importante que Keitel tuviese la impresión de que rebosaba confianza. Luego añadió—: Tengo un problemilla con mi agente.

Se encontraba ante el enorme espejo que había en el vestíbulo del apartamento de su madre tendiendo la mano a su reflejo.

Entonces negó con la cabeza. No era del todo natural, demasiado directo. Debía parecer más relajado. Dijo:

—Perdone, señor Keitel, soy Jack Gardner. Posiblemente me conozca, protagonizo *While the Earth Spins*...

¿Y qué pasaba si Harvey Keitel no veía series?

No podía correr ese riesgo. Además, si sacaba a relucir *While the Earth Spins*, Keitel podría tener la impresión de que se sentía como un igual por hacer un papel en una serie de televisión, y lo último que quería era pasar por arrogante ante uno de sus actores favoritos.

Lo que debía hacer era ser breve, educado sin llegar a pelota y a la vez seguro de sí mismo. Enderezó su corbata, carraspeó y dijo:

—Señor Keitel, soy Jack Gardner. ¿Le importa que me siente un momento a su mesa?

Sí, probaría suerte. Cabía esperar que Harvey Keitel le conociera por *While the Earth Spins* y no tuviera inconveniente en escuchar la triste biografía de un desesperado actor de series mientras almorzaba.

El teléfono sonó, pero Jack continuaba mentalmente con Keitel.

«¿Jack Gardner? Vaya, vaya. El motor de *While the Earth Spins*. Pero claro, siéntese. ¿Puedo invitarle a algo?»

—¿Invitarme a algo? No, no puedo aceptarlo. Además no quiero interrumpirle más de lo necesario, señor Keitel.

«Harvey, Jack. Llámame simplemente Harvey, por favor. Yo también puedo llamarte Jack, ¿verdad?»

Jack cogió el teléfono cuando sonó por tercera vez.

—Hola.

—Hola, capullo.

Silencio.

—¿Con quién hablo?

—Con el que te llama capullo.

Jack colgó.

—Mis disculpas, Harvey. Era algún idiota. Me molestan con frecuencia. Será el peaje de la fama. Bueno, qué voy a contarte a ti… Un momento, ¿dónde nos habíamos quedado?

«Te preguntaba si podía llamarte Jack.»

—Ah, sí, por supuesto que puedes.

El teléfono volvió a sonar. Esta vez Jack lo cogió enseguida.

—¿Sí?

—Regla número uno: nunca cortes la comunicación en medio de una conversación. Si vuelves a hacerlo, en menos de media hora tu mujer estará tan muerta como esa serie que protagonizas.

—¿Mi mujer?

—Regla número dos: yo soy el único que hace preguntas. Si vuelves a hacerme una sola pregunta, tu mujer estará tan muerta como…

—¿Con quién hablo? —dijo Jack interrumpiendo la voz del otro lado de la línea.

Clic. El hombre había colgado.

Diez segundos después volvió a sonar el teléfono. Jack lo cogió pero no dijo nada.

—Jack, acabas de romper la tercera regla. Tienes suerte de que no te la hubiera dicho. Pues bien, regla número tres: no me interrumpirás nunca. Si lo haces, tu mujer morirá. Regla número cuatro: intenta no tomarme el pelo de ninguna de las maneras. Si lo haces... —El hombre del otro lado de la línea titubeó un poco y después dijo—: Ya sabes lo que ocurrirá. Ah, casi lo olvido, tu hijo también está aquí. Es majo el chaval. Espero que tenga futuro.

—¿Mi hijo?

—Sí, tu hijo, Jack. Se llama Darryl, ¿no?

—¿Dónde está mi hijo? Si no me lo cuentas dejaré de hablar contigo.

Poco a poco Jack comenzó a tomar conciencia de que algo iba mal. El hombre del otro lado de la línea no parecía un chiflado gastando una broma de mal gusto. Parecía serio, conciso.

—Jack, yo no quiero hablar contigo. Lo único que tienes que hacer es escuchar. Quiero que escuches con mucha atención lo que voy a decirte y que hagas exactamente lo que voy a encargarte. En primer lugar quiero que en las próximas horas estés localizable en este número. Mientras tanto puedes empezar a trabajar. Quiero dos millones de dólares en efectivo, en billetes de cien, por supuesto sin marcar. Sé que puedes conseguirlos con facilidad porque estás a punto de pagar esa cantidad a tu mujer. Volveré a ponerme en contacto contigo más adelante para contarte cómo me entregarás el dinero. Si me entero de que has informado a alguien de esta conversación, nuestro acuerdo quedará anulado. Supongo que no necesito explicarte que recurrir a la policía atentaría seriamente contra la salud de tu mujer y de tu hijo. En cuanto tenga el dinero, dejaré que se vayan. Eso es todo por el momento, Jack. Quédate donde estás y llama al banco. Luego quiero oír que estás dispuesto a colaborar.

Jack se tambaleó. Ahora comenzaba a ser consciente de lo que ocurría.

—Yo… —balbuceó—. Yo… ¿Cómo sé que dices la verdad? Antes quiero ver a mi hijo.

—Si quieres ver a tu hijo, Jack, ponte el vídeo. ¿De verdad creías que el abogado de tu mujer podía hacer una recopilación tan bonita de tu triste vida?

—¿Mi vídeo?

El hombre había colgado.

Jack miró el parqué del pasillo. ¿El vídeo?

Y entonces lo comprendió.

La cinta de vídeo.

Eso significaba que el hombre del otro lado de la línea le había seguido durante semanas, que lo había preparado con meticulosidad, que iba en serio.

Significaba que su hijo había sido secuestrado de verdad.

26

Jack decidió que su madre no cogiera el teléfono. Mientras lograra llegar al aparato antes que ella, podría, con un poco de suerte, mantenerla fuera del asunto. Justo después de que el secuestrador del acento raro colgara, llamó a Heather. Nadie respondió. No dejó ningún mensaje en el contestador porque era consciente de que no tenía sentido alguno. Darío siempre estaba en casa a esas horas, habría cogido el teléfono. Eso despejó sus últimas dudas. Su mujer y su hijo habían sido secuestrados y él debía pagar, pagar y volver a pagar.

Cuando su madre llegó a casa estaba leyendo el periódico en la mesa de la cocina con una botella de Snapple a su lado, esperando la próxima llamada. Su madre le miró extrañada.

—¿Qué ocurre?

Su instinto no le fallaba, era como si pudiera detectar los problemas.

—¿A qué te refieres? —preguntó Jack intentando parecer despreocupado.

—Estás leyendo la prensa. Tú nunca lo haces. ¿Pasa algo?

—No. Me aburro. Eso es todo.

—Me viene de perlas —dijo su madre depositando en el suelo una bolsa llena de compras—. Ya que te aburres, seguro que no te importará darme el gusto de jugar una partida de Scrabble conmigo. Había tanto jaleo en el Chelsea Market que me gustaría pasar una horita haciendo algo divertido antes de empezar a hacer la comida.

No llevaban ni diez minutos jugando al Scrabble cuando sonó el teléfono.

Su madre iba a levantarse, pero Jack le puso una mano en el brazo.

—Piensa con calma tu próxima palabra. Ya voy yo.

—¿Esperas alguna llamada?

—Sí —respondió Jack—. De mi agente.

Jack fue al pasillo y cogió el teléfono.

Durante un momento hubo silencio al otro lado y después el hombre del acento raro dijo:

—¿No has hablado con nadie?

—Con mi madre —dijo Jack—. Estamos echando una partida al Scrabble. —Miró al otro lado de la puerta. Su madre continuaba en el salón—. No, claro que no he hablado con nadie. Por favor, sé breve porque si me entretengo mucho, tal vez le despierte curiosidad.

—¿Recuerdas nuestras reglas?

—Sí.

—Si colaboras no habrá mucho que decir. Escucha, mi intención es que todos salgamos de una forma satisfactoria de esto. Sé que te gustaría volver a ver a tu mujer y a tu hijo con vida. Así será, Jack. Volverás a verlos vivos, pero tienes que prometerme una cosa: prométeme que no harás ninguna tontería.

—¿Jack? —llamó su madre desde el cuarto de estar—. ¿Quién es?

—Chester —respondió Jack gritando exageradamente—. Enseguida acabo. —Se acercó el teléfono aún más a la oreja y susurró—: Lo prometo. Dime qué tengo que hacer.

—En primer lugar debes considerarme tu mejor amigo. ¿Podrás hacerlo, Jack? ¿Puedes imaginar que soy tu mejor amigo?

—Sí —dijo Jack.

Su madre asomó de pronto la cabeza y lo miró.

—He terminado, Jack. Te toca. ¿Va a durar mucho tu conversación? —Se quedó en el vano de la puerta—. Estás pálido. ¿Pasa algo?

—No, mamá. No pasa nada.

Su madre continuó mirándolo; no le creía.

El hombre del acento raro dijo:

—En segundo lugar quiero oírte decir que harás todo lo que yo te pida.

—Sí.

—Prométemelo.

—Lo prometo.

—¿Qué prometes?

—Hacer lo que me pidas.

—Muy bien, Jack —dijo el hombre—. Quiero que mañana a esta misma hora estés en casa y tengas el dinero preparado.

—Eso no es posible. Yo…

—Encárgate de estar ahí, Jack —ordenó el hombre y cortó la comunicación.

Jack suspiró, vio la mirada de curiosidad de su madre y dijo:

—Sí, Chester, en adelante te prestaré más atención. Hasta la vista.

Después colgó el teléfono, miró a su madre y logró sonreír.

—Lo sé. Me toca a mí. Creo que esta vez voy a pasar y a canjear todas mis letras.

Heather Gardner miró a Alfred Cunningham y se preguntó qué habría visto la noche anterior en aquel pedazo de fracasado plañidero. Alfred, a pesar de tener las manos y los pies atados, había logrado rodar hasta el otro lado de la habitación Disney y cada dos por tres le lanzaba una mirada acusadora. Como si estar allí apresados por aquellos energúmenos fuera culpa de ella. Alfred lloriqueaba y gemía como un crío y cada cinco minutos preguntaba a

Winston por qué no le soltaban. El negro no oía, o simulaba no oírle, y mantenía la mirada en la pantalla de televisión, en *Espartaco*, mientras explicaba a Darryl lo que ocurría.

—Mira, Darryl —decía Winston en ese momento—. Espartaco tendrá que luchar con el negro grande, ese que tiene el mismo color de piel que yo. ¿Sabes qué va a pasar? Que el negro gana, pero se niega a matar a Espartaco porque le cae bien, ¿entiendes? Pero esos hombres malos de ahí arriba quieren que le mate de todos modos, y ¿sabes lo que hace ese negro valiente, Darryl?

—No —respondió Darryl que miraba fascinado la televisión.

—¡Tira la lanza a los hombres malos!

A Heather le extrañó que el hombre utilizara la palabra «negro». Había aprendido que el término políticamente correcto para las personas negras era «afroamericano». Una amiga le había dicho una vez que los negros se llamaban «negros» entre sí, pero ella no la creyó. Sí, tenía que reconocer que siempre le venía a la cabeza la palabra «negro» cuando hablaba de afroamericanos.

Miró a Marie-Louise que dormía en un rincón de la habitación, y en ese momento oyó decir a Alfred:

—¿Podría prestarme un poco de atención? Tiene que soltarme. Yo no tengo nada que ver con esto. He aterrizado aquí por casualidad, por eso quiero proponerle algo: si me suelta, no le contaré nada a nadie. Lo juro. Iré derechito a casa…

Winston miró a Darryl y dijo:

—Pero el negro falla el tiro y lo matan.

—¿Quién era Espartaco? —preguntó Darryl.

—Ese de los pelos de punta —dijo Winston—. Mira… ese de ahí.

—¡Le exijo que me escuche! —chilló Alfred—. He estudiado demasiado para que una panda de delincuentes me ignore.

Heather vio que Winston volvía por primera vez enfadado la cara hacia Alfred. Heather tragó saliva y pensó: «¡Ay, Dios mío!». ¿Por qué no cerraba la boca Alfred? ¿Y si el negro se enfadaba y les mataba a todos? Esas cosas solían pasar. No había más que poner las noticias para que te bombardearan los oídos con estúpidos tiroteos. Heather decidió que había llegado el momento de intervenir y hacer saber a Winston que ella se desmarcaba de las lamentaciones de Alfred. Reunió valor y dijo:

—Alfred, ten un poco de paciencia, por favor. Estoy segura de que estos señores no tienen malas intenciones. Deja de dar la lata y espera hasta que ellos consideren que puedes irte a casa.

Dirigió una mirada a Winston esperando una reacción, un guiño de aprobación tal vez; pero Winston ni se inmutó: continuó mirando con extremada concentración la pantalla en la que Kirk Douglas aparecía con el gran negro en la arena.

Alfred miró a Heather y dijo:

—Yo no estoy tan seguro de que no tengan mala intención. Es más, ni siquiera sé por qué nos retienen. Sólo sé que no estaría aquí si no hubiera quedado contigo. Sean quienes sean estos idiotas, si piensan que tienen que retenerme se equivocan, se han equivocado de persona.

Entonces Alfred se dirigió de nuevo a Winston:

—¿Me oye? Se ha equivocado de persona. Exijo una liberación inmediata, y no haga como si no me oyera.

Sin apartar la mirada de la televisión, Winston dijo:

—¿Alfred? ¿Tienes idea de lo increíblemente molesto que es intentar ver una película mientras alguien no para de rajar?

Heather cerró los ojos y rezó para que Alfred cerrara la boca, pero no lo hizo. Oyó que decía:

—¿Lo ve? Me ha entendido perfectamente. Exijo mi liberación. No quiero seguir implicado en esto.

La película fue interrumpida por un bloque publicitario. Heather vio que el negro se levantaba y miraba a Alfred con desesperación. Por un momento dio la impresión de que no sabía qué hacer en esa situación, después salió de la habitación Disney.

«¡Santo Dios! —pensó Heather—. Aquí se va a armar una buena.»

Jimmy estaba sentado en el váter hojeando un catálogo de muebles de jardín. El baño tenía el tamaño de una habitación infantil mediana y él estaba rodeado de objetos que eran absolutamente inútiles en un cuarto de baño. Había una repisa de baldosa en la que, entre otras cosas, alcanzó a ver un canguro en miniatura, una colección de piedras raras, dos relojes, una instalación estéreo, una amplia colección de CD y un paquete de rollos de papel higiénico.

Lo único útil eran los rollos de papel higiénico. «Aunque un poco de música —pensó Jimmy— no estaría mal.» Dejó el catálogo en el revistero de mimbre que tenía al lado sobre la peluda alfombra rosa y cogió un montón de CD de la repisa de baldosa. Los CD estaban a la altura de la taza, de modo que no tuvo que levantarse para cogerlos. Mientras miraba los discos recordó la conversación que había mantenido con Jack y se preguntó si habría asustado suficiente a la estrella de series televisivas. Creía que sí. Durante su segunda conversación telefónica el hombre no había dado muestra alguna de que no fuera a colaborar.

Lo que más le preocupaba era el comportamiento de Winston Malone. Jimmy se preguntaba si lograría tener paciencia para aguantar al negro charlatán hasta que por fin le necesitara. En ocasiones no había forma de hacerle callar, al menos no con palabras. La única forma de que el hombre se callara, sin usar directamente la pistola, era ponerlo delante de la televisión para que viera una película. Jimmy también empezaba a irritarse cada vez más con Darío López, sobre todo cuando hacía bromitas sobre su roja cabeza. Pero Jimmy debía reconocer que el mexicano se había contenido bastante desde que estaban en la casa. Tal vez su arsenal de variantes de la misma broma por fin se había agotado.

Aparte del comportamiento de sus socios, Jimmy Roma no podía quejarse de la ejecución del golpe. Todo había salido a pedir de boca y no había indicios de que la cosa fuera a cambiar en un futuro próximo.

Mientras miraba la colección de CD, constató que no tenía ni idea de qué música era la adecuada para acompañar a alguien cuando visita el baño. Sopesó un instante si convendría poner a Eric Clapton pero, pensándolo mejor, le pareció que eso sería una ofensa para el hombre al que algunos consideraban un dios. El resto de la colección consistía en música *new age*, que no conocía, y canciones pop que no le gustaban. ¿Cómo iba a hacer alguien sus necesidades en condiciones con Kylie Minogue chillándole en la oreja? O peor aún, con Céline Dion.

Justo en el momento en el que había decidido intentarlo con Shania Twain, que no era lo ideal pero sí mejor que nada, oyó una voz al otro lado de la puerta.

—¿Jimmy?

Malone. A eso es a lo que se refería. Uno se sentaba un momento tranquilamente en el váter y ahí estaba él.

Jimmy suspiró.

—¿Jimmy? —y luego dijo con más apremio—: Sé que estás ahí.

«"Sé que estás ahí." ¡Dios!, ese negro es de lo que no hay.» Jimmy carraspeó.

—¿Qué pasa?

—Ese tal Alfred me está sacando de quicio —dijo Malone—. No para de hablar mientras veo mi película. Exige que le liberemos. Dice que no quiere verse implicado en nuestros asuntos.

—¿Le has dicho que ya está implicado?

—Eh... no. No le he dicho nada. Sólo que no hable durante la película. No hemos acordado qué debemos hacer si uno de los rehenes no sabe comportarse. ¿Tú qué crees?

El negro y sus películas. Jimmy miró el pantalón que tenía por los tobillos y después el CD de Shania Twain.

—Me está volviendo loco, Jimmy.

Jimmy dejó Shania Twain sobre la repisa de baldosa y se subió los pantalones.

—¿Jimmy? ¿Jimmy, me oyes?

—Sí, Winston. Te oigo.

—¿Y por qué no dices nada?

Poco después Jimmy subía la escalera detrás de Malone. Antes de entrar en la habitación Disney agarró a Malone del brazo y dijo:

—Déjame hablar y no me interrumpas.

En cuanto Jimmy abrió la puerta de la habitación Disney, se encontró con las lamentaciones de Alfred Cunningham.

—Por fin —dijo Alfred al ver entrar a Jimmy—. Ya era hora.

Jimmy ordenó a Malone que se quedara detrás de él mientras hablaba para que aquel hombre quejica y latoso comprendiera con quién estaba hablando.

Alfred había logrado incorporarse y se encontraba apoyado en la pared de color amarillo claro entre un calendario de Blancanieves y un muñeco del pato Donald. Se le había puesto la cara roja, sudaba mucho y sus ojos iban de Heather Gardner a Jimmy y de vuelta a Heather. Jimmy percibió un olor a orina. Miró el pantalón de Alfred y vio una mancha de humedad que iba de los muslos a las rodillas del plañidero.

—Creo que te pasa algo en las orejas —dijo Jimmy—. ¿No te enseñaron en esa cara universidad a escuchar?

Alfred levantó la nariz. Miró a Jimmy con los párpados apretados y dijo:

—¿Es usted el jefe?

—No sabes escuchar y ahora encima te ensucias —dijo Jimmy.

—Antes escúcheme usted a mí —dijo Alfred. Al parecer el hombre no entendía la situación en la que se encontraba. Estaba señalando a Heather con la cabeza—. Ella puede decirles que no tengo nada que ver. La señora y yo nos conocimos ayer. No soy amigo suyo y menos aún su esposo. Me he visto implicado accidentalmente en esto por una agencia m…

218

—Lo sé, Alfred —dijo Jimmy—. Por una agencia matrimonial.

—Exacto.

El hombre, que apestaba a orina, pareció recobrar la esperanza.

—Lo que me sorprende —dijo Jimmy— es que no comprendas lo que intento explicarte. Tal vez se deba a alguna laguna en tu educación en la Ivy League, o tal vez has tenido una infancia dura, ¿quién sabe? El hecho es que no eres capaz de cerrar la boca.

Alfred puso los ojos en blanco. Su rostro se puso más colorado de lo que ya estaba. Miró a Jimmy desafiante y dijo:

—Me niego a continuar participando en esto.

—¿Qué te había dicho yo? —masculló Malone que se había situado junto a Jimmy—. No es capaz de callarse.

Jimmy Roma acarició su calva y se preguntó qué debía hacer en aquella situación. Winston Malone no solía tener razón, pero esta vez sí. Aquel Alfred era un caso perdido. Vivía en su propio mundo, no tenía ni la más remota idea de lo fugaz que era la vida humana y del grado de aguante de sus semejantes; pero Alfred volvió a adelantársele.

—Si me libera, no le contaré nada a nadie.

«Un mundo propio», volvió a pensar Jimmy.

—Lo siento, Alfred. Te lo diré una vez más: debes tener paciencia. Dentro de poco podrás irte a casa, pero aún no.

—¿Paciencia? Mi paciencia se ha agotado. ¿Sabes cuánto he pagado a esa agencia matrimonial? Por supuesto que no. No tienes ni idea. Y esto es lo que recibo a cambio. Bueno, olvídalo. No quiero seguir implicado en esto.

«Vale», pensó Jimmy. Al parecer el hombre estaba acostumbrado a ser escuchado, a que se hiciera exactamente lo que él quería. Así que Jimmy no podía hacer otra cosa que complacerle.

—¿No quieres seguir implicado en esto?

Alfred asintió frenéticamente.

—Y no hace falta que hable con ese acento tan raro a propósito. No crea que tengo miedo.

—Yo no hablo mal a propósito, Alfred. Es mi acento.

A continuación se dirigió a Malone y dijo:

—Winston, lleva a Darryl a la habitación de relax.

Malone lo miró sorprendido, pero hizo lo que Jimmy le ordenó.

—Por favor... —gimió Heather—. No le hagas daño.

Cuando Malone salió con el chico, Jimmy sacó su Beretta, enroscó el silenciador y apuntó a la cabeza de Alfred Cunningham.

Los ojos de Alfred casi se salieron de sus cuencas.

—¡Eh! ¡Espere! ¿Qué hace?

—Cumplir con tu petición —dijo Jimmy disparando directamente a la cara de Alfred. Detrás de Alfred, rojas salpicaduras destellaron sobre el calendario de Blancanieves—. Bien. Ya no eres un rehén. ¿Estás satisfecho?

Heather Gardner gritó y Marie-Louise se echó a temblar.

Jimmy preguntó:

—¿Alguien más tiene problemas con mi acento?

27

Jimmy se preguntó si no habría sido mejor taparle la boca a Alfred con cinta adhesiva. No es que de pronto sintiera lástima por aquel estúpido de la Ivy League, pero de haber sabido cómo iba a reaccionar Malone no habría sido tan drástico. El negro no paraba de preguntar por qué había tenido que matar a Alfred. ¿No podría haberlo solucionado de otro modo?

Después de dejar el cuerpo de Alfred Cunningham en el escobero de debajo de la escalera que llevaba a la segunda planta, y de que Malone hubiera llevado a Darryl de nuevo a la habitación Disney, el negro había comenzado a dar la lata. Parecía no tener fin.

—¿Jimmy? ¿Jimmy? ¿Me escuchas? Creo que deberíamos discutir esas cosas antes. Quiero decir que no puedes actuar por tu cuenta, no puedes matar a un rehén así como así. Somos socios. Tenemos que estar de acuerdo antes de pasar a la acción. Y la opinión de Darío también es importante. Jimmy, ¿me oyes?

—Darío está durmiendo.

—¿Y qué? Eso no quiere decir que esté de acuerdo con que matemos a los rehenes.

—¿Nosotros? Si no recuerdo mal he sido yo el que ha apretado el gatillo.

—No se trata de eso. De lo que se trata es de que los socios deben deliberar antes. Tal vez Darío no esté de acuerdo y después tengamos una trifulca. ¿No podrías haberlo resuelto de otro modo?

Malone estaba conmocionado, y eso que ni siquiera había apretado el gatillo. No había palabras para explicarlo. Primero se quejaba del escándalo que montaba Alfred, y ahora que el problema del ruido estaba solucionado, daba la lata sobre la forma en que Jimmy lo había hecho. Jimmy Roma se preguntó qué era lo que más le molestaba, las lamentaciones de Alfred, que ya habían acabado, o las lamentaciones del negro.

—¿Winston? —le dijo—. Tengo una idea. Si te vuelve a pasar algo, soluciónalo tú solo. Yo hago las cosas a mi manera, sin consultar. Si no te gusta, déjame cagar a gusto de ahora en adelante.

Malone le miró, pero no dijo nada más. «Por fin —pensó Jimmy—. Por fin cierra la boca.»

Estaban sentados a la mesa de roble de la cocina. Malone bebía agua a sorbitos y continuaba temblando de la conmoción. Jimmy fumaba un cigarrillo mientras masticaba una guindilla, la cual mantenía su mente despejada y le ayudaba a conservar la calma. En aquel momento necesitaba la guindilla. No porque le costara pensar con claridad, sino porque le costaba muchísimo mantener bajo control su creciente agresividad. La causa de aquella indeseada furia era el negro que tenía enfrente. Cuando pensaba que Malone ya se había tranquilizado, el hombre comenzó otra vez desde el principio.

—Has mencionado mi nombre.

—¿A qué te refieres? —preguntó Jimmy.

—Me refiero a lo que acabo de decirte. Has mencionado mi nombre en presencia de los rehenes. Están allí, sentados en fila, y tú entras y empiezas a contarles como si nada que soy tu socio Winston. ¿Por qué? ¿Por qué les has dicho que me llamo Winston?

—¿Piensas que se lo han creído?

—¿Qué?

—¿Piensas que se han creído que Winston es tu verdadero nombre?

—Es mi verdadero nombre, Jimmy. ¡Tú lo sabes!

Jimmy se preguntó cómo se sentiría al golpear la frente del negro contra la mesa de roble de la cocina. Sin duda le sentaría bien, pero era probable que después de eso Malone dejara de considerarle su mejor amigo. Así que Jimmy decidió mantener la calma y dijo:

—Winston, voy a explicarte algo.

—Vale.

—Nadie, y quiero decir nadie, se toma en serio el nombre de los secuestradores.

—¿Cómo lo sabes? ¿Te han secuestrado alguna vez?

—No, no me han secuestrado nunca, pero he visto un montón de películas sobre el asunto, tanto películas de ficción como reconstrucciones de historias reales. Tú también según creo, ¿no?

—Sí —respondió Malone.

Sonrió como si le aliviara tener la ocasión de exhibir sus conocimientos. Ésa era la forma más fácil de atraer su atención: hacer que se sintiera cómodo relacionando un hecho real con una ficción cinematográfica.

Jimmy preguntó:

—¿Has visto alguna película en la que el rehén se entere del nombre verdadero de un secuestrador?

—No lo recuerdo.

—Exacto. Yo tampoco. Así que no importa un carajo que yo haya mencionado tu nombre. Los rehenes no le darán ninguna importancia. En primer lugar no les importa cómo nos llamemos. En segundo, están demasiado asustados como para prestar atención a algo tan trivial como un nombre. Está demostrado que las personas secuestradas están sometidas a una fuerte tensión psicológica y que su forma de pensar se vuelve muy primitiva. Lo único que les preocupa es lo que tienen que hacer, o precisamente no hacer, para continuar con vida.

—Espera —dijo Malone—. Tal vez sí haya visto una película en la que alguien recordaba el nombre del secuestrador.

Jimmy suspiró.

—Winston, no me escuchas.

—¿Que no escucho? Te he oído decir mi nombre. ¿Si no escuchara cómo iba a haberlo oído?

Tal vez no fuera tan mala idea golpear la frente del negro contra la mesa; sólo una vez, para asegurarse de que después escucharía con total atención.

«No —se dijo Jimmy—, insiste un poco con palabras. Consérvalo como amigo.»

—Tengo una idea —dijo—. Subiré a ver a los rehenes, les pediré que se callen un momento y les diré a todos que Winston no es tu verdadero nombre, sino un pseudónimo en el que hemos pensado mucho. ¿Satisfecho?

Malone negó con la cabeza.

—No, Jimmy, entonces estarán seguros de que me llamo Winston. Enseguida se darán cuenta de que no es cierto.

—Era una ironía, Winston —dijo Jimmy—. Claro que no voy a hacer una ridiculez así. ¿Y además qué importa que sepan tu nombre cuando estés en una playa de Sudamérica con casi setecientos mil dólares bajo el culo?

Jimmy vio que los ojos de Malone comenzaban a brillar al imaginar la cantidad de dinero que pronto se embolsaría y todo lo que podría hacer con él.

—Sí —dijo Malone—. Tal vez no sea tan importante.

28

—¿Tienes el dinero? —preguntó Jimmy.

—Sí —respondió Jack.

Jimmy se encontraba en la Tercera Avenida a la altura de la calle 91, junto a una cabina telefónica. Miró fugazmente a su alrededor, a los peatones que pasaban y los taxis que rugían a su lado. Un vagabundo se estaba acercando a él y Jimmy levantó la mano con un gesto amenazante. El vagabundo se dio la vuelta maldiciendo, masculló algo sobre Dios y el perdón, y salió pitando.

—Quiero que mañana lleves el dinero a Central Park en una bolsa grande de deporte.

—El dinero está en un maletín Samsonite de color negro.

—Ponlo en una bolsa de deporte —dijo Jimmy.

—No tengo ninguna bolsa de deporte.

—Pues compra una. Emplea una parte del rescate. Puedes quedarte el cambio.

—¿A qué parte de Central Park tengo que llevar la bolsa?

—¿Conoces el antiguo anfiteatro?

—Sí.

—Quiero que dejes la bolsa en la entrada del teatro a las tres menos diez y que luego te dirijas a West Side sin mirar atrás.

—¿Y cómo puedo saber que ningún transeúnte se llevará el dinero?

—No te preocupes, Jack, eso no ocurrirá. Antes de que vayas al anfiteatro quiero que, de dos y cuarto a dos y media, estés sentado en el borde de la fuente Bethesda.

—¿Para disfrutar del tiempo?

—Llámalo medida de precaución. Estaré vigilándote. Si hay algo en tu lenguaje corporal que no me gusta, o si veo a alguien que pudiera parecer un policía de paisano, se armará una buena, Jack. No contigo, sino con el pequeño Darryl.

—¿Cuándo volveré a ver a mi mujer y a mi hijo?

Jimmy sonrió al taxi que pasaba y disfrutó del matiz de desesperación en la voz de Jack Gardner. El hombre iba a pagar; eso estaba claro.

Gardner repitió la pregunta.

—Iré personalmente a recoger la bolsa —dijo Jimmy—. Si me ocurre algo, si por ejemplo me detienen, tu mujer y tu hijo estarán muertos en menos de una hora. Tengo muchos amigos y uno de ellos sabe qué debe hacer si no doy señales de vida en las horas acordadas. Así que nada de bromas.

—¿Cuándo volveré a verles?

—¿Llevas reloj?

—¿Qué?

—Ya me has oído. ¿Llevas reloj?

—Sí.

—¿Qué hora es?

—Las doce menos ocho minutos.

—Bien.

Jimmy adelantó su reloj dos minutos para que las agujas marcaran también las doce menos ocho.

—Quiero una respuesta a mi pregunta —dijo el actor levantando la voz—. ¿Cuándo volveré a ver a mi mujer y a mi hijo?

—Quiero que estés a las dos y cuarto en punto en la fuente Bethesda. Por eso es importante, no, es de suma importancia que nuestros relojes estén sincronizados. A partir de ahora tú eres el responsable de que tu reloj marque la misma hora que el mío. En lo que a mí respecta puedes comprar otro para estar seguro, con tal de que sepas en todo momento qué hora es. Sería un error imperdonable para los dos que algo saliera mal, ¿no es cierto, Jack? Estoy seguro de que tu mujer y tu hijo también lo lamentarían.

—¿Cómo sabré que estás en el anfiteatro cuando deje la bolsa? Puedes sufrir un accidente. ¿Y entonces qué? Otra persona encontrará la bolsa y mi mujer y mi hijo serán historia.

—Exacto. Si tengo un accidente, serán historia.

—Pero…

—Tendrás que vivir con esa preocupación y esperar que sea prudente al cruzar la calle. Recuerda. Dos y cuarto, fuente Bethesda. Encárgate de estar allí.

—¿Cuándo volveré a ver a mi hijo?

—Todo a su tiempo, Jack —dijo Jimmy—. Todo a su tiempo.

Oyó que Jack Gardner empezaba a preguntar otra vez y colgó. Jimmy Roma se dirigió con satisfacción hacia la calle 95, de regreso a la casa de los Gardner, al encuentro de sus socios Winston Malone y Darío López, a los que en adelante no iba a necesitar.

29

—¿Winston? ¿Qué va a pasar ahora exactamente? Empiezo a estar harta de tener que esperar sin saber qué estás haciendo.

Eran las nueve de la mañana y Cordelia, como el día anterior, se había despertado temprano.

Winston se desperezó.

—Jack Gardner nos pagará el rescate y podremos irnos tan rápido como podamos.

—¿Quién va a ir a recoger el rescate?

—Aún no lo hemos hablado.

—Ojalá no seas tú.

—No creo. Jimmy decide, así que eso también querrá hacerlo él.

—¿Y si se marcha con el dinero?

Winston suspiró. Ahí estábamos otra vez. No podía recordar cuándo había sido la última vez que habían tenido una conversación en la que no tuviera que convencer a Cordelia de que lo tenía todo controlado. Se acodó en la cama, agarró el paquete de Gauloises de la mesilla y encendió un cigarrillo.

—Eso no ocurrirá —dijo—. Créeme.

Cordelia lo miró con preocupación.

—¿Winston? ¿Por qué confías a ciegas en esa gente? Apenas los conoces. ¿Por qué iban a poner algo de su parte para ayudarte a conseguir todo ese dinero?

—No debes verlo de ese modo, cielo. Nos ayudamos mutuamente, yo les necesito a ellos y ellos a mí.

—Eso es lo que me preocupa, Winston. No comprendo por qué te necesitan.

—Pero así es.

—Pero ¿por qué?

—Porque sí. Porque este tipo de asuntos no se hacen en solitario.

—Winston, ésa no es una razón.

—Vale, cielo. Te seré sincero. Yo tampoco sé por qué me necesitan, pero alegrémonos de que sea así. Creo que eres demasiado desconfiada. Los secuestros jamás son organizados por una sola persona. ¿Has visto alguna vez...?

—¡No! —gritó Cordelia—. No te atrevas a preguntarme si he visto alguna película en la que aparezca un secuestro realizado de forma individual. Esto no es una película.

—Pero las películas se basan parcialmente en la realidad.

—¿Ah sí, Winston? Deja que te pregunte algo —dijo Cordelia—. ¿Cuántas películas de ésas acaban bien para los secuestradores?

Jack Gardner salió. Debía aceptar los riesgos inherentes a su plan. Pagaría el rescate, pero colaborar con esos patanes como un corderito era algo que ni se le pasaba por la cabeza. Si pensaban que iba a dejar dos millones de dólares así como así en alguna parte de Central Park, se equivocaban. Y si pensaban que les iba a entregar la pasta sin tener una mínima idea de dónde se encontraban su mujer y su hijo, volvían a equivocarse.

Jack cogió su agenda de la repisa de la chimenea y la hojeó hasta que encontró el número de Dale Spencer, su doble en *While the Earth Spins*.

Dale podía pasar por su hermano gemelo.

Darío se encontraba en la habitación de la televisión intentando quitar con los dientes una gruesa rodaja de chorizo de su pizza sin ensuciarse su camisa blanca impoluta con salsa de tomate o queso fundido. Al mismo tiempo se esforzaba en seguir las noticias de las seis. En la pantalla, el presidente Bush intentaba convencer a los patriotas americanos de la necesidad de hacer guerras preventivas. Cuando Darío casi había logrado quitar la rodaja de chorizo, la calva de Jimmy Roma apareció en el vano de la puerta. Jimmy dijo:

—Darío, tenemos un problema.

Darío se quedó con la rodaja de chorizo en la lengua y masculló:

—¿*Pobema*?

—Sí —dijo Jimmy—. Un gran problema.

Darío hizo lo que pudo para intentar solucionar antes su problema con la pizza, pero Jimmy no tenía tanta paciencia. Entró en la habitación, se acercó a Darío con los brazos en jarras y dijo:

—Malone quiere continuar conmigo.

Darío ahogó una carcajada.

—¿Ese negro te ha pedido matrimonio?

La rodaja de chorizo salió disparada entre sus dientes y unas cuantas gotas de salsa de tomate aterrizaron en su camisa. No le importó. Aquello era demasiado gracioso como para ser verdad.

Pero en ese instante Darío vio que a Jimmy Roma no le hacía ninguna gracia, y se sofocó. ¡Oh, mierda! Ojalá Jimmy no hubiera matado al negro como respuesta a su petición. Entonces sí que tendrían un problema: Winston era el que iba a recoger la pasta.

—No me refiero a que quiera casarse conmigo, idiota. Me refiero a que quiere dejarte fuera del negocio.

A Darío se le borró la sonrisa de la cara.

—¿Qué has dicho?

—Me has entendido bien. Quiere joderte.

—¿Cómo lo sabes?

—Cree que ya no te necesitamos. Acaba de decírmelo.

«Me cago en Dios», pensó Darío. Aquello era lo último que esperaba de Winston. El negro parecía la inocencia personificada, alguien que se había visto envuelto en una situación que le correspondía, pero ahora Jimmy le estaba contando que Winston no era ni mucho menos inocente, que el negro tenía su propia estrategia.

Darío entrecerró los ojos y miró hacia la televisión, a la cara del presidente Bush que enfatizaba su discurso dando puñetazos en la tribuna.

—Quiero que le quites de en medio —dijo Jimmy.

Darío creyó no haber entendido bien. No podía ser verdad.

—¿Por qué yo? ¿Por qué no lo haces tú mismo?

—No es a mí a quien quiere joder, es a ti. Por eso tienes más razones para matarle que yo. ¿O estoy equivocado?

—¿Así que quieres esperar a que recoja la pasta para dejarle seco?

—No, quiero que sea hoy.

—¿No has estado otra vez demasiado tiempo al sol?

Jimmy apretó el puño.

—Te lo advierto. No empieces con esas bromitas tuyas porque te hago atravesar la pared a base de golpes. Hablo en serio. Quiero que ocurra esta misma noche. No podemos permitirnos esperar a que Malone cometa alguna estupidez y que fracase todo el plan.

—Sí, sí —dijo Darío—. Ya entiendo. Primero tengo que matarle y después también tendré que ir a recoger la pasta mientras tú te quedas con el culo pegado al asiento hasta que puedas irte de vacaciones.

Darío vio que Jimmy negaba con la cabeza. Se rascó su calvo y requemado cráneo y dijo:

—¿Mi culo pegado al asiento? No puedo creer lo que estoy oyendo. ¿Quién arregló ayer el problema de Alfred? Yo. ¿Quién viene a avisarte de que Malone intenta desplumarte? Otra vez, yo. ¿Y cómo me lo agradeces? Con una respuesta egoísta. Crees que intento cargarte con todo el trabajo sucio. Bueno, vuelves a equivocarte. Pensé que podía fiarme de Malone, pero parece que no es el caso. Así que tenemos dos problemas: cómo nos lo quitamos de encima y quién de los dos va a recoger la pasta. Me parece razonable que cada uno asuma una parte del problema. Tú quitas de en medio a Malone y yo recojo la pasta. Ninguna de las dos cosas es agradable, pero hay que hacerlas.

—Matar a ese tal Alfred fue tu manera de solucionar un problema —dijo Darío—. No me importa que lo hayas hecho, pero no me chantajees con ello como si te debiera un favor. A mi entender, las cosas están así: yo tengo que matar a ese negro porque tú has sido tan idiota como para confiar en él. Te proporciono la forma de ganar millones y ¿qué recibo a cambio? Además tengo que oír que debo liquidar a alguien. ¿Sabes a cuántas personas he matado en mi vida? A cero. Ni siquiera he disparado una pistola. No soy un asesino.

—Confié en Malone porque tú no te atrevías a recoger la pasta, ¿recuerdas? Así que no me cuelgues el muerto porque por ahí sí que no paso. Y ¿a qué te refieres con eso de que me has proporcionado la forma de ganar millones? De momento no has hecho nada. Yo tuve que poner a la niñera fuera de combate. Yo tuve que grabar la cinta de vídeo. Yo me encargué de incorporar a Malone. Yo soy el que ha hecho todo el trabajo intelectual. ¿Y quién viene a avisarte? —Jimmy guardó silencio—. ¿Y bien?

Darío no dijo nada.

—Yo —dijo Jimmy—. Yo vengo a avisarte. Yo soy el que hace todo el trabajo importante, me cago en Dios. ¿Y tú? Tú comes pizza y te quejas. Tu hermano Hugo me contó grandes historias sobre ti en la trena, me dio a entender que eras un hombre que no conocía el miedo, que eras un duro comedor de tacos. Pero ahora veo tu verdadera naturaleza. Eres un mexicano de pacotilla, un fracasado. —Jimmy señaló la salsa de tomate de la camisa de Darío—. Mírate, ni siquiera eres capaz de tragarte una pizza decentemente.

Darío comenzaba a cansarse del sermón de Jimmy.

—Te atribuyes muchos honores —dijo—. Si no hubieses incorporado a Winston, no tendría que matarlo nadie.

—Puede ser —afirmó Jimmy—, pero ¿quién habría recogido la pasta?

Darío intentó pensar. No debía perder la línea principal. En las últimas semanas había aprendido que discutir con Jimmy era totalmente inútil. No, debía volver a la esencia del problema. El cabeza roja de su amigo le había dicho que Winston Malone intentaba dejarle fuera del negocio. No podía permitir que eso pasara. Jimmy tampoco quería que pasara eso porque si no jamás le habría contado que el negro había tramado un plan para jugársela. «¡Mierda! —pensó Darío—. Si continúa dando problemas, tal vez sea Jimmy el que lo haga.» Eso no podía pasar. La solución que había propuesto Jimmy era sencilla: Darío debía ajustar cuentas con Winston Malone y, como contraprestación, Jimmy recogería la pasta.

Le había dicho a Jimmy que nunca había matado a nadie, pero era mentira. En México, cuando tenía trece años, había disparado en el vientre a un borracho que estaba molestando a su hermana, dos años mayor que él. Aunque Darío no pretendía matar al hombre, el gordinflón murió en el hospital a consecuencia de las heridas. A pesar de ello Darío no se consideraba un asesino. Y en ningún momento había tenido en cuenta que durante aquel asunto del secuestro tuviera que cargarse a nadie. Pero tal y como estaban las cosas, no tenía muchas opciones. No le gustaba lo que Jimmy Roma acababa de contarle, pero tampoco quería ponerlo a prueba persistiendo en su negativa de liquidar al negro. Además, ¿cómo podía estar seguro de que a Jimmy no se le pasaría por la cabeza terminar el trabajo con Winston Malone en lugar de hacerlo con él? Esos dos millones de dólares estaban tan cerca —casi podía oler el dinero—, que no podía permitirse dejar pasar la oportunidad. Así que tomó una decisión. Tocó el crucifijo de la cadena de plata que llevaba al cuello y dijo:

—Vale, lo arreglaré. Encárgate de la pistola.

Después se levantó y se fue.

Pero poco antes de que llegara a la puerta, sintió la mano de Jimmy sobre su hombro. Su amigo calvo señalaba al presidente Bush que continuaba recalcando enérgicamente que la guerra preventiva era la mejor táctica en esos tiempos difíciles.

—Tiene razón, Darío —dijo Jimmy—. A veces uno debe atacar para evitar que le sorprendan mientras duerme.

Darío asintió, chupó un resto de tomate de su pulgar y dijo:

—Sí, y a veces uno debe cambiarse de camisa.

La propuesta de Jimmy no era disparatada. Y a pesar de ello había algo que no terminaba de gustar a Darío. Tenía que ver con el negro. Winston Malone no le parecía una lumbrera, sino más bien alguien que se alegraba mucho de poder participar en aquel asunto. Winston no le parecía el tipo de persona capaz de tener intenciones ocultas.

Jimmy le había dado una Beretta, un arma que según él era de fácil manejo incluso para alguien que nunca hubiera disparado. Y Jimmy había enroscado un silenciador al arma al menos tan grande como la propia pistola.

Darío sopesó la Beretta en la mano y apuntó a la pared de su dormitorio. Intentó imaginar que Winston Malone se encontraba contra la pared y que él, en ese instante, debía apretar el gatillo.

Aquello le proporcionó una rara sensación. No era algo que le hiciera sentirse cómodo, al contrario. Mientras su mirada iba de la pared a la Beretta que tenía en la mano, se dio cuenta de que no podía mantener quieta la muñeca: temblaba. Estaba nervioso. ¡Joder! Debía mantener la calma.

De pronto se le ocurrió una idea: ¿qué sucedería si imaginara que el hombre al que tenía que liquidar no era Winston Malone, si no alguien a quien despreciaba, alguien como Jerry Springer? ¿Podría entonces apretar el gatillo sin problema? Odiaba profundamente a Jerry Springer, a él sí que podría llenarle el cuerpo de plomo. ¿O no? Pensó un momento, negó con la cabeza y dijo para sí: «No, no funciona. ¿Cómo vas tener a un negro delante e intentar convencerte de que es ese paliducho de Jerry Springer?».

Darío intentó centrar sus pensamientos en otra cosa. ¿Dónde debería liquidarle? Tampoco había pensado en eso. En cualquier caso no lo haría en presencia de los rehenes como había hecho Jimmy con ese pajero de la agencia matrimonial. Eso sólo provocaría pánico. Pero entonces, ¿dónde? La habitación Disney en la que estaban encerrados los rehenes era la única estancia que podía amortiguar el sonido de un disparo, pero dispararía con un silenciador, así que no tenía que preocuparse del estruendo. ¿Qué determinaba la elección del lugar?

De nuevo se preguntó si podría hacerlo: apuntar el cañón de la Beretta a la cabeza de Winston y apretar el gatillo. Sería muy diferente a aquella vez en México. Entonces había disparado para defender a su hermana, ahora dispararía para asegurarse de que sería rico.

¿O podía verlo como defensa propia? Jimmy había dicho que el negro tramaba algo. ¡Bah!, visto así, se trataba de él o de Winston Malone. Comer o ser comido, como solía decir siempre su madre. Esas palabras habían impresionado mucho a Darío cuando era joven. Y a pesar de ello no estaba seguro de que pudieran aplicarse a aquella situación.

Darío decidió que necesitaba algo para mantener la calma, una ayudita para resolver el asunto. Llamó a un camello que solía parar por los alrededores de Upper East Side y oyó que en diez minutos podía recoger su pedido en la esquina de la calle 93 con la avenida Madison.

30

Winston se dio cuenta de que a Darío López le pasaba algo desde el momento en el que éste le pidió que bajaran un momento a la piscina del sótano. Un tufo a marihuana envolvía al mexicano como un denso manto y tenía un extraño brillo en los ojos. Parecía estar alerta y adormecido a la vez.

Bajaron la escalera de caracol que unía la habitación de la televisión y el sótano, con Winston a la cabeza, como quería el mexicano. Al darse cuenta de que Darío no se despegaba de él, Winston volvió a preguntar qué se les había perdido en la piscina.

—Ya te lo contaré —dijo Darío.

Eso mismo le había respondido la primera vez que Winston le preguntó y después se había callado, igual que ahora. Dijo a Winston que se lo contaría más tarde pero el tipo no había abierto la boca. Así que Winston decidió esperar; por lo visto el mexicano quería hacerse el misterioso. A Winston cualquier cosa le parecía bien siempre y cuando Darío no estuviera pensando en que se dieran juntos un chapuzón, porque entonces le iba a decepcionar. Pero Winston no creía que el mexicano estuviera ansioso por nadar, iba demasiado colocado para eso, y a la gente que está colocada le gusta menos el agua fría que a aquellos que están serenos.

Pero ¿qué quería hacer el mexicano en la piscina? ¿Y por qué se comportaba de esa forma tan extraña? Darío López no había estado muy hablador en los últimos días, pero ahora estaba directamente mudo. Tal vez tuviera un mal día y por eso se comportaba de esa forma tan extraña.

Winston iba a preguntar de nuevo qué iban a hacer, pero cambió de opinión. No quería desquiciar al mexicano innecesariamente y correr el riesgo de que se pusiera de peor humor. Por eso decidió preguntar otra cosa, algo que alegrara a Darío. Después de bajar la escalera Darío le dijo que caminase por el lateral de la piscina.

—Darío, ¿qué vas a hacer con tu parte de la pasta? —preguntó Winston.

El mexicano continuaba andando detrás de él. Winston creyó oírle respirar más fuerte, pero tal vez fuera porque allí abajo, salvo el suave murmullo del agua cristalina, no se oía nada. Como el mexicano no respondía, Winston dijo:

—Yo me iré a México con mi mujer.

—No —respondió el mexicano a su espalda.

Winston se dio la vuelta. Se encontraban a mitad del largo de la piscina, Winston de espaldas a ella, Darío justo delante de él, con aquella extraña expresión en la cara.

—¿Qué quieres decir? —preguntó Winston.

—Tú no irás a México, amigo.

—¿Por qué no? —continuó preguntando Winston.

Darío entrecerró los ojos y se quedó mirándolo.

Entonces Winston tuvo la certeza de que pasaba algo. El mexicano estaba enfadado con él. Pero ¿por qué? ¿Por qué decía que Winston y Cordelia no iban a ir a México? ¿Qué le importaba a él?

—Porque vas a nadar —dijo el mexicano.

Y antes de que Winston pudiera levantar las manos sintió los punzantes dedos de Darío López en el pecho y cayó de espaldas a la piscina.

Winston se asustó y gritó. Al caer sobre la superficie del agua, olvidó cerrar la boca y tragó una buena oleada de agua. Un instante después sintió que estaba aterrorizado. Se encontraba *bajo el agua*. Pataleó buscando el fondo, pero no notó nada firme, sólo agua. Con gran dificultad logró por fin salir a la superficie. Mientras agitaba salvajemente brazos y pies, calculó la distancia que había hasta el borde de la piscina, donde se encontraba el mexicano: tres metros como mucho. Tenía que llegar pronto a la orilla. Su ropa pesaba mucho y amenazaba con arrastrarle hacia abajo. Sintió que su pánico crecía. No sólo porque su ropa estuviera empapada y se le pegara a los brazos, piernas y torso como un despiadado lastre, sino por algo mucho más sencillo, un hecho que Winston había logrado ocultar al mundo desde primaria ya que sólo habría sido motivo de burla. La única que lo sabía era Cordelia, su mujer.

Winston Malone nunca había aprendido a nadar.

Se esforzó por mantener la calma. Pensó en su padre, en su deseo de tener un final feliz, y, en efecto, haciendo un esfuerzo extremo, logró llegar al borde de la piscina, donde el mexicano, que olía a marihuana, lo miraba esbozando una extraña sonrisa en la cara. Jadeando, Winston se aferró al borde de baldosas blancas y estiró el brazo.

—Si esto es una broma lamento decepcionarte, pero no me gusta. Ayúdame a subir.

—No —dijo el mexicano riendo—. Tú te quedas en el agua.

Después apoyó el tacón de su bota negra en la mano de Winston, esa mano que se aferraba al bordillo de baldosas. Winston soltó un alarido y cayó de nuevo a la piscina volviendo a desaparecer bajo el agua. En esa ocasión logró cerrar la boca para que no le entrara agua, pero tardó más en salir que la primera vez. Intentaba hacer movimientos de natación con las manos para no irse inmediatamente al fondo. El mexicano lo miraba desde el borde y preguntó:

—¿Es que no tenías bastante con un tercio?

—¿Qué? —dijo Winston.

Hizo lo posible para que su voz no sonase atemorizada mientras pensaba: «Aquí pasa algo muy gordo, algo que tendría que haber visto venir». El mexicano sonreía, pero sus ojos castaños no acompañaban el gesto. Entonces sacó una pistola del bolsillo interior de su chaqueta de ante, apuntó el arma a la frente de Winston y preguntó:

—¿Así que te crees más listo que yo?

Ahí estaba, aquello no marchaba bien. El mexicano hacía preguntas sin mostrar el menor interés por la respuesta. Incluso era mejor que no tuviera interés en conocer las respuestas, porque desde que apuntó la pistola a la frente de Winston, éste no podía pensar en otra cosa que en las balas que tendría y en qué se sentiría al morir. Una débil voz en la cabeza de Winston le gritaba que tal vez su salvación dependía de una respuesta a las preguntas del mexicano, pero a Winston no le quedaban ni tiempo ni energía para pensar las preguntas que le había hecho. Intentó entonces moverse hacia el centro de la piscina, lejos del mexicano y de su pistola. A duras penas consiguió alcanzar su objetivo, pero el esfuerzo consumió sus fuerzas y el agua comenzó a tirar con más fuerza de él. Se preguntó cuánto tiempo resistiría. Quiso pedir ayuda, pero cuando se disponía a gritar, volvió a hundirse. Tragó otra gran cantidad de agua. Sacudiendo frenéticamente los brazos, Winston logró mantener la cabeza fuera del agua. Miró al mexicano, a la pistola. Era evidente que el mexicano no tramaba nada bueno, pero ¿a qué esperaba? ¿Por qué no le disparaba ya?

Darío López se preguntó por qué no se había dado cuenta desde el principio. Debería haberlo notado la primera vez que Winston sacó la cabeza del agua: la forma en la que agitaba los brazos a su alrededor, la mirada en sus ojos, esa mirada que irradiaba angustia. En aquel momento Winston aún no tenía motivos para temer por su vida. Darío podía haberle empujado a la piscina a modo de broma pesada. Pero el mexicano había visto el pánico en sus ojos, el pánico de alguien que no sabe nadar. «El negro no sabe nadar. No tendré que dispararle», pensó Darío mientras constataba con satisfacción lo mucho que le costaba a Winston llegar pataleando al centro de la piscina. Lo único que tenía que hacer era esperar a que el hombre se ahogara. Y, por lo visto, no faltaba mucho, menos aún si no se le ocurría quitarse la ropa. Darío sintió que los músculos de sus hombros se relajaban. Nunca lo reconocería ante Jimmy, pero se sentía bastante aliviado de no tener que matar a nadie. Por supuesto era él quien había empujado a Winston a la piscina, pero sólo lo había hecho porque sería un bonito blanco. Empujar a alguien a una piscina no era lo mismo que matar. Muchas personas se empujan en las piscinas. Pero la gente normal sabe nadar y vuelve a salir. Darío bajó la Beretta, tocó con su mano libre la cruz que llevaba al cuello colgada de una cadena y musitó una breve oración para tranquilizar su conciencia. Después esperó a que Winston Malone júnior desapareciese bajo la superficie del agua por última vez.

El mexicano esbozó una sonrisa, y sus ojos brillaron como si de pronto comprendiese algo, como si cayera en la cuenta de algo en lo que no había reparado antes. Incluso guardó su pistola. Winston estaba a punto de suspirar aliviado, tal vez se trataba de una broma pesada después de todo; pero cuando relajó los músculos, su cabeza se hundió y tragó mucha agua. En lugar del mexicano volvió a ver el amenazante vacío azul bajo la superficie del agua. Al intentar subir, abrió la boca presa del pánico y a su garganta entró aún más agua. Entonces sintió que ya no podía cerrar la boca. Le picaba la nariz y sus pulmones necesitaban aire. Justo cuando pensaba que estaba a punto de alcanzar la superficie, su pie derecho tocó algo firme, el fondo. Se asustó tanto que inhaló profundamente. Su garganta parecía hinchada. Y de pronto Winston vio a su padre. Winston Malone sénior puso una mano fraternal sobre el hombro de su hijo, y Winston se vio a sí mismo en el porche de la casa de sus padres cuando tenía ocho años. Su padre le aconsejaba, le contaba que un hombre debe llevar las riendas de su propia vida. A continuación Winston vio a su madre llorando tras enterarse de que su marido había muerto en el frente. Y ahí estaba Cordelia advirtiéndole, intentando convencerle de que no colaborara con aquella gente. Cordelia, furiosa, le preguntaba qué debía hacer si él acababa en la cárcel. La cárcel. Bueno, allí ya no iba a ir en ningún caso.

Y mientras notaba cómo iba perdiendo el conocimiento, pensó en su final feliz, el final feliz que había pensado para él y para Cordelia, el final feliz que ya no tendría. Todo se había convertido en una pesadilla.

Una vez más intentó reunir fuerzas para ascender a la superficie. Fue inútil. Sus brazos y piernas se negaban a moverse. Aquél era el fin y era cualquier cosa menos feliz. Volvió a ver la cara de Cordelia. Ya no parecía enfadada. Le sonreía y le decía que todo iba bien.

31

Jimmy Roma observaba atentamente desde el último peldaño de la escalera de caracol. Había intentado bajar la escalera con el mayor sigilo posible, pero comprobó que en realidad esa precaución era innecesaria. El griterío y el chapoteo de Malone le habrían permitido bajar incluso con botas vaqueras; ni aún así le habrían oído Malone y el mexicano.

Darío López se encontraba en el borde de la piscina de espaldas a Jimmy, mirando el lugar en el que Malone se había hundido en el agua hacía unos segundos. «Vaya sorpresa —pensó Jimmy—. El negro no sabe nadar.» No estaba seguro de haberlo visto bien, pero creía haber notado que Darío titubeó cuando podría haber matado fácilmente a Malone. Jimmy pensaba que Darío no se había atrevido a disparar. El hecho de que primero le hubiera empujado a la piscina, cuando podría haberle disparado sin más por la espalda, le decía bastante sobre el tamaño de las pelotas del mexicano. Incluso estando colocadísimo le costaba llevar a buen término una tarea tan fácil como aquélla. Además tenía la ventaja de que el negro no sabía nadar, de modo que no tuvo que desperdiciar ni una sola bala con él.

A Jimmy le venía bien que Malone no supiera nadar y que Darío no tuviera intención de disparar. Que el mexicano no hubiera intentado utilizar su arma facilitaba mucho las cosas a Jimmy, pero debía darse prisa. Malone llevaba más de diez segundos bajo el agua y Jimmy estaba seguro de que el negro no saldría por su propio pie. Miró su reloj y se concedió medio minuto.

Entretanto caminó por las baldosas de la piscina en dirección al mexicano. Darío continuaba sin oírlo; estaba allí, al borde de la piscina, agarrando la cruz que colgaba de su cadena. Jimmy se acercó a seis metros del mexicano. Miró su piel oscura y curtida y recordó los comentarios que solía hacer sobre su calva, sobre el hecho de que tardara menos en quemarse que la mayoría de la gente. Sentía curiosidad por saber si el mexicano seguiría bromeando después, cuando por ejemplo viera la Beretta que Jimmy estaba sacando de debajo de su cazadora. El mexicano continuaba sin ser consciente de su presencia.

Jimmy tosió exageradamente.

Darío López soltó la cruz y se dio la vuelta.

—Eh, Jimmy.

Jimmy guardó silencio y vio que Darío estaba pensando, cosa que en ese momento hacía con más lentitud de la habitual por estar colocado. Por fin el mexicano dijo:

—Ya no necesitas la pistola. Se está ahogando.

—¿Es así? —preguntó Jimmy.

El mexicano ni siquiera se había dado cuenta de que tenía la 9 mm apuntándole al corazón. Sólo había visto que Jimmy tenía la 9 mm en la mano. El mexicano se limitaba a estar allí, a un metro del borde de la piscina, colocado y sin percatarse de lo que iba a suceder.

—Acércate al borde, mira a ver si Malone aún suelta aire —dijo Jimmy.

—¿Por qué no lo miras tú mismo? —preguntó Darío—. Ya te he dicho que se está ahogando. No sabe nadar. Tardé en darme cuenta pero...

En el pecho del mexicano entró la primera bala. Se quedó sin aliento e intentó decir algo.

Jimmy disparó dos veces más alcanzando a Darío en el cuello y en la cabeza.

El mexicano se tambaleó y dio un paso atrás, hacia el borde de la piscina. Un instante después cayó, no, se deslizó hasta la piscina flotando de espaldas. Lo primero que pensó Jimmy fue: «Bien, éste ya no volverá a hacer estúpidos comentarios sobre los calvos».

El cuerpo sin vida del mexicano no tardó en emerger, convirtiéndose en el epicentro de una gran mancha roja que crecía rápidamente. Jimmy se sentía tan satisfecho ante aquella visión que casi olvida a Winston Malone júnior. Hacía un minuto que el negro estaba bajo el agua. «Es mucho, mucho pero no suficiente», pensó Jimmy contento. No habría podido idear un método mejor. Dejó la 9 mm sobre las baldosas de la piscina y se quitó la ropa. Cuando estuvo en bóxer, un calzoncillo azul con osos polares, cogió aire, intentó no pensar en toda la mierda que había en el agua y se tiró a la piscina.

Winston no sabía si se estaba muriendo o si había muerto ya. Sólo veía manchas blancas y azules y tenía la sensación de que su cuerpo estaba a punto de explotar. Sus pulmones ardían; veía un montón de extrañas imágenes pasando ante él. Entonces hubo una explosión, y acto seguido el espacio blanco y azul que tenía a su alrededor se tiñó de rojo oscuro, rojo sangre, casi al instante. Aquello respondía a su pregunta: estaba muerto y se encontraba en el infierno; pero ¿por qué no tenía calor? ¿Acaso no era cierto que hacía calor en el infierno? En el rojo resplandor que había sobre él creyó ver un cuerpo humano. A continuación, un rostro apareció junto al cuerpo. La cara descendió a toda velocidad, directamente hacia él. En el momento en el que Winston perdía el conocimiento, vio dos manos que lo agarraban.

Malone seguía vivo. Estaba inconsciente, pero respiraba. Jimmy lo arrastró hasta la superficie, había logrado sacar su pesado cuerpo del agua. Ahora jadeaba sobre las calientes baldosas azules de la piscina esperando a que el negro volviera en sí. Malone tosió y gimió, y Jimmy decidió que había llegado el momento de quitarse los calzoncillos y ponerse su ropa seca. Se estaba abrochando los botones de la camisa cuando Malone abrió los ojos. El negro quiso decir algo, pero en lugar de palabras expulsó agua mezclada con vómito. La papilla amarillenta cayó sobre las calientes baldosas y sobre los mocasines negros de piel de Jimmy.

—¡Muy bonito! —dijo Jimmy—. Te salvo la vida y me lo agradeces vomitando en mis zapatos.

A Winston le daba vueltas la cabeza y le ardía el estómago. Oyó la voz de Jimmy Roma, pero no entendió una palabra de lo que dijo. Sólo era consciente de una cosa: no estaba muerto. Seguía vivo y se encontraba tumbado en el borde de la piscina desde donde le había empujado Darío López provocando que hubiera estado a punto de ahogarse. Al pensar en Darío López se asustó. Quiso incorporarse para darse la vuelta, pero se le revolvió el estómago y volvió a vomitar, esta vez sólo agua. Intentó ignorar el sabor agrio que tenía en la boca. Por fin logró sentarse y mirar a Jimmy Roma.

—¿Dónde está Darío? —dijo.

—Darío está muerto.

—Ha intentado matarme —dijo Winston.

Continuó vomitando aunque en menor cantidad que antes, y ahora el sabor ácido se le quedó en la garganta provocándole un ataque de tos. Soltó más vómito, esta vez sobre las baldosas azules de la piscina cerca del zapato izquierdo de Jimmy.

—Ha intentado matarme —repitió.

—Lo sé. Pero no lo ha conseguido porque le he disparado. —Jimmy le miró y le tendió la mano—. ¿Puedes ponerte de pie?

—¿Por qué?

—Porque no tiene sentido seguir aquí —dijo Jimmy.

—¿Por qué intentó matarme?

Jimmy se encogió de hombros. Después resopló y dijo:

—Parece que nuestro amigo mexicano estaba bastante colocado. Tal vez le falló la sesera. ¿Quién iba a decirlo? El hecho es que llegué justo a tiempo y que por eso sigues vivo.

En efecto, seguía vivo, cuando ya pensaba que había aterrizado en el infierno. Su cabeza dejó de dar vueltas y su estómago también parecía irse tranquilizando poco a poco. Se incorporó tambaleándose.

—¿Cómo sabías que estábamos aquí abajo?

Jimmy negó con la cabeza.

—No lo sabía. Estaba en la cocina y oí un chapoteo. Entonces fui a la habitación de la televisión, vi la puerta del sótano entornada y decidí bajar a ver quién andaba por aquí. Cuando estaba en la escalera oí que Darío te amenazaba.

—Ah —dijo Winston.

Jimmy echó un vistazo a la ropa empapada de Winston.

—¿Por qué no te das una ducha caliente? Y ponte algo seco.

La idea de la ducha le atraía. A pesar de las baldosas calientes empezaba a tener frío con la ropa mojada. Continuaba confuso por lo sucedido, pero pensó que quedarse allí y volver a coger frío no le haría sentirse mejor. Se quitó el jersey y dijo:

—Tienes razón. Le pediré a Cordelia que me baje ropa seca.

Se dirigía a la escalera de caracol cuando Jimmy lo agarró del brazo.

—¿Qué? —preguntó Winston.

—Creo que será mejor que no le cuentes nada de esto a tu mujer.

—¿Por qué no?

—Si se entera de que han estado a punto de matarte, podría darle un ataque de pánico.

Winston dudó. Tal vez Jimmy tuviera razón; pero él también tenía una buena razón para contárselo a Cordelia. Su mujer le había dicho que no se fiaba ni un pelo de Jimmy Roma. Si le decía que ese Jimmy del que no se fiaba acababa de salvarle la vida...

—¿Winston? —preguntó Jimmy—. Sé lo que estás pensando: no le caigo bien a tu mujer y te gustaría demostrarle que soy de fiar. ¿Tengo razón o no?

—Eh... Sí, así es.

—Gracias, Winston. Te lo agradezco. Eres una buena persona y me alegro de haber podido salvarte la vida, pero prefiero que esto quede entre nosotros. Así podremos mantener la calma y centrarnos en la pasta que hay que recoger. Podrás contarle todo a Cordelia en cuanto estéis en cualquier parte de Sudamérica y sea capaz de digerirlo con tranquilidad.

Winston se tomó en serio el consejo de Jimmy. ¿Por qué iba a sacar a Cordelia de sus casillas innecesariamente? Todo había acabado bien y ya no tenía por qué temer a Darío. El mexicano estaba muerto y él seguía vivo. Haría lo que había propuesto Jimmy. ¿Y luego qué? Luego se fumaría un cigarrillo.

32

—¿Te has recuperado? —preguntó Jimmy.

Malone dio una calada a su cigarrillo.

—Sí, no te preocupes.

—¿Seguro?

—Seguro. Mi padre combatió en Vietnam, Jimmy. Estoy acostumbrado a ciertas cosas.

—¿Sobrevivió?

—No.

—Lo siento.

—No tienes por qué disculparte. Ya lo he superado.

Jimmy creyó que Malone decía la verdad, porque se echó a reír.

—¿Sabes qué es lo más gracioso? —dijo Winston—. Cada vez que le cuento a alguien que mi padre fue a Vietnam en helicóptero, Cordelia me interrumpe y dice: «No, Winston, fue a Vietnam en avión. ¿Por qué insistes en que fue en helicóptero?». Mira, Jimmy, yo sé que nadie fue a Vietnam en helicóptero. No me chupo el dedo. Pero si le cuento a alguien que mi padre pasó antes unas horas en un avión jugando a las cartas con algunos compañeros de infortunio, mientras flirteaba con un grupo de hermosas azafatas y bebía cócteles gratis, su atención disminuye. La gente quiere acción, ¿comprendes?

Se encontraban en la habitación de la televisión viendo un partido de béisbol entre los Mets y los Blue Jays. Cordelia preparaba la cena en la cocina. Le habían dicho que Darío no quería cenar y se había acostado pronto.

Malone no había mencionado a Cordelia el pequeño contratiempo que había tenido con Darío, cosa que alegraba mucho a Jimmy. Eso sólo lograría desquiciar a Cordelia, y si Malone le contaba lo que había ocurrido exactamente, ella calaría la verdadera intención de Jimmy, tenía más cerebro que Malone. Al contrario que su marido, Cordelia se formaba una imagen de su futuro basándose en el presente. Malone sólo miraba al futuro con los ojos cerrados y sin anhelo alguno, ciego a todo lo que ocurría a su alrededor.

Y sin embargo Jimmy tenía que reconocer que Malone se había repuesto del susto antes de lo que esperaba. Después de darse una ducha y ponerse ropa seca, Winston había cogido la guía de la televisión para ver si ponían alguna película interesante.

—Así que siempre digo que mi padre fue a Vietnam en helicóptero —dijo Malone—. Sé muy bien que primero fue en avión, pero después lo soltaron en alguna parte desde un helicóptero. De modo que no miento, en mi historia sólo omito el avión. Cordelia es la única que me lo ha comentado. Ninguna de las personas a las que he contado esa historia se ha dado cuenta de que faltaba el avión.

Cordelia entró en la habitación de la televisión con una humeante fuente llena de espaguetis. Lanzó a su esposo una mirada compasiva y dijo:

—Winston no comprende que la gente no se atreve a interrumpirlo cuando habla de su difunto padre. Por supuesto todos piensan: «Eh, me falta un avión en esta historia», pero nadie comenta nada para no herir sus sentimientos.

—¿Qué te había dicho? —comentó Malone dejando caer el cigarrillo a las baldosas y apagándolo con el zapato—. Siempre que cuento esta historia me interrumpe.

Miró a Cordelia.

—¿Por qué no te acercas al *deli* y compras cerveza y tabaco? Así al menos podré acabar la historia.

—Si quieres cerveza o cigarrillos —dijo Cordelia—, ve tú a por ellos.

Dejó la fuente en la mesa del salón y volvió a grandes pasos a la cocina donde empezó a fregar armando más escándalo del necesario.

Malone se encogió de hombros.

—Dicho de otro modo: ¿has visto alguna vez una película, y me refiero a una película sobre Vietnam, en la que lleven a los soldados a la jungla en un avión? Seguro que no, y te diré por qué. Porque no se ha hecho ninguna. Ese tipo de películas no existe. —Esperó un momento, bebió su cuarta botella de Rolling Rock y continuó su historia—. Los cineastas se saltan la escena del avión. La gente que va al cine no va a ver a una panda de tíos que hablan durante diez minutos sobre el tiempo cuando están a diez mil metros de altitud. Lo que quieren es hora y media de acción, por eso los cineastas meten a todo el mundo en un helicóptero. Al fondo se ve un mar de llamas anaranjado y bosques negros calcinados. Mezclados con el zumbido del helicóptero, se oyen disparos. De esa forma los espectadores saben desde el principio que aquello va en serio, y se alegran de estar a salvo en una cálida butaca de cine en lugar de en un vulnerable helicóptero.

Malone se quedó callado. Al parecer la historia había acabado.

—De modo... —dijo Jimmy.

—¿Entiendes lo que te quiero decir? —interrumpió Malone.

—Sí, creo que te entiendo —respondió Jimmy esperando que sonara convincente.

—Lo crees, pero no estás seguro, ¿eh?

El muy colgado seguía en sus trece. Al principio, Jimmy se había alegrado de que Malone no hubiera vuelto a mencionar el incidente de la piscina, pero su satisfacción pasó a ser exasperación gracias al interminable torrente de información inútil que fluía de la boca del hombre que estaba a su lado.

—Dicho de otro modo —dijo Malone—. En cuanto menciono un helicóptero, la gente sabe de qué estoy hablando. Tienen un... ¿Cómo se llama eso? Un referéndum...

—Un referente —corrigió Jimmy.

—Exacto, un referente. A eso es a lo que me refiero. Tienen un referente. La gente escucha mi historia e imagina un grupo de tipos jóvenes de aspecto inocente que se miran nerviosos en ese helicóptero. Todos tienen un miedo atroz, pero intentan ocultárselo a los demás. Sudan y se hacen preguntas del estilo: «¿No tienes miedo a morir?». O se enseñan fotos de las novias que han dejado en casa, que suelen ser pequeñas y en blanco y negro, las fotos, por supuesto, no las chicas. Las fotografías están dobladas y tienen arañazos. El blanco y negro te indica que son fotos antiguas, y que las chicas retratadas están muy lejos, fuera de alcance...

—Lo entiendo. Omitiendo las partes aburridas de la historia, como el viaje en avión, te aseguras de que la gente te escucha cuando hablas de la muerte de tu padre.

—Jimmy... —dijo Malone—. Eso es exactamente lo que quiero decir.

Después de fregar, Cordelia regresó a su habitación. Jimmy reconocía que el comportamiento de la mujer le sorprendía positivamente. Estaba convencido de que sería testaruda y que no pararía de hacerle preguntas que en realidad debía hacerle a Malone, pero hasta el momento no había sido así. Desde que llegó a la casa apenas había salido del dormitorio de Heather Gardner, tal y como le había ordenado Jimmy a través de Malone.

Ya eran las diez y media, y se encontraban en la habitación de la televisión. Malone estaba repantigado en el sofá con una botella de Rolling Rock medio vacía en la mano. Con los ojos entrecerrados miraba a Lee van Cleef y a Clint Eastwood en *El bueno, el feo y el malo.*

Jimmy seguía la película a medias. Pensaba en su plan del día siguiente. Por supuesto no saldría como le había prometido al actor. Jimmy no iría a recoger el rescate, enviaría a Malone. Había ordenado a Jack Gardner que pasara un cuarto de hora sentado en la fuente Bethesda para que Malone pudiera localizarle. A continuación Malone tendría que abordarlo y coger la bolsa, comunicándole que el plan había cambiado. La razón por la que Malone no debía dirigirse enseguida hacia Jack era que Jimmy quería concederle unos minutos para averiguar si había policías entre los turistas. «Incluso alguien con la escasa inteligencia de Winston Malone puede hacerlo», pensó Jimmy. No es que contara con que Jack Gardner fuera tan insensato como para implicar a la policía, le había dejado bien claro qué ocurriría con su mujer y su hijo en tal caso. Jimmy también iría a la fuente, sin que Malone lo supiera, para asegurarse de que éste no se largaba con la pasta, y para comprobar que nadie lo seguía cuando regresara a la calle 95. «Sí —pensó Jimmy—, el plan está bien montado.»

Jimmy vería más adelante cómo podía hacerse con la bolsa de deporte. Lo más probable es que siguiera a Malone al metro y lo cogiera allí por sorpresa. La última parte del plan no le preocupaba. Jimmy no dudaba de que si la entrega de la pasta discurría sin problemas, el resto —ajustar cuentas con Malone y marcharse con el dinero— era pan comido. Además disponía de tiempo suficiente para coger un taxi hasta el aeropuerto JFK y llegar a su vuelo de las diez a Nueva Orleans.

Ahora tenía que contar a Malone que sería él quien iría a buscar la pasta, y para eso necesitaba que le prestara toda su atención. Sabía que nunca tendría el cien por cien de su atención si Malone continuaba viendo a esos vaqueros en la pantalla, así que cogió el mando a distancia y apagó la televisión.

—Pero ¿qué haces? —preguntó Malone—. Todavía no ha acabado.

Jimmy ignoró el comentario y dijo:

—He hablado con Jack Gardner.

Malone intentó arrebatarle el mando a distancia pero Jimmy mantenía el aparato fuera de su alcance:

—Si me escuchas cinco minutos —le dijo—, podrás seguir viéndola.

—¿No podemos hablar de ello mañana? —preguntó Malone mirando de forma obsesiva el mando.

—Mañana irás a recoger el dinero —dijo Jimmy.

Aquel comentario funcionó: Malone le escuchaba. Tras mirar largo rato a Jimmy, preguntó:

—¿Yo?

—Sí, Winston —dijo Jimmy—. Tú. Tú vas a ir a recoger el dinero mientras yo me quedo aquí con Cordelia para asegurarme de que no te marchas con la pasta. Si aún así decides pirarte, bueno, tu mujer no volverá a cumplir años.

—¿Jimmy? ¿Es una amenaza? ¿Por qué me dices eso? No voy a marcharme con la pasta, de verdad. ¿No estamos juntos en esto?

—No te lo tomes como algo personal. Sólo te digo esto para recordarte que los socios no deben jugársela mutuamente. Ya has visto que Darío perdió la cabeza. No espero que tú cometas el mismo error, pero tampoco nos conocemos tanto y estamos hablando de dos millones de dólares, no de la compra del fin de semana.

—Espera —dijo Malone mirándole con cierta preocupación—. ¿Por qué tengo que ser yo el que vaya a recoger el dinero? Si no te fías de mí, ¿por qué no vas tú mismo?

—No he dicho que no me fíe de ti, pero bueno, si lo prefieres, lo haré yo. Había pensado que lo recogiese Darío; pero, como ya has comprobado, Darío tenía otros planes que no encajaban con los tuyos y los míos. —Hizo una pausa para que Malone comprendiera bien el significado de sus palabras y después añadió—: Creí que me estarías agradecido por haberte salvado la vida.

Malone miró su cerveza.

—Y lo estoy —dijo algo perplejo. Reflexionó un instante y luego dijo—: También podemos ir juntos a recoger el dinero.

—¿Y quién cuidará de los rehenes?

—Cordelia.

—Winston, ¿por qué crees que no quería que le contaras nada de Darío?

—Porque temías que se pusiera nerviosa.

—Exacto. Y por eso tampoco quiero que le cuentes que mañana irás a recoger el dinero. Te prohibirá que vayas. ¿Has pensado en eso? ¿Y entonces qué? No, Winston, sigue mi consejo y no le digas nada a tu mujer. Ni siquiera notará que has salido un momento; y si baja, ya me inventaré algo. Le diré que has ido al supermercado. En una hora estarás de vuelta con la pasta y todos felices.

—Jimmy, Cordelia es capaz de asumir la responsabilidad de cuidar una hora de los rehenes.

—¿Has estado alguna vez en la cárcel?

—¿Y eso qué tiene que ver?

—Nunca has estado en la cárcel. Yo sí, Winston, y no quiero volver. ¿Qué hará Cordelia si de pronto aparece una amiga de Heather Gardner en la puerta? ¿Cómo estás tan seguro de que no le entrará pánico? No, si al final, cuando volvamos con dos millones de dólares, habrá un ejército de policías esperándonos.

Malone suspiró. Negó con la cabeza y después miró con tristeza el mando a distancia en la mano de Jimmy. Al parecer el muy pirado debía de estar preguntándose qué haría Clint Eastwood en ese momento.

—Bien —dijo Malone—. Lo haremos a tu manera. Yo recogeré la pasta. Di qué tengo que hacer.

33

—Apártate, por favor, volveré antes de que te des cuenta —dijo Jack.

Pero Grace Gardner no se movió. Continuaba plantada delante de la puerta del apartamento. Entretanto no dejaba de hablar del presentimiento que había tenido en los últimos días. Era un mal presentimiento. Tenía la sensación de que iba a ocurrir algo terrible. Le dijo a Jack que esa sensación era parecida a la que había tenido siete años atrás poco antes de morir su padre a consecuencia de un paro cardíaco. Volvía a tener aquella sensación, aquella horrible sensación.

Jack consideró durante un momento si debía levantarla sin más y apartarla, pero decidió que no era buena idea. No quería tener sobre su conciencia que su madre muriese de un paro cardíaco, de modo que intentó utilizar la diplomacia. Dejó la bolsa roja de deporte en el suelo y dijo:

—Si te apartas ahora, mañana por la mañana te invito a un delicioso desayuno en Bubby's. ¿Recuerdas que el verano pasado también te llevé allí? Te encantó. No parabas de chuparte los dedos con aquellos crepes.

—Jack —dijo su madre—. No sé qué estás tramando, pero sé que es algo turbio. Te he oído hablar con Dale por teléfono y te lo noto en la cara.

—Tienes razón —dijo Jack. Decidió que no podía hacer otra cosa que contar la verdad, pero sin entrar en detalles—. En efecto, es algo turbio, pero en este momento no puedo contarte de qué se trata. Lo que sí puedo contarte es que, si no te apartas enseguida, dentro de nada habrá muchas más cosas turbias.

Grace Gardner palideció.

—¿Te refieres a que estás metido en líos? —balbuceó.

—No puedo contarte nada más, de verdad. Ahora apártate, por favor.

—¿Qué hay en esa bolsa de deporte?

Le sorprendía que no lo hubiera preguntado antes. Tenía una respuesta preparada, pero se le había olvidado.

—Eh... Algunas cosas para Heather, ropa y otros chismes.

—No te creo —dijo su madre.

Jack se rindió.

—Lo siento —dijo.

Acto seguido la levantó, la llevó al salón y la dejó en el suelo.

—¿Recuerdas cuando pasé por aquí, hace dos años, y llevabas todo el día atrapada por la tabla de planchar que se había plegado de pronto?

—¿Y eso qué tiene que ver?

—¿Recuerdas que te pregunté cómo demonios te habías quedado atrapada?

—Sí, claro que lo recuerdo.

—¿Y te acuerdas de lo que me dijiste?

—Que primero me sacaras de allí. Me moría de dolor.

—¿Te saqué o continué preguntando qué había pasado?

—Me sacaste.

—Exacto. Esta situación es idéntica. Antes debo hacer algo importante. Cuando lo haya hecho te contaré por qué debía hacerlo. ¿De acuerdo?

Su madre se echó a llorar.

—Va a pasar algo grave —gimió—. Estoy segura. Oh, Jack, no te vayas por favor.

Jack le sonrió para darle ánimos.

—No pasa nada —dijo—. Volveré antes de que te des cuenta.

Una vez fuera, Jack se dirigió a grandes zancadas al Buick negro que lo esperaba al otro lado de la calle Hudson. Hacía un calor sofocante y el asfalto relucía como si lo hubieran regado. Jack abrió la puerta delantera del acompañante, entró en el coche y miró la cara seria de su doble, Dale Spencer.

—Espero que sepas lo que haces —dijo Dale.

—Confía en mí. Lo único que tienes que hacer es quedarte un cuarto de hora sentado en el borde de la fuente Bethesda y después caminar hasta el anfiteatro. Luego dejas la bolsa en el suelo y te vas a casa. Te estaré eternamente agradecido.

Dale negó con la cabeza.

—No estoy preocupado por mí, Jack. Me pregunto si tú sabes lo que haces. ¿Qué crees que ocurrirá si esos secuestradores se dan cuenta y se cabrean? ¿Eres consciente de que estás poniendo en juego la vida de tu mujer y de tu hijo?

Jack miró a Dale de soslayo. Se preguntó si alguien que estaba a punto de recibir dos millones de dólares, y por lo tanto con los nervios en tensión, notaría la diferencia entre él y Dale. Sólo le cabía esperar que no fuera así.

Dale arrancó el Buick y puso rumbo a Central Park.

—Si se dan cuenta y se cabrean —dijo Jack—, espero que maten a mi mujer en lugar de a mi hijo.

«Introduzcan todo el cuerpo, por favor», gritó la fría voz de la línea 6. Como siempre, Winston se preguntó si aquella voz creería realmente que había pasajeros que pensaban que podían dejar medio cuerpo en el andén y a pesar de ello llegar vivos a la siguiente estación, o si esa fría voz sólo sufría las consecuencias de una educación deficiente. Probablemente fuera esto último. Eso explicaría por qué le hacían soltar esas chorradas.

Mientras la línea 6 avanzaba despacio repleta de huraños neoyorquinos, Winston miró los cuatro pequeños pictogramas que tenía delante de sus narices en la puerta metálica. Se preguntó si el texto que los acompañaba habría sido inventado por la misma persona que recomendaba a los pasajeros que introdujeran «todo el cuerpo» en cada estación. Uno de los textos le informaba de que debía permanecer dentro del vagón porque los raíles eran peligrosos. En el dibujo superior se veía a un hombre colgado en una absurda postura del vagón y tocando los raíles con un solo pie. Esos chicos del metro eran gente rara.

Las puertas se cerraron y el metro se puso en marcha hacia la calle 86.

Winston decidió dejar de pensar en los pictogramas. Debía concentrarse en su encuentro con el actor, en la bolsa de deporte.

Pero volvió a distraerse. Frente a él, en el vagón, un sin techo cantaba una canción a una niña pequeña. «El viejo MacDonald's tenía una granja, *ia, ia, oh.*» Sonrió a la niña, que así pudo ver bien los pocos dientes que le quedaban. La madre de la niña tiró de ella hacia sí sin apartar la mirada de la novela rosa que estaba leyendo y la rodeó de modo protector con uno de sus brazos. La niña continuaba mirando al vagabundo con fascinación, incluso le devolvió la sonrisa.

—¿Eso no lo sabías tú, eh? —preguntó el indigente en tono cantarín—. ¿No sabías que el viejo MacDonald's tenía una granja?

La niña negó tímidamente con la cabeza.

—Bueno, ¡tengo una buena noticia para ti, pequeña! —declaró el vagabundo con solemnidad—. ¡También tiene un restaurante!

La niña rió y al fin su madre levantó la vista del libro.

—Y en ese restaurante venden unas hamburguesas condenadamente ricas —continuó diciendo el indigente mientras miraba a la madre—. Una jovencita encantadora... ¿Sería tan amable de darme algo de suelto para que luego pueda disfrutar de una sabrosa hamburguesa en una de las excelentes filiales de McDonald's? Dios se lo agradecerá, o si no lo haré yo.

Sin decir nada, la mujer volvió a fijar su atención en el libro. El vagabundo guiñó un ojo a la niña y se encogió de hombros. A continuación empezó a cantar de nuevo. «*Jingle bells, jingle bells, jingle all the way, a nice hamburger at McDonald's is all I want today!*»

Cuando al cabo de dos minutos el metro se detuvo en la calle 77, el vagabundo dio unas palmaditas en la rodilla de la niña.

—Bueno, pequeña —gruñó—. Creo que hoy no es mi día de suerte.

Las puertas se abrieron y los pasajeros salieron corriendo del vagón, Desde el andén opuesto llegaba el chispeante ritmo de las congas de un músico. Mientras Winston subía la escalera que llevaba a la esquina de la avenida Lexington con la 77, una gran sonrisa se dibujó en su cara. Por supuesto que ése no era el día de suerte del vagabundo. Era su día de suerte.

Y sin embargo notaba que empezaba a ponerse nervioso. Le sudaban las manos, pero Winston Malone no era de los que se quejaban, menos aún si no había una buena razón para ello. En pocas horas recibiría una suma que no era capaz de imaginar ni en sus más osados sueños. Apenas podía esperar a ver la reacción de Cordelia cuando tuviera ante sus ojos su parte del botín. Winston pensó que Cordelia no sabía nada y eso haría que después la alegría fuera mayor.

Él, Winston Malone júnior, estaba a punto de recibir dos millones de dólares. Mientras los sonidos de tambor se iban apagando en el andén, se preguntó cuántos de los neoyorquinos que subían apretados la escalera con él podrían decir lo mismo.

No resultaba difícil seguir a Malone. El negro estaba tan entretenido con el vagabundo y la niña pequeña que tenía enfrente que Jimmy, desde el vagón contiguo, no le había perdido de vista ni un segundo. Esa misma mañana había dado a Malone instrucciones detalladas sobre lo que debía hacer cuando Jack Gardner estuviera sentado en la fuente. Malone había escuchado con atención y parecía preparado. A Jimmy sólo le quedaba esperar que el Jack Gardner no hiciera nada raro que diera al traste con todo. Pero Jimmy no creía que el actor intentase nada, probablemente era demasiado cobarde para eso. En *While the Earth Spins*, Gardner se salvaba de las situaciones más desesperadas cada dos por tres, pero ésta era otra historia. No estaban en una serie sino en la vida real, y en esto Jimmy Roma tenía algo más de experiencia que Jack Gardner.

Jimmy subió los últimos peldaños que llevaban a la calle. Una vez arriba vio a Malone cruzando la calle 77 entre un mar de taxis. Jimmy miró su reloj, se puso las gafas de sol y comenzó a andar hacia Central Park a una distancia prudencial de Malone.

34

El sonido del agua que brotaba de la fuente Bethesda tuvo un efecto calmante en Winston. Estaba sentado en el borde de la fuente y vigilaba tanto el sendero a su izquierda como las dos escaleras de enfrente. Jack Gardner jamás podría acercarse por detrás porque allí sólo había agua. Alrededor de la fuente todo era muy bonito. El sol brillaba y el ruido de la ciudad quedaba amortiguado hasta ser sólo un soporífero sonido de fondo.

Tras sus gafas de sol Winston observaba el verdor de la hierba y de los árboles. Resultaba curioso ver cómo brillaban las azoteas de los rascacielos por encima de las copas de los árboles. Aquello no encajaba y sin embargo era real. Eran las dos y diez. Jack Gardner llegaría en cinco minutos.

Jimmy le había dado instrucciones muy precisas: «Mira bien a tu alrededor. Si ves a alguien que parezca un policía de paisano vuelves tranquilamente a casa. Que no te entre pánico. En cuanto Jack Gardner se siente en el borde de la fuente, esperas diez minutos, le observas e intentas averiguar si da señales de que alguien lo siga. Mira bien sus pies y sus manos, y también sus dedos. Si se rasca la cabeza demasiado a menudo, vuelves tranquilamente a casa. Cuando estés seguro de que no hay moros en la costa, vas hacia él y le dices que hemos cambiado de planes, que ya no hace falta que vaya al anfiteatro y que recoges la bolsa allí mismo. Dile que alguien estará vigilando todos sus movimientos mientras te vas. Si se mueve antes de que hayan pasado cinco minutos de la entrega, será a costa de la salud de su mujer y de su hijo. Déjale bien claro este punto».

Winston había preguntado que quién iba a vigilar a Jack Gardner. ¿Jimmy?

Jimmy suspiró y dijo a Winston que tal vez sería mejor que lo hiciera él personalmente.

—No, nadie va a vigilarlo, imbécil. Se trata de que piense que lo están vigilando para que no se mueva y puedas largarte sin problemas. En cuanto tengas el dinero, coges el primer metro que vaya hacia la calle 96.

A continuación Jimmy le había dado un teléfono móvil a Winston para que pudiera mantenerle al corriente de sus progresos. Winston se preguntó por qué Jimmy quería que cogiera el metro en lugar de un taxi cuando tuviera el dinero, pero no preguntó nada. Seguro que Jimmy debía de tener sus motivos.

Winston sintió que el sol quemaba sus desnudos antebrazos. Miró a los pájaros que aprovechaban todo lo que los turistas tiraban, miró a los niños jugando, a los *skaters,* a los masajistas asiáticos sentados a la sombra a los lados del paseo, intentando enganchar a los transeúntes para darles un «agradable y relajante masaje». Ya eran las dos y trece minutos. A un par de metros de distancia había una atractiva mujer pelirroja. Iba con un cochecito del que Winston vio salir una cabecita con rizos rubios. Justo delante de Winston dos niños se peleaban por una pelota canguro. No había señales de Jack Gardner por ninguna parte.

Cogió el móvil y llamó a Jimmy.

Jack sabía que estaba corriendo un riesgo considerable. Estaba sentado en el césped con un ejemplar del *New York Times,* rodeado por otros neoyorquinos que disfrutaban del buen tiempo, y por los masajistas asiáticos que cada pocos minutos le preguntaban si de verdad no deseaba un masaje, asegurándole que era bueno para combatir el estrés. Últimamente Jack Gardner estaba bastante estresado, pero por desgracia no disponía de tiempo para relajar sus músculos. Jack miró desde debajo de su sombrero de paja cómo Dale Spencer se dirigía hacia la fuente Bethesda con su bolsa de deporte Nike de color rojo vivo al hombro. En el borde de la fuente había dos personas sentadas: una mujer pelirroja con un cochecito y un negro con un extraño sombrero plano hablando por teléfono. Dale Spencer casi había llegado a la fuente. Jack vio que el negro dirigía una mirada fugaz a Dale y a continuación volvía a fijar su atención en los niños que jugaban con una pelota canguro delante de sus narices.

Winston intentaba mantener la calma. Susurró al teléfono:

—¿Jimmy? Creo que le veo.

—¿Lleva la bolsa de deporte?

—Sí.

—Muy bien. Vigílalo y recuerda lo que te he dicho. Fíjate en si hace alguna señal.

—Me fijaré —dijo Winston.

Quería decir algo más pero Jimmy cortó la comunicación.

Mientras Winston miraba a los niños de la pelota canguro, vio por el rabillo del ojo que Jack Gardner se sentaba a unos cuatro metros de él en el borde de la fuente y dejaba en el suelo, entre sus piernas, la bolsa roja de deporte. El actor, como casi todo el mundo en el parque, llevaba gafas de sol y, curiosamente, parecía pequeño. Aunque Winston no dudaba de que aquél era Jack Gardner, se preguntó si habría llegado a reconocerle en plena calle. Era muy bajo, apenas medía una cabeza más que Caesar Malvi.

Winston recordó las palabras de Jimmy. «Esperas diez minutos, le observas e intentas averiguar si da señales de que alguien lo esté siguiendo. Mira bien sus pies y sus manos.»

Winston miró su reloj. Estimó que habían pasado dos minutos, así que debía esperar otros ocho. Winston intentó mirar al actor con suma discreción. El hombre estaba inmóvil en el borde de la fuente mirando hacia adelante. No hizo ninguna señal y no parecía que nadie lo siguiera.

Cuando pasaron ocho minutos, cogió el teléfono y llamó a Jimmy.

—¿Sí? —dijo Jimmy.

—Lleva ocho minutos sentado aquí —susurró Winston—. Se acaba de rascar una vez la nariz, pero no creo que sea ninguna señal. —Miró por el rabillo del ojo a Jack Gardner que seguía mirando hacia adelante. Winston se apartó un poco del actor y susurró al teléfono—: ¿Tú qué opinas, Jimmy? ¿Crees que la costa está despejada?

—Creo que sí —dijo Jimmy—. Pero mantén los ojos abiertos.

—Podría ir ahora mismo hacia él. Me refiero a que el minuto y medio que falta tampoco es tanto.

—No —contestó Jimmy—. Espera los diez minutos. Si hace ademán de levantarse, llamas.

—¿A ti?

—No, pirado, a él por supuesto. Si hace ademán de levantarse te diriges a él y le dices que los planes han cambiado.

—¿Tengo que decirle que no hace falta que vaya al anfiteatro y que recojo la bolsa?

—Exacto. Y que no debe moverse en los próximos diez minutos si quiere volver a ver a su mujer y a su hijo con vida.

Winston asintió y dijo:

—Voy a colgar.

Aún disponía de un minuto para preparar su texto.

Winston caminó hacia el actor, le dio un golpecito en el hombro y dijo:

—¿Jack Gardner?

El hombre levantó la vista, asintió y fue a levantarse.

Winston puso una mano en su hombro y dijo:

—No, no es necesario. Continúa sentado.

—¿Qué significa esto? —preguntó el actor—. Creí que tenía que dejar la bolsa de deporte en el anfiteatro.

Winston dijo que los planes habían cambiado y que cogería la bolsa allí mismo. Gardner respondió que eso le parecía perfecto, siempre y cuando su mujer y su hijo se encontraran bien. Winston le dijo que su hijo era simpático y que habían visto juntos *Espartaco*. Después añadió:

—Enséñame la pasta.

—¿Quieres que abra la bolsa? —preguntó Gardner.

—Sí —respondió Winston—. Tal vez contenga periódicos y eso no es lo que estoy esperando.

Jack Gardner abrió la bolsa.

Winston echó un vistazo al interior. No contenía periódicos si no muchos paquetitos de billetes de cien dólares. Winston notó gotas de sudor picándole en la nuca. No se sentía nada cómodo pese a que Jack Gardner no había puesto ningún obstáculo hasta ese momento, o tal vez fuera precisamente por lo colaborador que se mostraba el actor. Era como si dar dos millones de dólares a un desconocido no le costase ningún esfuerzo. Winston había visto bastantes películas sobre secuestros en las que terminaban deteniendo a los secuestradores, por regla general cuando les entregaban la pasta. Nunca daba la impresión de que pasara nada hasta que el secuestrador tocaba el dinero. Entonces aparecían agentes del FBI por todas partes. Antes de que uno se diera cuenta ya habían pasado hasta los créditos. Winston intentó pensar en otra cosa. Quería irse lo antes posible del parque y perderse entre la masa anónima.

—Ya lo he visto —dijo—. Cierra la bolsa y dámela.

Con toda tranquilidad el actor hizo exactamente lo que Winston le pidió, ni siquiera sudaba.

Antes de coger la bolsa Winston volvió a mirar bien a su alrededor. La mujer pelirroja jugaba con su bebé, que no paraba de balbucear «gugu», «nene» y «ma»; los niños seguían saltando arriba y abajo con su pelota canguro gritando de felicidad; y los masajistas cercanos al sendero masajeaban a sus estresados clientes. La gente que había en la hierba detrás de los masajistas estaba sentada o tumbada sin prestar atención a su entorno.

Winston pensó en lo que había dicho Jimmy: «Jack Gardner debe creer que alguien lo vigila».

—Quédate diez minutos aquí —dijo—. Si te mueves antes, es posible que mi socio le haga algo al niño.

Odiaba tener que decir eso. El pequeño Darryl le caía simpático, pero Jimmy había insistido en que era importante. Había que asustar a Jack Gardner, así se reducía el riesgo de que les fastidiara.

Sin esperar respuesta, Winston se dio la vuelta y, con la bolsa de deporte al hombro, echó a andar con toda la despreocupación que pudo hacia el sendero en el que se encontraban los masajistas. Nadie gritó que se detuviera y levantara las manos. Nadie gritó que tenía derecho a guardar silencio, no había agentes del FBI por ninguna parte. Los únicos sonidos que oía eran el apacible gorgoteo de la fuente, los gritos de los niños y el bebé y, muy a lo lejos, el murmullo del tráfico de Manhattan.

Había llegado al sendero. Miró a los masajistas. Miró a sus clientes, miró a la gente que había sentada en la hierba detrás de ellos y vio a... Jack Gardner, que a su vez lo miraba desde detrás de un ejemplar del *New York Times*. Jack Gardner con un sombrero de paja en la cabeza y un periódico delante de sus narices.

Jack Gardner.

Winston se detuvo.

Era imposible.

Jack Gardner estaba sentado en el borde de la fuente. Era imposible que hubiera adelantado a Winston para sentarse en la hierba sin que éste le viera pasar.

¿O sí? Winston se volvió hacia la fuente. No, Jack Gardner continuaba allí sentado, en el borde, sin moverse. La mujer con el cochecito también seguía allí. Winston se giró otra vez hacia el hombre del periódico: era imposible que fuera Jack Gardner. Pero Winston ya no pudo ver su cara; el hombre había alzado el periódico.

Winston negó con la cabeza.

No, era imposible.

Pero ¿acaso no estaba seguro de haber visto allí a Jack Gardner? El hombre incluso le había mirado. ¿O eran imaginaciones suyas y su fantasía se había disparado?

Pensó durante un instante si debía dirigirse hacia el hombre del periódico, pero ¿qué iba a decirle?

«No puede ser —se dijo—. Debo haberlo imaginado. Tal vez haya sido por los nervios.» Miró una vez más hacia la fuente, hacia Jack Gardner. Entonces se sobrepuso mentalmente y se dirigió a la estación de metro de la avenida Lexington con 77.

35

Cordelia no entendía nada. Había bajado hacía diez minutos para coger un envase de Tropicana de la nevera. Mientras bajaba la escalera había notado que había un llamativo silencio en la casa. No oía a nadie. No había ruidos en la cocina ni sonidos de televisión. Jimmy no estaba, Darío no estaba y Winston no estaba.

Nadie.

Se sirvió un vaso de Tropicana y subió a buscar a su marido. No había ni rastro de Winston, ni en la habitación de estudios, donde Jimmy dormía, ni en la habitación Armani. En la habitación Disney, aparte de los rehenes, tampoco había nadie más. Cordelia llamó a Winston. Sin resultado. Llamó con desgana a Jimmy Roma y después también a Darío López, de nuevo sin resultado. A continuación echó un vistazo en la habitación de relax, en la habitación de invitados y en la habitación de deporte, pero allí sólo encontró silencio.

En ese momento había vuelto a la cocina, estaba junto a la caja llena de bolsas de plástico amarillas y azules del videoclub Blockbuster. Comenzaba a preocuparse. Winston le había explicado que habían pensado todo al detalle y que siempre habría alguien en casa, pero parecía que todos se habían ido.

Cordelia salió de la cocina y entró en la habitación de la televisión. En la mesa del salón había dos botellas de cerveza, una de ellas casi llena, y una bolsa de patatas picantes medio vacía. Al parecer el día anterior habían tenido juerga. Cordelia acababa de preguntarse qué debía hacer si llamaban al timbre y en la puerta aparecía una conocida de Heather Gardner, cuando sus ojos se detuvieron en la puerta que llevaba al sótano.

Sobre la puerta cerrada colgaba el letrero con una flecha señalando hacia abajo en el que ponía «piscina». Cordelia se levantó, fue hacia la puerta y bajó el picaporte. La puerta estaba abierta. Escuchó con atención pero no oyó nada.

—¿Winston?

No hubo respuesta.

Cordelia estaba a punto de cerrar la puerta cuando vio algo en el último peldaño de la escalera de caracol que bajaba al sótano. Era una prenda. Se inclinó hacia delante para ver mejor. En el último escalón había un bóxer azul con osos polares. ¿Habría alguien nadando desnudo? Eso explicaría por qué no obtenía respuesta. Tal vez le daba vergüenza. Winston no era porque, aparte de que no sabía nadar, no tenía ningún calzoncillo de osos. Volvió a llamar, y al ver que no obtenía respuesta bajó la escalera de caracol. Había un silencio sepulcral. Si alguien estuviera nadando, lo oiría. Pasó por encima del bóxer y se dirigió a la piscina.

Al ver que el agua no era azul sino de un pálido color rojo se asustó. Y volvió a asustarse cuando vio flotando dos piernas enfundadas en botas. Estaba segura de que no eran de Winston. Reconoció las botas. Estaba casi segura de que se las había visto puestas a Darío López; pero ¿cómo había ido a parar allí? Se echó a temblar y reprimió el impulso de salir corriendo, subir la escalera y salir de la casa. Decidió que antes debía asegurarse. Se sobrepuso y caminó hacia el borde de la piscina. Respiró hondo, se inclinó hacia adelante y miró a los ojos muertos del mexicano. Un instante después vio los orificios de bala en el cuerpo sin vida. Miró fijamente el agua rojiza de la piscina y susurró:

—¿Winston, dónde estás?

Jack Gardner no se atrevía a moverse ni para pasar la página del periódico. El hombre de la bolsa de deporte le había visto. Le había mirado. Y había sido culpa suya. No había logrado reprimir su curiosidad. Había querido ver la cara del secuestrador. Era negro y llevaba un gorrito de paja. Recordó que Susan Stone le había dicho que el hombre que le había dado la cinta de vídeo en el Chelsea Piers era negro. Eso significaba que el secuestrador no trabajaba solo. Jack estaba convencido de que el hombre que le había llamado era blanco.

Entonces se atrevió a volver a levantar los ojos del periódico. Recorrió el sendero con la mirada y vio que el gorrito se perdía en la lejanía. El negro se dirigía hacia la salida más próxima de Central Park, en la Quinta Avenida.

Jack estaba seguro: el que le había telefoneado era un blanco. Recordaba demasiado bien su peculiar acento. Jack pensaba que se iba a asustar al ver al secuestrador de su hijo, pero, por extraño que fuera, se dio cuenta de que el hombre que acababa de mirarle no tenía el aspecto del criminal despiadado con el que creía que estaba tratando. La forma en la que el negro había mirado a Jack durante unos segundos tenía algo de… infantil.

El hecho de que el secuestrador no trabajara solo demostraba que era probable que otro secuestrador, el de la voz gruñona, estuviera siguiendo en ese momento los movimientos de Dale Spencer para asegurarse de que el doble de Jack no seguía al negro. Pero Dale Spencer no iba a seguirle. Lo haría el propio Jack. Dale sólo era el gancho.

A pesar de ello Jack era consciente de que existía la posibilidad de que el supuesto segundo secuestrador allí presente le reconociera en cuanto se levantara para seguir al negro. Si estaba al acecho, no sólo vigilaría a Dale, si no también a otras personas que parecieran seguir casualmente al negro. Jack pensó en hacerle una señal a Dale. Informarle de que debía internarse en el parque hacia Upper West Side. Así podría averiguar si alguien seguía a Dale y asegurarse de que él podía seguir al negro sin trabas. Pero a Jack no le pareció buena idea llamar la atención de Dale. Si había un segundo secuestrador por allí cerca, se delataría a sí mismo.

Jack exploró visualmente el sendero. El negro casi se había perdido de vista. Jack se dio cuenta de que no tenía muchas opciones. Dobló despacio el *New York Times*, después tocó el ala de su sombrero de paja y se incorporó.

Jimmy Roma vio cómo ocurrían las cosas. Malone se dirigía lentamente hacia Jack Gardner. El actor miraba hacia adelante y pareció asustarse cuando Malone le tocó el hombro. Iba a incorporarse pero Malone le puso una mano en el hombro y Gardner reaccionó quedándose sentado y sin moverse.

Jimmy se encontraba a más de cien metros de la fuente Bethesda, mirando desde detrás de unos cuantos arbustos.

Jimmy exploró los alrededores por enésima vez sin llegar a ver nada sospechoso. Nada indicaba la presencia de policías o agentes del FBI. La mujer con el cochecito, sentada al borde de la fuente, de ningún modo era un agente secreto, y entre el resto de los presentes no había más que oficinistas estresados que eran masajeados a lo largo del sendero y personas que dormían, leían o comían en la hierba. Jimmy no vio hombres ni mujeres merodeando sin objetivo alguno o mirando al cielo con un desmedido interés.

Jimmy vio que Malone decía algo a Gardner, tras lo cual el actor gesticuló mirando hacia el anfiteatro. Malone negó con la cabeza y señaló la bolsa roja de deporte. Gardner abrió un poco la bolsa. Malone asintió.

El actor cerró la bolsa y se la acercó a Malone. Éste miró fugazmente a su alrededor, dijo algo a Gardner y después cogió la bolsa. Se la echó al hombro y comenzó a andar hacia el sendero.

Jimmy sabía que los segundos siguientes eran de vital importancia.

Miró a Gardner, que continuaba sentado tranquilamente. El actor no hizo señal alguna a invisibles perseguidores. Jimmy estaba algo sorprendido. Había contado, más de lo que se atrevía a reconocer, con la posibilidad de que Gardner hubiese avisado a la policía. Ahora era evidente que no lo había hecho.

Todo iba como la seda.

Por segunda vez en una semana, Jimmy Roma vio a Malone paseando despreocupadamente por la calle con una bolsa de deporte llena de dinero. Jimmy comenzó a disfrutar de la visión. Era una lástima que esta vez el negro no pudiera quedarse con la pasta.

De pronto Malone se detuvo y miró por encima de su hombro hacia Gardner, que continuaba sentado en el borde de la fuente. Malone parecía un poco confuso. ¿Por qué cojones no continuaba andando tan rápido como pudiera pero sin llamar la atención? Entonces Malone miró a un hombre con un sombrero de paja que leía un periódico en la hierba, justo detrás de los masajistas asiáticos. «¡Joder! —pensó Jimmy—. ¿Será un poli?» Malone continuó mirando al hombre del periódico. Volvió a girarse hacia el actor, que seguía sentado en el borde de la fuente. ¿Qué estaba pasando?

Por fin Malone echó a andar por el sendero.

Jimmy miró tenso a su alrededor. Esperó a que Malone estuviera a lo que él consideró suficiente distancia, y salió de su escondite. No había movido un pie cuando el hombre del sombrero de paja dobló el periódico y se levantó. Jimmy no alcanzaba a verle la cara. «Tiene algo peculiar», pensó Jimmy. El hombre le resultaba muy familiar. Era por su forma de moverse.

Entonces el hombre comenzó a andar. Cuando llegó a la altura del sendero, se detuvo y miró a su alrededor como un turista, como si estuviera desorientado. Sí, era su forma de moverse. Tenía algo. Jimmy continuó mirándolo con fascinación. Sentía curiosidad por ver si el hombre iría en la misma dirección que Malone. Algo en lo más profundo de Jimmy le hacía desear que fuera así, pero el hombre seguía sin ponerse en movimiento.

Entonces empezó a andar.

En la dirección en la que había desaparecido Malone.

Jimmy siguió los movimientos del hombre.

¿Lo había visto bien?

Jimmy desplazó la mirada hacia el hombre sentado en el borde de la fuente y que no había hecho ni un solo movimiento. Intentó distinguir la cara del hombre, pero sólo le veía de perfil; estaba demasiado lejos.

Jimmy miró con preocupación en la dirección de Malone, que ya casi había desaparecido entre los árboles de la lejanía, y vio que el hombre del sombrero de paja aceleraba el paso. Jimmy no se equivocaba: le conocía.

Sin perder un segundo pasó a la acción. Caminó entre los árboles, cruzó una franja de hierba y después bajó una de las dos grandes escaleras que había junto a la fuente. Cuando estuvo cerca de la fuente aminoró el paso. Un poco más y confirmaría sus sospechas.

Se dirigió hacia el hombre sentado en el borde de la fuente. Tosió.

El hombre no levantó la mirada.

Jimmy volvió a toser, esta vez más fuerte.

Esta vez el hombre sí levantó la mirada.

—¿Podría decirme la hora? —preguntó Jimmy.

—Ah, sí, por supuesto. —El hombre miró su reloj—. Las dos y treinta y ocho.

—Gracias —dijo Jimmy.

Se dio la vuelta.

El hombre sentado al borde de la fuente era clavado a Jack Gardner. Clavado, pero no era Jack. Jimmy lo supo antes de verle la cara. Lo supo al ver marcharse al hombre del sombrero de paja. Los seis años y cuarenta días en los que Jimmy había seguido la serie resultaron ser una buena inversión.

El hombre del sombrero de paja era Jack Gardner.

Ese cabrón estaba intentando pegársela.

36

Winston se encontraba en el andén de la calle 77 siguiendo con el pie el ritmo de un percusionista. Se trataba de un puertorriqueño de complexión fuerte con unas manos gigantes y encallecidas que tocaba como si le fuera la vida en ello. Al ver que Winston apreciaba su música, hizo un rápido gesto afirmativo con la cabeza. Acabó el tema y dijo:

—Aunque no lo creas, *brother*, todo lo que saco con esto va a una buena causa. Los fines de semana toco en clubes donde gano más pasta. Me llamo Julius Antoine. Encantado.

Sonrió de oreja a oreja y comenzó a tocar otra pieza con gran entusiasmo. Sonaba mejor que la anterior.

El metro de la línea 6 entró con fuertes chirridos en la estación.

—¡Mierda! —exclamó Winston en voz alta.

Pensó en lo que le había dicho Jimmy: debía volver directamente a casa; pero disfrutar un momento de una música tan buena no tenía nada de malo, ¿no? La parte arriesgada de su misión ya había acabado. Todo había salido a pedir de boca. ¿Y qué importancia tenían ese par de minutos?

Jack se encontraba a más de veinte metros del negro en un andén que olía a moho, escondido detrás de un ejecutivo gordinflón con un abrigo negro aparentemente caro. Al final del túnel aparecieron las luces del tren de la línea 6 que se aproximaba. El negro también debía de estar oyendo el metro, pero continuaba escuchando al músico de espaldas a los raíles.

El 6 entró en la estación.

Se detuvo.

El negro no hizo ademán de subir.

La razón por la que Jimmy Roma había ordenado a Malone que cogiera el metro era que así podría seguirle sin perderle de vista. Además sería fácil sorprender a Malone allí, quitarle la bolsa de las manos y bajar en la siguiente parada. Dispondría de tiempo suficiente para salir pitando, parar un taxi y llegar al JFK. ¿Qué podía hacer Malone? No llamaría a la policía porque sabía que le buscaban. ¿Y además qué iba a decir? He secuestrado a la mujer y al hijo de Jack Gardner con mi colega Jimmy y resulta que mi socio me ha estafado y se ha marchado con dos millones de dólares.

Jimmy era consciente de que corría cierto riesgo al haber dejado a la mujer sola con los rehenes. No esperaba que Cordelia Malone fuera a hacer nada que lo perjudicara como llamar a la policía. Era probable que la mujer se portara bien.

La cuestión era si Malone también lo haría. Jimmy apenas podía creer lo que veía. El metro estaba lleno, pero Malone se había detenido a escuchar a un músico.

Jimmy se encontraba al borde del andén. Se escondió tras un teléfono de pared y observó a Malone que no prestaba ninguna atención al metro que tenía detrás a punto de marcharse. La bolsa roja de deporte colgaba a la ligera de su hombro, como si contuviera zapatillas y ropa de deporte en lugar de dos millones de dólares. Observar a ese pirado allí de pie era algo digno de ver. Malone no tenía ni la más remota idea de que Jack Gardner se encontraba a menos de veinte metros de él. Jack Gardner, con su ridículo disfraz, el sombrero de paja. La estrella de las series televisivas intentaba hacerse pasar por otra persona pero no era más que un actor de pacotilla con sombrero de paja. Jimmy no se había equivocado.

No sabía quién era el hombre de la fuente. ¿Tal vez su gemelo? No importaba. Jimmy sacó el móvil y llamó a Malone.

El percusionista detuvo sus manos, miró a Winston y dijo:

—*Brother*, he visto a mucha gente que deja pasar el metro porque está encantada de oírme tocar. Gente pobre, gente rica, de todo tipo. Sí, desde este lugar me aseguro un lugar en la memoria de un montón de gente…

El móvil de Winston comenzó a sonar.

—…Este lugar, con el escándalo de los trenes, con este calor abrasador y la suciedad, es el ideal para ensayar. Si logro sobrevivir aquí, arriba podré con todo. Aquí me preparo para el trabajo de verdad. En cuanto estoy preparado cojo mis congas, recupero el aliento, me seco y salgo pitando a Washington Square Park. Allí comienza la verdadera diversión.

El móvil de Winston volvió a sonar.

El percusionista preguntó:

—¿Es tu teléfono?

—Eh, sí…

Winston sacó el teléfono del bolsillo de su pantalón y en la pantalla vio que era Jimmy. ¿Por qué le llamaba Jimmy en ese preciso instante? Era imposible hablar del dinero en presencia de tanta gente. Apagó el teléfono y lo guardó de nuevo en el bolsillo de su pantalón.

El 6 salió de la estación. Pensó en la llamada de Jimmy. Tal vez su socio estuviera preocupado, tal vez quisiera saber si todo había ido bien. Winston decidió coger el siguiente metro y llamar a Jimmy por el camino para decirle que todo estaba arreglado.

Jimmy intentó llamar otra vez a Malone, y volvió a escuchar que ese número no estaba disponible en ese momento. Jimmy habría podido estrangular a Malone.

Tenía que mantener la calma, centrarse en el hecho de que Malone era el que llevaba la pasta. Un poco más y todo sería de Jimmy. Pero había otro problema.

Jimmy miró a Jack Gardner. Vio al actor desesperado con la situación. El andén se vació rápidamente porque la gente que había salido del 6 se dirigía al lugar en el que Jimmy estaba escondido para subir las escaleras que estaban allí. Jimmy vio que Jack Gardner se daba cuenta de que ya no quedaba oculto por los pasajeros que esperaban. Si Malone se giraba en ese momento, vería a Gardner. El actor podría apostar que Malone no lo reconocería, pero si Jimmy estuviera en su lugar, no se la jugaría. Gardner debió pensar lo mismo porque se dio lentamente la vuelta, tiró de su ridículo sombrero de paja hacia adelante, y comenzó a andar con el resto de pasajeros en dirección a la salida, donde se encontraba Jimmy. El actor lanzó una mirada fugaz sobre su hombro para asegurarse de que Malone no había reparado en él.

Malone no había visto a Gardner. El pirado se comportaba de la misma forma que cuando Jimmy lo vio salir de la sucursal bancaria de la Octava Avenida la semana anterior: despreocupado, como si nada pudiera salir mal. En efecto, cuando robó la sucursal bancaria nada salió mal.

Pero esta vez sí.

A Malone le seguía Jack Gardner. Había permitido que el actor, que ahora se aproximaba a Jimmy entre un grupo de pasajeros, le tomara el pelo. Jimmy continuaba cerca del teléfono adosado a la pared. Gardner todavía no podía verlo, pero ya no faltaba mucho.

Jimmy pensó febrilmente. Él tenía ventaja. Jack Gardner no sabía cuál era su aspecto. Sólo habían establecido contacto por teléfono. Pero el 6 acababa de irse y pasarían al menos cinco minutos hasta que llegara el próximo. Gardner podía doblar la esquina y esperar allí para que Malone no pudiera verle. Si

Jimmy se quedaba donde estaba, seguro que el actor acabaría viéndole.

Jimmy tomó una decisión impulsiva. Fue hacia el teléfono, descolgó el auricular como si fuera a llamar y esperó a que Jack Gardner torciera la esquina.

37

Cuando se hubo repuesto del mayor susto de su vida, Cordelia subió a la habitación de estudios, donde dormía Jimmy. Sus pertenencias consistían en una bolsa de viaje con ropa y un maletín negro. Cordelia sospechó que dentro había un arma. Era el tipo de maletín que había visto sacar del carrito del heladero mucho tiempo atrás. Tenía una cerradura de combinación, no lograba abrirlo. Finalmente se rindió. Esperaba encontrar una prueba que confirmara sus sospechas.

Sospechaba que Jimmy Roma había matado a Darío López y que Winston, por lógica, sería el siguiente. Pero ¿qué tipo de prueba buscaba? Seguro que el italiano no habría anotado lo que pensaba hacer para que cualquiera que entrara en su habitación pudiera ver qué planeaba y de ese modo tomar medidas al respecto. Intentó ordenar los acontecimientos. El mexicano estaba muerto. No había ni rastro de Jimmy Roma. No sabía dónde se encontraba su marido. Llamar a la policía no era una opción. Todo lo que podía hacer era partir de la base de que Winston y Jimmy Roma, allá donde estuvieran, volverían a casa y de que no hubieran ocurrido más desgracias. Debía buscar la forma de defenderse en caso necesario, de modo que fue a la habitación de Heather Gardner para coger la pistola que encontró en el cajón de su mesilla de noche. Sabía que se trataba de una Browning porque la caja de la pistola continuaba en el cajón, pero ahí acababa su conocimiento sobre las armas. No tenía ni idea de cómo se utilizaba aquella cosa ni de si estaba cargada o no.

Se encontraba ya en la habitación Disney con la Browning en las manos. Se dirigió a la atemorizada Heather Gardner y dijo:

—Escucha, tal vez resulte extraño, pero necesito tu ayuda. ¿Esta arma está cargada?

La abogada la miró con desconfianza. Por fin dijo:

—¿Para qué quieres saberlo? ¿Vas a matarnos?

—No. Sólo quiero protegerme.

—¿Y por qué iba yo a ayudarte?

—¿Te gustaría seguir viva?

—¿Tú qué crees?

—Tienes más posibilidades de conseguirlo si me das algún consejo.

Jack Gardner sabía que no le quedaba mucho tiempo. La única forma de mantenerse fuera de la vista del negro era caminar hacia la salida con el resto de los pasajeros. En cuanto doblara la esquina que daba paso a las escaleras, podría pararse a esperar el próximo 6. No se atrevía a quedarse en el andén arriesgándose a que el negro lo reconociera. Más aún después de la forma tan extraña en que le había mirado cuando estaba en el césped cercano a la fuente con el periódico. Todo había salido bien hasta el momento, pero no quería correr más riesgos de los que ya había corrido.

Jack aceleró el paso y se disculpó tras chocar accidentalmente con una anciana. Miró un instante hacia atrás. El negro continuaba escuchando al percusionista y no prestaba atención a los pasajeros que se dirigían a la salida.

Jack casi había llegado a la esquina; le faltaban cinco metros.

Cuatro. Tres.

Dos.

Uno.

Jack dobló la esquina a toda velocidad y se apretó contra el mosaico de baldosas caídas de la pared. Suspiró profundamente y se secó el sudor de la frente. El negro no le había visto.

No obstante, pronto se sintió menos cómodo que hacía un momento. Mientras los últimos pasajeros subían la escalera del otro lado de la reja, se preguntó cuál sería la causa de aquella sensación de inquietud. Cuando miró a su lado lo supo. Era por el hombre de la calva brillante y la camiseta «I love New Jersey», que lo miraba fijamente desde el teléfono que había tres metros más allá. El hombre sujetaba el auricular, pero no hablaba ni tampoco parecía escuchar. La mirada de sus ojos era apagada e inquietante a la vez.

Los fans no le miraban de esa forma cuando le reconocían por la calle.

El hombre de la camiseta «I love New Jersey» soltó el teléfono. No lo colgó en su sitio sino que se limitó a soltarlo sin dejar de mirar a Jack.

Jack se apresuró a darse la vuelta, pero el hombre se acercó deteniéndose justo delante de él. Sonrió y dijo:

—Hola, Jack. Si prometes que me vas a acompañar sin armar jaleo, olvidaré que intentas joderme. ¿De acuerdo?

Era la voz del hombre que le había estado telefoneando. El hombre del extraño acento.

El andén estaba casi desierto. El percusionista continuaba hablando con Winston. Puso sus grandes manos sobre las congas y dijo:

—A veces me llaman *Manos de piedra* porque tengo unas manos muy duras. Nadie, nadie puede tocar estas congas doce horas seguidas. ¿Te gustaría intentarlo? Tus manos empezarán a sangrar y acabarás gritando de dolor.

En ese momento el siguiente 6 entró en la estación lanzando un rugido ensordecedor y, chirriando, se detuvo. Winston se dirigió hacia las puertas abiertas. Entonces cambió de opinión, dejó la bolsa de deporte en el suelo y echó un vistazo a su alrededor. En el andén había poca gente. Nadie se fijaba en él. Abrió la bolsa, sacó un billete de cien dólares de uno de los montones superiores y cerró rápidamente la bolsa. En ese mismo movimiento se inclinó hacia adelante para acercarse a la caja de cartón que había delante del percusionista con calderilla. Dejó caer el billete en su interior y entró corriendo en el metro. Justo antes de que se cerraran las puertas vio que el músico sacaba el billete de la caja. Los ojos del hombre se agrandaron. Miró con perplejidad hacia el metro y localizó a Winston poco antes de que las puertas se cerraran con ese sonido tan característico.

Winston saludó al hombre con la cabeza y quiso apartar la vista, pero en ese momento el músico esprintó hacia el vagón en el que él se encontraba. Apretó la nariz contra el cristal y gritó todo lo alto que pudo.

—*Thank you, my brother.* Tú verás a Dios. Te acogerá. Lo prometo.

El metro se puso en movimiento y el músico dio un paso atrás. Mientras el metro ganaba velocidad, Winston vio que el percusionista se dejaba caer de rodillas levantando los brazos al cielo.

Jimmy miró al vagón contiguo por la ventanilla y vio a Malone rodeado por al menos cincuenta testigos con el teléfono en la oreja. «¡Dios! que no se ponga a decir estupideces.» Jimmy miró de soslayo a Jack Gardner. El actor no parecía darse cuenta de otra cosa que no fuera su propia situación comprometida. Jimmy vio que algunas personas del metro le lanzaban miradas de curiosidad, pero nadie pidió un autógrafo al actor y ninguno de los pasajeros intentó entablar conversación con él. Lo que demostraba una vez más que Manhattan era el único lugar de Estados Unidos en el que las celebridades podían salir a la calle con toda tranquilidad.

El teléfono de Jimmy sonó.

—Sí.

—Estoy en el metro —dijo Malone.

—Sí, Winston, lo sé.

Silencio.

—¿Qué? ¿Y cómo lo sabes?

«Estamos buenos», pensó Jimmy. Él mismo empezaba a cometer errores. Rápidamente dijo:

—¿Tú qué opinas? Oigo el sonido estridente de fondo. No es el mismo que el de la fuente Bethesda.

Escuchó que Winston se reía.

—Esa ha estado bien, Jimmy.

—¿Tú crees? Vuelve pronto a casa, así podremos reírnos juntos —y cortó la comunicación.

Jack Gardner estaba sentado al lado de Jimmy con las palmas de las manos sobre las rodillas y sin decir nada.

Entretanto Jimmy había abandonado el plan de quitar a Malone la bolsa de deporte de las manos. Ahora que además tenía que tener en cuenta a Jack Gardner, el riesgo de que algo fuera mal era demasiado grande. ¿Y si uno de los pasajeros decidía entrometerse?

Además se le había ocurrido una idea mejor.

Marcó el número de Caesar Malvi. El enano no lo cogió, así que Jimmy dejó un breve mensaje. Susurrando para que los pasajeros no pudieran oírle, ordenó a Caesar que fuera al domicilio de Jack Gardner dentro de media hora y que le llevara su Beretta.

«Así que estaban en su casa.» Sentado en el duro asiento del metro, Jack se convenció de que había entendido bien. El calvo acababa de dejar su dirección en el buzón de voz de alguien que, por lo visto, era propietario de una Beretta. Alguien con una Beretta al que el calvo había ordenado que estuviera dentro de media hora en su vivienda.

Desde el momento que vio en el andén de la calle 77 la mirada de los ojos del secuestrador, una mirada impregnada de total repugnancia, Jack decidió que lo mejor que podía hacer era colaborar. Había intentado engañar a los secuestradores y había fracasado como un aficionado. Ahora se trataba de no enfadar inútilmente al hombre que tenía al lado. El hombre no había sacado ninguna pistola, pero Jack no dudaba de que el secuestrador llevaba una.

El metro entró en la estación de la calle 96.

—Levanta —dijo el calvo.

Jimmy entró en la calle 95 andando un par de metros detrás de Jack Gardner. Vio que Malone, con la bolsa roja de deporte, se encontraba a unos veinte metros de la casa. Desde que Jimmy había contado al actor que se dirigían a su propia casa, éste no paraba de dar la lata:

—No pretendo molestar, pero no puedo poner un pie en esta calle, me lo ha prohibido el juez. Mi futura ex mujer, tu rehén, lo ha impuesto así.

—Pero ahora el jefe soy yo —dijo Jimmy—. Y yo te dejo que pises esta calle.

—Podría darse el caso de que hubiera un policía cerca vigilando si me atengo a las normas —dijo el actor.

—Escucha, amigo —replicó Jimmy—. Ya has intentado joderme una vez. Fallaste. Demuestra que has aprendido algo y no lo intentes una segunda vez.

—No intento joderte. Sólo digo que podría haber alguien al acecho porque quiero evitar que te enfades conmigo si empieza a aparecer gente uniformada por todas partes.

Jimmy no dijo nada. «Déjale que continúe charlando, que piense que esto es un capítulo de su serie, que piense que las cosas se van a solucionar solas, que...»

—Pero no vayas a pensar que, si la policía está cerca, yo tengo algo que ver —dijo Gardner.

Jimmy continuó andando en silencio.

—Porque te juro que yo no he pedido ayuda a nadie.

Jimmy sintió que le entraba el impulso repentino de disparar al actor televisivo sin más, en la calle, delante de todo el mundo. Enseguida se dio cuenta de que era una idea inviable, aquello estaba plagado de testigos; sin embargo no lograba reprimir el impulso. Una débil voz en su cabeza le decía que debía hacerlo ya, disparar a Jack Gardner, ir tras Malone, apretar la Smith & Wesson contra su cara, arrancarle la bolsa roja de deporte y salir pitando directamente al aeropuerto John F. Kennedy.

Pero Jimmy acalló la voz de su cabeza. En ese momento no podía hacer lo que tanto le apetecía. Debía hacer lo correcto.

Esperar a Caesar.

Winston llamó.

Pasó algo de tiempo hasta que oyó pisadas en las escaleras, se abrió el ventanuco y vio la angustiada cara de Cordelia. Iba a decirle algo cuando de pronto cerró la boca. Winston dudó al ver que Cordelia no le miraba a él, si no a algo o alguien detrás de él.

Antes de que tuviera ocasión de girarse, oyó a Jimmy Roma diciendo:

—¿Piensas abrir algún día la puerta, muñeca?

38

Caesar Malvi se encontraba bajo la ducha con sensación de satisfacción escuchando su tema favorito de Tony Joe White, *Even trolls love rock & roll*, que salía por los altavoces del baño. Se quitaba el sudor del día y de vez en cuando cantaba una parte de la letra. Aunque lo que hacía Tony Joe en ese tema no podría decirse que fuera cantar; era más bien hablar... balbucear. Pero era un tema condenadamente bueno, y además una de las pocas canciones que conocía Caesar en las que se trataba con respeto a una persona pequeña. La historia de la canción trataba más o menos de lo siguiente: tras una breve introducción con bastantes *wa-was*, característicos del *swamp rock* de Tony Joe White, éste comenzaba a contar que fue caminando a una de sus actuaciones junto con una pequeña banda de rock. Por algún motivo, la banda iba a pie. El grupo llegó a un bosque atravesado por un riachuelo que había que cruzar por un puente de madera. En el momento en el que Tony Joe iba a pisar el puente en primer lugar, un trol surgió de la nada. Y no un trol cualquiera, decía Tony Joe para explicar a su público que la banda corría verdadero peligro. No, era un trol malvado. A continuación venía la parte que Caesar siempre cantaba bajo la ducha, la parte en la que el trol tomaba las riendas de la situación. En primer lugar el trol preguntaba a Tony Joe si él y su banda pensaban tocar en alguna parte. Sí, respondía Tony Joe. A lo que el trol decía que no quería que la banda llegase tarde, pero que a él también le apetecía escuchar un poco de música. Tony Joe respondía que no podían tocar en medio de un puente, pero el trol se mantenía en sus trece y preguntaba que por qué. «Porque no», respondía Tony Joe.

A continuación el trol decía como si nada: «Tocad».

A Caesar le encantaba la forma en que el trol decía «Tocad». Después Tony Joe y sus colegas de banda se asustaban, pero como no se atrevían a seguir protestando, empezaban a tocar. Ya avanzado el tema, Tony Joe incluso dejaba que el trol tocara su guitarra, y resultaba que era un guitarrista bastante bueno.

El trol de la canción de Tony Joe White era alguien a quien había que tener en cuenta. No se podía pasar a su lado sin pagar antes un peaje en forma de canción marchosa.

Caesar cerró los grifos, agarró una toalla del radiador y la ató a su cintura. Se cepilló los dientes, se secó el pelo con secador y fue a la cocina a poner café. Mientras, Tony Joe comenzaba a cantar *Backwoods preacher man*, un tema sobre un predicador que vivía en una raída tienda de campaña en los bosques de Arkansas desde los que servía a Dios. Después de cargar la cafetera y dar al botón rojo, reparó en su móvil que estaba a su lado en la mesa. Vio que en la pantalla aparecía la entrada de un mensaje. Caesar se llevó el teléfono a la oreja y escuchó. La voz del contestador le comunicó que había un mensaje grabado hacía seis minutos, cuando se encontraba en la ducha. A continuación escuchó una voz que había esperado no volver a oír jamás: la de Jimmy Roma. El mensaje había sido susurrado, como si se encontrase cerca de un montón de gente que no debía oírlo, y Caesar creyó reconocer los chirridos y el traqueteo del metro. Jimmy decía que necesitaba la ayuda de Caesar, que fuera a la casa de Jack Gardner, que debía darse prisa y llevara su Beretta.

Caesar dejó el teléfono en la encimera y negó con la cabeza. Intuía en qué consistía la «ayuda» que Jimmy necesitaba. Había trabajo sucio que hacer y Jimmy, como de costumbre, no quería mancharse las manos.

Caesar se dirigió al armario, se puso un pantalón de chándal y una sudadera, se calzó los mocasines y rescató su Beretta del revistero que tenía bajo la mesa. Después cogió las llaves del Jaguar. Lo último que oyó antes de cerrar la puerta del apartamento fue el borboteo de la cafetera y la voz de Tony Joe White asegurando que, en una confrontación directa con el diablo, el predicador de la canción le iba a dar una buena.

Jimmy había decidido no enfadarse con Malone. Claro que estaba enfadado, pero le pareció mejor que ese pirado siguiera en su error: le haría creer que se sentía muy satisfecho con el hecho de que hubiera logrado apoderarse de la pasta y llevado la bolsa de deporte a casa. Lo que realmente le apetecía a Jimmy era gritarle a Malone que si hubiera prestado un poco de jodida atención se habría dado cuenta de que lo seguían. También quería preguntar por qué demonios se había quedado tanto tiempo escuchando al percusionista. Quería preguntar a Malone para qué pensaba que le había dado el teléfono móvil y si no se le pasó por la cabeza coger el teléfono cuando él lo llamó desde el andén. Eso por no hablar de que había abierto la bolsa en medio del andén para dar dinero al músico.

Pero Jimmy se contuvo y no preguntó nada. No tenía mucho sentido discutir con aquel pirado. Menos en esa situación en la que era muy importante que Malone creyera que continuaban siendo buenos amigos. Con lo que no había contado Jimmy era con que fuera Malone el que se enfadara con él.

Habían atado los tobillos y las manos del actor tras sentarle en una silla de la cocina y en ese momento ellos también se encontraban sentados a la mesa de la cocina con una lata de Budweiser. Tenían la bolsa de deporte detrás de ellos, sobre la encimera. Malone, desde que se enteró de que Jimmy no había dejado de vigilarle en la fuente, no había dicho prácticamente una palabra. Cordelia Malone estaba aún más asustada que su marido, si eso era posible, y parecía encontrarse en una especie de trance. Jimmy no sabía qué había tramado en su ausencia, pero fuera lo que fuera no parecía sentirse mejor.

—Jimmy, quiero saber por qué me has seguido.

Jimmy miró su reloj. Si Caesar había escuchado el mensaje llegaría en veinte minutos. Aún faltaba, así que Jimmy se volvió hacia Malone y dijo:

—Porque tenía miedo de que nuestro amigo Jack Gardner intentase algo.

—Puede ser —dijo Malone todavía enfadado—, pero no me refiero a eso. A lo que me refiero es a lo siguiente: ¿por qué me has seguido sin decírmelo?

«Para asegurarme de que no ibas a largarte con la pasta», pensó Jimmy dedicando a Malone una sonrisa del tipo «Eh, pero si somos colegas».

—¿Y bien? —preguntó Malone.

—No quería ponerte nervioso sin motivo.

—¿Nervioso? No soy un aficionado.

«Sí lo eres», pensó Jimmy.

—Escucha, dejémoslo en que he hecho bien en seguirte. Si no tal vez esta estrella de las series podría haber causado algún problema y no es eso lo que queremos estando tan cerca del objetivo.

—Aun así tengo la sensación de que no te fías de mí.

—Winston, Darío López está en la piscina. Está muerto —dijo Cordelia.

—Sí, cielo, lo sé —dijo Malone—. Pero ahora estoy hablando con Jimmy.

—Pero...

A Jimmy le dio la impresión de que Cordelia estaba a punto de que le diera una crisis nerviosa. Intentaba alertar a su marido sin decir lo que pensaba. Debió darse cuenta de que no había nadie en casa y se puso a explorar. Jimmy no había contado con eso. No esperaba volver a esa casa. Se alegraba de haber matado al mexicano y de haberse ganado así la confianza de Malone. Ahora le venía bien.

Pero la mujer no sabía qué había pasado exactamente porque le había prohibido a Malone que se lo contara. De modo que ahora lo haría Jimmy. Y además debía tranquilizar a Malone porque el negro estaba irritado por haberle seguido. Jimmy decidió hablar primero con la mujer. La miró y dijo:

—Darío López intentó matar a tu marido. Yo le salvé la vida, pero creo que ha debido olvidarlo porque está enfadado conmigo por haberle seguido.

—Sé que me has salvado la vida, pero ya no se trata de eso —dijo Malone.

Jimmy vio que Cordelia manoseaba su jersey. Al parecer su explicación la había decepcionado. Se volvió hacia Malone y dijo:

—Tienes razón, ya no se trata de eso. Se trata de que yo no soy el que se ha dejado seguir. Te he advertido en repetidas ocasiones que tengas cuidado, y a pesar de ello dejas que te sigan. En lugar de usar los ojos, te pones a escuchar al primer vagabundo que oyes con un par de tambores y dejas que se vaya el metro llevando dos millones de dólares a cuestas. Así que no pretendas leerme la cartilla porque de momento soy yo quien se ha ocupado de que Jack Gardner no irrumpa aquí con una metralleta.

—Ese tipo de la calle 77 no era un vagabundo —dijo Malone—, era un músico.

A Jimmy le costó bastante mantener la calma. Vio que el negro iba a añadir algo, así que decidió adelantársele. Señaló el bolsillo del pantalón de Malone y dijo:

—¿Qué tienes ahí?

—¿Dónde?

—Ahí, en el bolsillo del pantalón. —Vio que el negro miraba sorprendido en esa dirección—. Ahí tienes el teléfono que te di para poder permanecer en contacto, ¿lo recuerdas?

—Sí, lo recuerdo.

—¿Y entonces por qué lo apagaste? Resulta un poco complicado mantener el contacto si el teléfono no está encendido, ¿eh, Winston? Te llamé en ese andén, ¿y qué hiciste tú? Lo apagaste. ¿Podrías explicarme por qué?

—Tú lo comprendes, ¿verdad, Jimmy? Ese músico me estaba hablando. Tú mismo lo viste.

Jimmy no dijo nada. No tenía nada más que decir. Había intentado evitarlo con todas sus fuerzas pero al final se había enfadado, y eso que era importante ganarse a ese pirado.

—Además —continuó Malone que parecía no poder estar callado—, ¿no te devolví la llamada un poco después? Pero entonces estabas furioso y cortaste sin más. ¿Acaso pretendes decir que esa sí es una buena forma de contactar?

Jimmy respiró profundamente, miró a Malone y dijo:

—Vale. Corramos un tupido velo. Tal vez tengas razón. Tal vez debería haberte contado que te iba a seguir.

Aquel comentario pareció tranquilizar a Malone.

Y antes de que al negro se le ocurriera otra cosa para enfadarse con él, Jimmy dijo:

—¡Míranos! Parecemos un par de idiotas. Acabamos de recoger dos millones de dólares, y ¿qué hacemos? Discutir. Se me ocurre algo mucho mejor: metamos las sobras de la comida china de antes de ayer en el microondas y saquemos una cerveza. Después dividimos la pasta, nos estrechamos la mano y empezamos la diversión.

—Cariño, qué pálida estás —dijo Winston—. ¿Seguro que no quieres comer nada? —preguntó sosteniendo un plato de pollo al sésamo en alto, que eran los restos de su cena de dos días atrás.

Cordelia dijo que no se sentía bien.

Estaban sentados a la mesa de la cocina: Cordelia enfrente de Jimmy Roma; a su derecha, al lado del frigorífico de dos metros de alto, se encontraba Winston. A su izquierda, junto a la encimera, Jack Gardner. Cordelia nunca llegó a pensar que le conocería y menos aún que si eso llegaba a ocurrir estaría demasiado nerviosa como para disfrutarlo. Pero así estaban las cosas. Jack Gardner estaba sentado a su lado y lo único que pensaba Cordelia era: «No quiero morir, no aquí, en esta cocina». Durante un breve instante pensó en pedirle un autógrafo, pero lo descartó enseguida. Lo mejor que podía hacer era centrarse en sobrevivir.

Echó un fugaz vistazo a Jimmy Roma y entonces lo vio claro, comprendió lo que tramaba. Había matado a Darío López, según él para salvarle la vida a Winston. Sí, eso sonaba muy bien. No sabía cómo había ocurrido; pero ¿quién podía creerse que Jimmy Roma salvara la vida de Winston por pura bondad? No, no se lo tragaba. Lo que contaba era que había matado a Darío López a sangre fría. Y también mataría a Winston y a Cordelia si tenía ocasión, a ella no le cabía duda. No, Jimmy Roma no tenía intención de repartir la pasta. Miró a Winston que sorbía la lata medio vacía de Budweiser y pensó: «No se está enterando de nada».

Winston notó su mirada de preocupación, dejó el tenedor y dijo:

—Cariño, somos ricos. ¿Por qué no te relajas un poco? No hay ningún motivo para que no te sientas bien. Sírvete un poco.

La mano de Jimmy Roma desapareció bajo la mesa y Cordelia se quedó petrificada. «Demasiado tarde —se dijo—. Me he dado cuenta demasiado tarde.» Pero la mano volvió, gracias a Dios, vacía a la mesa.

En ese momento ya no le cupo ninguna duda: tenía que entrar en acción enseguida si quería salir con vida de aquella casa. Palpó la Browning de Heather Gardner que tenía escondida bajo el jersey y por primera vez en su vida se preguntó si sería capaz de disparar a alguien.

A Jimmy el pollo al sésamo de las máquinas expendedoras le pareció que no estaba nada mal, incluso después de llevar casi dos días en la nevera. Mientras comía, iba sacando guindillas gordas de un bote que tenía junto a su plato. Las guindillas casi se habían acabado, pero no importaba. No iba a quedarse allí mucho tiempo, y eso tampoco estaba nada mal porque se daba cuenta de que ya no era capaz de soportar a Winston Malone.

Jimmy mordió la guindilla, sintió el jugo picándole en las encías, y recorrió la mesa con la mirada. Frente a él estaba Cordelia, con la mirada perdida. Continuaba tocándose el jersey y tenía una expresión rara y tensa en la cara. A su derecha estaba Jack Gardner, que miraba la mesa de madera de roble como si estuviera en trance. Malone se encontraba a su izquierda, delante de la nevera. El negro ya se había zampado su pollo al sésamo y estaba cortando una guindilla por la mitad con un cuchillo de pan. Quería probarlas pero no se atrevía con una entera, explicó sin dirigirse a nadie en particular.

Al parecer Malone no consideró necesario pedir permiso a Jimmy para coger una; se limitó a pescarla de la lata con sus sucios dedos. Se metió media guindilla en la boca y dijo:

—Dios, Jimmy, estas cosas pican como demonios. —Negó con la cabeza como si esperase que las guindillas supieran a chocolate negro—. Y que te guste esto, Jimmy...

«Dios, Jimmy. Y que a ti te guste esto, Jimmy.» Jimmy quería que Malone se callara la boca.

Pero Malone no callaba. El pirado se volvió hacia Jack Gardner. Jimmy vio que el negro escupía media guindilla, otra de esas feas costumbres suyas, y oyó que le preguntaba al actor si conocía a verdaderas estrellas de cine. Gardner preguntó a Malone que a qué se refería con «verdaderas». Bueno, dijo Malone, a gente como a De Niro y Pacino. El actor se encogió de hombros y dijo que conocía a Harvey Keitel. Malone asintió con aprobación y preguntó qué tipo de persona era Keitel. ¿Era agradable? Gardner dijo que no lo sabía porque nunca había hablado con Keitel. Malone le preguntó seguidamente por qué decía que conocía a Keitel si nunca había hablado con él. El actor dijo que conocía a Harvey Keitel de Bubby's, donde solía almorzar.

Jimmy vio por el rabillo del ojo que Cordelia negaba desmoralizada con la cabeza.

Entonces Malone preguntó al actor si ésa era la primera vez que lo secuestraban. Sí, respondió el actor, era la primera vez. Malone quiso saber si habían secuestrado antes a su mujer. No, respondió el actor, a su mujer tampoco la habían secuestrado nunca. Malone pensó un momento y preguntó a Gardner si le habían secuestrado alguna vez en una película. El actor dijo que intervenía en una serie de televisión y que ahí no secuestraban a la gente. Tonterías, replicó Malone, en las series no paraban de secuestrar a gente. Que se lo preguntaran a Cordelia. Como Cordelia no respondía, Malone preguntó:

—Cariño, ¿es verdad que en las series nunca secuestran a nadie?

Cordelia dijo que sí, que sí lo había visto en alguna ocasión pero que no era lo habitual. Malone se volvió triunfal hacia Jack Gardner:

—¿Lo ves?

A continuación miró a Jimmy.

—Cuéntale esa historia a Jack, la de cuando estabas en la trena y la gente no hacía otra cosa que ver series.

Jimmy no dijo nada. Las interminables chorradas de Malone le estaban volviendo loco. ¿Dónde se había metido Caesar? Deseaba ver cómo desaparecía esa estúpida sonrisa de la cara de Winston Malone.

Jimmy se metió una guindilla fresca en la boca y miró a Jack, que continuaba mirando la mesa con cara inexpresiva, mientras Malone le decía que Jimmy odiaba las series y que por eso no respondía a la pregunta. Jimmy miró de soslayo a Cordelia que, a su entender, estaba demasiado callada. Eso no le gustaba. No daba la impresión de ser alguien que acabara de cobrar un millón de dólares, como Winston Malone júnior. No, Cordelia estaba alerta, como si sospechara algo. A Jimmy no le gustaba la forma en que ella lo miraba, a hurtadillas.

Algo no encajaba.

Y además volvía a oír esa débil voz que le decía que debía liarse a tiros con todos. En ese mismo instante, allí, en la cocina, así liquidaría todo de golpe. La Beretta estaba cargada, podía hacerlo él mismo. No le hacía falta esperar a Caesar. Quién sabía si Caesar iba a aparecer. Tal vez el enano no hubiera escuchado el mensaje. O tal vez sí, pero hacía como que no porque prefería seguir en Nueva Jersey con su culo de enano pegado al asiento.

Jimmy Roma miró su reloj. En unas horas salía su vuelo a Nueva Orleans. No disponía de mucho tiempo para quedarse allí remoloneando.

Debía ocurrir ya. Lo haría él mismo, sin la ayuda del enano. Jimmy esperaría a que Malone estuviera distraído y entraría en acción. Primero Malone, después su mujer. Y si le quedaba tiempo, para Jack Gardner tenía reservado un final especial. Un final humillante con el que Jimmy, sentado en la sala de recreo de la penitenciaría, había fantaseado sin parar mientras veía *While the Earth Spins*: el actor estaría atado a una silla, impotente, y entonces…

39

Cordelia lo vio venir y fue consciente de que esta vez era demasiado tarde. Winston se había levantado; estaba delante de la nevera. De espaldas a la mesa preguntó si alguien quería una cerveza o alguna otra cosa. Cordelia miró a su marido y dijo que le cogiera el envase de Tropicana que había en la puerta, el envase grande con las naranjas y los plátanos. Pero en el momento en que dijo «plátanos», vio por el rabillo del ojo que Jimmy se movía. Se giró de golpe y vio la gran pistola apuntando a la espalda de Winston. Gritó mientras Jimmy apretaba el gatillo.

En primera instancia Winston no comprendió qué ocurría. Lo único de lo que era consciente es que de pronto sentía un impulso irrefrenable de sentarse. Continuaba en pie, con la cara vuelta hacia la nevera, pero apenas sentía las piernas. Levantó la mano derecha y buscó apoyo en el frigorífico. Después se dio la vuelta y vio la parte de su cuerpo de la que procedía aquella extraña sensación. Acababan de dispararle en la espalda.

Jimmy Roma lo miraba sonriendo de oreja a oreja detrás de su Beretta, el arma con la que el calvo le había salvado la vida el día anterior, y dijo:

—A tu salud, Winston.

Jimmy Roma iba a asesinarle y Winston no podía hacer nada para evitarlo. Intentó pensar alguna respuesta, en algo que a Jimmy le hiciera cambiar de opinión, pero intuyó que sus palabras no tendrían efecto alguno. Jimmy iba a asesinarle porque es lo que tenía pensado hacer. Jimmy iba a asesinarle porque no servía para nada, como Cordelia había intentado meterle en la cabeza. No había querido escucharla y había llegado la hora de pagar el precio.

La sensación extraña desapareció lentamente de su cuerpo y fue sustituida por un dolor punzante. Winston miró al otro lado de la mesa, donde Jack Gardner observaba la escena con expresión estupefacta y la boca abierta. A continuación miró a Cordelia. Le había avisado de lo que iba a ocurrir.

Winston iba a girarse de nuevo hacia Jimmy cuando vio que, con exasperante lentitud, Cordelia intentaba sacar algo de debajo de su jersey de cuello vuelto. Vio aparecer un trozo de metal brillante y pensó: «Ay, Dios mío». Después logró girarse hacia Jimmy con un único pensamiento: ganar tiempo. Cordelia tenía una pistola. Cordelia podía salvarlo, pero ¿sabía cómo manejarla?

«No pienses en eso. Gana tiempo. Es tu única oportunidad.» Winston intentó pensar en algo que decir, pero era condenadamente difícil hacerlo viendo el cañón de la Beretta de Jimmy.

¿Qué podía decir? En las películas, eso de ganar tiempo parecía muy sencillo. La mayoría de las veces el que estaba a punto de ser asesinado ni siquiera tenía que inventar nada para posponer su muerte porque el malo, muy motivado, comenzaba a soltar una historia que duraba varios minutos sobre por qué hacía las cosas de ese modo. Pero Jimmy no decía absolutamente nada. Lo único que había dicho era: «A tu salud, Winston».

Winston levantó las manos y decidió que era mejor decir algo que no hacerlo, así que miró asustado hacia la puerta de la cocina que estaba detrás de Jimmy, a un punto cercano a su cabeza, y dijo:

—¡Ahora!

Jimmy Roma tuvo una fracción de segundo de confusión. Lanzó una mirada fugaz a la puerta de la cocina, donde por supuesto no había nada que ver. En ese momento Winston miró a Cordelia que apuntaba la pistola a la boca del estómago de Jimmy por debajo de la mesa y asintió.

Cordelia apretó el gatillo, a lo que siguió una fuerte detonación, mucho más fuerte que el sonido de la Beretta de Jimmy Roma. Antes de que Jimmy emitiera un extraño sonido gutural y dejara caer la Beretta de su mano, Cordelia sabía que le había dado en el estómago. Se asustó tanto que la Browning fue a parar al suelo. Jimmy cayó de la silla desplomándose contra uno de los muebles de cocina. La Beretta se deslizó de su lado hasta llegar a la silla de Jack Gardner. Cordelia cogió rápidamente la Browning y apuntó con el arma a Jimmy que había logrado incorporarse a duras penas hasta sentarse con la espalda apoyada en el armario de la cocina. Cordelia vio que intentaba calcular la distancia que había hasta la silla de Jack Gardner para abalanzarse sobre la Beretta, y dijo:

—No me gustaría matar a nadie, pero menos aún morir yo. Si me veo obligada, dispararé otra vez. —En dos zancadas llegó a la silla de Jack Gardner, cogió la Beretta y dejó el arma detrás de ella sobre una balda con botes de especias. Después se volvió hacia Winston y preguntó—: Tenemos que salir de aquí. ¿Puedes andar?

Caesar Malvi oyó el disparo mientras abría la puerta del Jaguar. Había aparcado el coche delante de la casa. En realidad no había sitio, pero no le apetecía tener que andar mucho, sobre todo si tenía que largarse apresuradamente, así que dejó el coche atravesado en la acera. Mientras cerraba la puerta del Jaguar oyó un segundo disparo. Al parecer habían comenzado sin él. Sacó la Beretta de su funda sobaquera, se dirigió a la puerta principal y miró al interior por el ventanuco que había en mitad de la puerta. Vio un suelo de parqué y un pasillo iluminado. Sacó un pañuelo de algodón del bolsillo de su pantalón, lo enrolló en la culata de la Beretta y golpeó con suavidad el cristal del ventanuco. El vidrio cayó en pedazos y Caesar metió el brazo. Esperaba que la puerta no tuviera una doble cerradura o que no hubieran colocado esos fastidiosos cerrojos por la parte de dentro, porque en ese caso tendría que llamar y, dado que no sabía cómo estaba la situación, prefería que los que hubiera en el interior no se enteraran de su llegada. Encontró la cerradura, dio un tirón y suspiró con alivio.

Estaba dentro.

«Por supuesto que puedo andar —quiso decir Winston—. Por supuesto, cielo. Después de lo que acabas de hacer por mí, vuelvo a ser capaz de todo.» Pero no era tan sencillo. Winston había caído de rodillas y estaba apoyado en la nevera, con un rastro sanguinolento que comenzaba a mitad de la nevera por encima de su cabeza y se perdía detrás de su hombro. Vio que Cordelia se abalanzaba sobre él, aún tenía la Browning en la mano, e intentó levantarse. No lo logró. Su mujer se agachó y le agarró por el antebrazo mientras vigilaba a Jimmy Roma por el rabillo del ojo. Winston sintió que se elevaba poco más de un centímetro, pero a continuación sintió un dolor horrible en la espalda porque Cordelia le había soltado al escuchar detrás de ellos una voz que decía:

—No te des la vuelta. Deja el arma en el suelo y empújala con cuidado hacia mis pies.

Winston reconoció la voz al instante; era la del enano Caesar Malvi.

40

Caesar no necesitó mucho tiempo para evaluar la situación. En posición oblicua a él, con la espalda apoyada en la nevera, se encontraba Jimmy, en estado grave. El hijo del heladero tenía una herida abierta en el estómago y sangraba como un cerdo. Winston Malone no parecía encontrarse mucho mejor. Caesar no veía sangre en la ropa de Malone, pero a juzgar por el rastro rojo que empezaba por encima de él en la nevera y desaparecía tras su omóplato, había sido alcanzado en la espalda. Cordelia Malone estaba ilesa; dejó con mano temblorosa la pistola en el suelo de madera, tal y como le había ordenado Caesar. De Jack Gardner no cabía esperar que hiciera ninguna estupidez. Estaba sentado a la mesa con los ojos cerrados y atado de pies y manos; parecía que estaba musitando una especie de oración. De la bolsa de deporte sobresalían algunos fajos de billetes de cien dólares. La mesa de la cocina estaba repleta de paquetes de comida china.

Caesar iba a preguntar a Jimmy cuánto dinero había en la bolsa y qué había salido mal, pero el hijo de Leo se le adelantó:

—¿Qué haces ahí mirando? ¡Haz algo!

Caesar cogió un trozo de pollo con semillas de sésamo y se lo metió en la boca.

—Estoy viendo la que has liado, Jimmy. Al parecer me has hecho venir para que yo arregle las cosas. ¿Lo he entendido bien?

—Sí, lo has entendido muy bien. Y como ves, casi llegas tarde.

Caesar no estaba en absoluto de acuerdo, pero eso no lo sabía el ensangrentado Jimmy Roma. Caesar miró su reloj y calculó de cuántos minutos disponía como máximo antes de que la policía reaccionara a las llamadas de los preocupados vecinos que sin duda habían oído los disparos.

—¿Por qué tengo que ir siempre detrás de ti arreglando las cosas? —preguntó Caesar—. De camino aquí me preguntaba cómo hemos llegado a esto. Entré hace años al servicio de tu padre. Nunca he recibido quejas. Pero desde que saliste de la trena da la impresión de que siempre estoy arreglando cosas. Restos de comida, prendas, cintas de vídeo, esto va de mal en peor. ¿Es que tengo que ponerme uniforme y volverme basurero? Y ahora quieres que arregle las cosas con estas personas en tu nombre. ¿Es que no podías solucionar esto tú solo?

Jimmy apretó la mano contra la herida abierta de su estómago. «No, Willow. Porque después de haber arreglado el follón que he montado, también me habría gustado mandarte al cielo de los enanos, para que dejaras de intentar convencer a Leo de que no soy digno de su confianza.»

—Caesar, tal vez podría haberlo hecho mejor, tal vez debería haber arreglado mi propio follón; pero, como ves, ya no puedo hacerlo. Me estoy desangrando. ¿Comprendes? Si no te das prisa tal vez sea demasiado tarde. ¿Has pensado qué dirá papá cuando se entere de que has dejado que me desangre? No, claro que no has pensado en ello todavía. Puedo asegurarte que no le gustará, Caesar. Por eso te digo una vez más: dispara a esos dos, llama a Sally Rosen de Brooklyn, dile que tienes un herido de bala que necesita una intervención urgente y llévame allí. Hay que sacar esta bala de mi cuerpo.

Sally Rosen era un médico que había sido expulsado del hospital donde trabajaba después de que muriera un paciente durante una operación rutinaria. Desde entonces Rosen ayudaba a personas que, por diversos motivos, no querían que su nombre figurase en el registro de un hospital; la mayoría eran criminales que pagaban la «operación» al contado. Rosen era un experto en la extracción de balas, independientemente del calibre de la pistola de la que procedieran. Entretanto el hombre llevaba años ejerciendo de carnicero «oficial», y estaba bien que ninguno de sus clientes tuviese ni idea de qué ocurría, sobre todo por las noches, en la trastienda de su negocio. Jimmy sabía que, si quería sobrevivir, debía acudir con urgencia a ver a Rosen.

—Tu padre me ordenó que utilizara esta pistola únicamente para defenderos a ti y a él. No para matar a otra gente, como ya sabes.

—¿Caesar? ¿Me escuchas? Me estoy desangrando, y tú me hablas de algo que dijo mi padre. ¿No te das cuenta de que es una situación de emergencia? En este momento es importante que no pienses en lo que haya dicho mi padre. Ahora lo más importante es que me escuches, que hagas lo que yo digo. Si continúas perdiendo el tiempo, ya no tendrás que preocuparte de lo que te haya dicho mi padre porque ya no trabajarás para él. Te despedirá. Por última vez, Caesar: dispáralos y llévame hasta Rosen. Ahora.

Caesar negó con la cabeza.

—No puedo utilizar esta pistola para ese tipo de cosas. Lo siento.

El dolor que Jimmy sentía aumentó. La herida comenzaba a latirle cada vez con más fuerza y al mirar hacia abajo vio que su mano ya no lograba contener la sangre. El líquido de color rojo oscuro rezumaba en pequeños hilillos entre sus dedos. Miró a Caesar. Estaba allí, con la Beretta suelta en la mano. ¿Qué hacía? Estaba... Parecía que... Parecía estar esperando, esperando que Jimmy se desmayara. Dios, se moría allí mismo mientras ese enano renegado lo miraba desde arriba. Intentó incorporarse, pero el dolor era demasiado grande. Ya no sentía las piernas. Sus brazos hormigueaban de una forma que lo asustaba. Una idea cruzó por su cabeza: «Éste es el final».

Se estaba muriendo.

—¿Caesar? —Jimmy hizo lo posible para que su voz sonara amable. Tal vez así le ayudara el enano. Sí, si era amable, el enano le ayudaría. Querido enano…—. ¿Caesar? Te autorizo a que utilices esa pistola. ¿Vale? Si papá se enfada contigo le diré que has disparado porque yo te lo ordené. ¿De acuerdo? Yo me encargaré de que no tengas problemas.

Caesar Malvi continuó mirando a Jimmy. El enano tenía a la vez una expresión de enfado y serenidad en la cara. ¿Por qué no decía nada?

—No le diré nada a papá —dijo Jimmy. Empezó a sentir pánico. Aquello se estaba alargando mucho, perdía demasiada sangre—. ¿Caesar? ¿Me oyes? No le contaré a papá lo que ha sucedido aquí. Si me ayudas ahora, olvidaremos toda esta charla. Correremos un tupido velo. Si crees que me he metido en líos, tienes toda la razón, y por eso no le diré a papá que tardaste en ayudarme, porque todo esto es culpa mía, no tuya. Debería agradecerte de rodillas que hayas venido. Y lo haría si pudiera. Pero no me quedan fuerzas para ponerme de rodillas, Caesar. Ya no siento las piernas.

Caesar continuaba mirando en silencio. De pronto Jimmy sintió una emoción que nunca había experimentado antes en presencia de Caesar Malvi. Jimmy se dio cuenta de que Caesar le daba miedo.

Caesar se limitaba a mirar sin mover un dedo, y peor aún, sin decir nada.

—Caesar si no dices nada, no sé qué piensas. Comprendo que me quieres hacer ver algo, pero, ¡por Dios!, dime qué, por favor. Así tal vez pueda decir algo que te reconforte.

Caesar se puso en movimiento. Levantó un poco la Beretta, y un poco más, y… «Mierda —pensó Jimmy—, esto no puede estar pasando…» Caesar le apuntaba con su pistola.

—Eh, espera un poco, ¿qué estás haciendo, Caesar? Apunta a otra parte. Acabaremos teniendo un accidente.

Pero Caesar no respondió. Continuaba apuntando a Jimmy con la Beretta. Todo estaba yendo por el lado equivocado. Jimmy lo sabía, pero no tenía ni idea de qué debía decir para que el voluble enano cambiara de opinión. Sin poder hacer nada, le dio un ataque de risa histérica.

—¿Eh, Caesar? ¿Qué vas a hacer exactamente? ¿Matarme a mí? Eso es absurdo y tú lo sabes. Te llamé para que vinieras a ayudarme, no para que me asesinaras. ¿Sabes lo que es ayudar, no?

—Sí, lo sé —dijo Caesar.

«Gracias a Dios», pensó Jimmy. Volvía a hablar. El enano había dicho que sabía qué significaba ayudar. Eso era el comienzo de una conversación. No era mucho y el cañón de la Beretta no dejaba de amenazar en su dirección, pero Caesar había dicho algo, y cualquier cosa era mejor que la presión de sus dedos sobre el gatillo. Tal vez aún quedara esperanza. Tal vez a Jimmy se le había pasado algo por alto. Algo que podría ayudarle. Algo que hiciera ver a Caesar que matarle a tiros era una idea condenadamente mala. Algo como… ¡Dios, claro! ¡La bolsa! La bolsa del dinero. Ésa era su salvación.

—Caesar, espera. Apunta a otra parte. Ya sé por qué estás enfadado. Te sientes menospreciado. Y tienes razón. Te llamo para que hagas el trabajo sucio, sin contarte cuál será tu recompensa. Ha sido una estupidez por mi parte. Sí, he sido muy estúpido y ahora piensas que te estoy utilizando. Me lo puedo imaginar. Por supuesto tú no haces esto porque sí. Quieres algo a cambio. Quieres dinero. Sí, Caesar, tienes razón. ¿Y quieres que te diga algo? Eso no es ningún problema. ¿Dinero? Tengo una bolsa llena. Mira, allí está. Dos millones de dólares. ¿Cuánto quieres? ¿Quinientos mil?

El enano no dijo nada.

—Eso es un montón de dinero, Caesar. Quinientos mil dólares… No hubo respuesta. «¡Mierda!»

—¿Sabes qué? Que sean setecientos mil. Por ser tú. Mi pequeño amigo Caesar Malvi, siempre tan amable conmigo.

Jimmy vio que el enano negaba con desprecio con la cabeza.

—¿La mitad? —gimió Jimmy—. ¿La mitad, Caesar? Piénsalo bien. Un millón de dólares. Puedes alquilar un coche y largarte de esta jodida isla, irte sin más al encuentro de la puesta de sol. ¿Te lo imaginas? California, Nueva Orleans, México, puedes ir a cualquier parte, donde quieras, puedes empezar de nuevo.

Caesar Malvi no dijo nada. Dios, ¿qué le pasaba a aquel pequeño hombre? ¿Por qué no hacía simplemente lo que Jimmy le ordenaba como siempre? Jimmy le había ofrecido un millón de dólares y Caesar se comportaba como si acabara de ordenarle que llevara sus camisas a la tintorería.

Pero el enano parecía dudar. Miró de reojo la bolsa del dinero. Y entonces, Jimmy dio gracias al Señor, si es que existía. Caesar bajó la Beretta y se volvió hacia Cordelia Malone que continuaba arrodillada en el suelo de la cocina suplicando en susurros a su ensangrentado marido que no se muriera. Malone sangraba mucho; las ranuras del suelo de roble blanco a su alrededor se llenaron del líquido rojo oscuro. El negro seguía respirando, pero no estaba mucho mejor que Jimmy.

Caesar parecía evaluar la situación. Jimmy quería gritar que debía darse prisa; pero no se atrevía a correr el riesgo de que el enano volviera a enfadarse, de modo que mantuvo la boca cerrada y esperó. Caesar se dirigió al cubo transparente del tamaño de una papelera que había junto a la nevera. El cubo estaba lleno de bolsas de plástico amarillas y azules del videoclub Blockbuster. Caesar sacó tres bolsas y las dejó sobre la mesa de la cocina. A continuación levantó la bolsa de deporte y la dejó al lado de las bolsas de plástico.

Jimmy contuvo la respiración.

Y volvió a respirar aliviado cuando Caesar se dirigió a Cordelia y dijo:

—Saca la mitad del dinero de la bolsa de deporte y métela en las bolsas de plástico. Rápido.

Cordelia pareció dudar, al parecer no quería apartarse de su ensangrentado marido. Jimmy la vio mirar aterrorizada a Caesar y entonces, como si el enano la obligara con la mirada, se levantó, anduvo hasta la mesa y comenzó a trasladar fajos de billetes de cien dólares de la bolsa de deporte a las tres bolsas del Blockbuster.

Jimmy cerró los ojos y en silencio dio gracias a las fuerzas que habían hecho que Caesar decidiera aceptar su oferta. Las fuerzas que habían hecho que el enano decidiera que un millón de dólares era suficiente para olvidar el pasado. Las fuerzas... Jimmy volvió a sentir un dolor punzante en su estómago. Miró a Cordelia que pasaba tan rápido como podía billetes de banco de una bolsa a las otras. Jimmy pensó que lo hacía deprisa, pero no lo suficiente.

—Caesar, métele prisa.

Caesar no dijo nada.

—Caesar —continuó Jimmy—, no hace falta que repartamos el dinero ahora mismo. Deja el resto en la bolsa de deporte. Necesito ayuda.

Caesar continuó mirando cómo Cordelia trasladaba los billetes de banco. «Deprisa, pero no lo suficiente», volvió a pasar por la cabeza de Jimmy.

—¡Caesar, por favor! Esto no va bien. Me muero. Dios, ayúdame...

¿Estaba viendo que el enano se reía?

—¿Caesar?

Pero el enano no le prestó ninguna atención. El pequeño remolón sacó el móvil de un bolsillo interior de su cazadora de piloto. Marcó un número y esperó. Jimmy rezó para que estuviera llamando a Sally Rosen. Tenía que advertirle de que Jimmy iba para allá y decirle que fuera sacando sus escalpelos, que estaba en juego la vida de Jimmy.

—¿Sally? —dijo el enano por teléfono—. Soy Caesar. Tengo una emergencia.

Jimmy casi llora de felicidad. El enano iba a ayudarle.

—No —dijo Caesar—. Corre prisa. Si el tráfico ayuda, dentro de media hora, creo. No, no te preocupes. —Caesar miró las bolsas de dinero de la mesa y añadió—: Se te pagará al contado. Una herida de bala, sí. Una bala, eso es todo. No, yo no iré. Es probable que no vuelvas a verme en Nueva York. ¿Vacaciones? Sí, podría decirse que sí.

Caesar cortó la comunicación.

Jimmy se alegraba de que Caesar hubiera llamado a Sally, pero había algo que no encajaba. Mientras el enano se guardaba el teléfono, dijo:

—Caesar, ¿a qué te refieres con eso de «yo no iré»? Tienes que llevarme. Estoy a punto de desmayarme así que no puedo conducir el Jaguar —y como Caesar no respondía, Jimmy continuó diciendo—: Y con toda esta sangre puedo ir olvidándome de coger un taxi.

—Creo que ésta es la mitad más o menos —dijo Cordelia Malone.

En cuanto terminó de contar volvió al lado de su ensangrentado esposo. Malone había conseguido moverse un poco y estaba apoyado entre la nevera y el cubo de bolsas del Blockbuster.

Jimmy se preguntaba a qué estaba esperando Caesar, por qué no acababa ya con el sufrimiento de esos dos. Iba a preguntarlo pero en el último momento cambió de opinión. Tenía cosas más importantes en la cabeza, como la bala en su estómago, por ejemplo. Había que sacarla. Si el enano quería a toda costa dejar con vida a Malone y a su mujer, que así fuera. ¿A él qué le importaba? No llegarían muy lejos. Malone sangraba casi tanto como Jimmy, y si llegaban lejos... Dios, ¿por qué se preocupaba por eso? A fin de cuentas tenía un millón de dólares, Malone y su mujer se tenían mutuamente. Sólo quedaba preguntarse a qué esperaba Caesar. Jimmy vio que volvía a rebuscar en su bolsillo interior y sacaba un trozo de papel arrugado. Dejó el papel en la mesa, lo estiró y comenzó a garabatear. A continuación fue hacia Cordelia, le dio el papelito y le susurró algo que Jimmy no logró entender.

—Te propongo algo —dijo Caesar a Cordelia. Miró a Winston y preguntó—: ¿Puede levantarse?

Cordelia no entendía adónde quería ir a parar Caesar con aquella pregunta. Lo miró con expresión interrogante y se preguntó por qué susurraba. A su espalda oyó a Jimmy Roma quejarse y gritar de dolor. Caesar no prestó ninguna atención al hijo del heladero. En lugar de eso miró a Winston. Cordelia llegó a pensar que incluso miraba con preocupación a su marido. Observó detenidamente la dirección de Brooklyn escrita en el papel que acababa de darle Caesar. Era la dirección de Sally Rosen, el médico con el que había hablado por teléfono hacía un momento. Cordelia estaba tan confusa que olvidó responder a la pregunta de Caesar.

—¿Puede levantarse? —volvió a preguntar Caesar, siempre en susurros.

Cordelia lanzó una mirada preocupada a su ensangrentado marido y dijo:

—¿Winston?

Winston le miró con los ojos inyectados en sangre.

—¿Sí?

—¿Puedes levantarte?

—No lo sé.

—¿De qué estáis hablando? —gritó Jimmy Roma—. ¡Hablad más alto, Caesar!

Caesar lo ignoró. Se volvió hacia Winston y dijo:

—Te propongo algo. Puedo ayudarte. La dirección que le he dado a tu mujer es de un médico. No de un hospital, sino de alguien que… digamos que trabaja clandestinamente. No te pedirá el nombre ni tu dirección. Cuando llegues dale mil dólares. A cambio te sacará la bala de la espalda. —Al otro lado de la cocina Jimmy continuaba despotricando. Le ordenaba a Caesar que fuera inmediatamente. Pero Caesar no oía a Jimmy o hacía como si no lo oyera. Seguía mirando a Winston—: Mi propuesta es simple: nos repartimos el dinero. Vosotros un millón, yo un millón. Vosotros vais a ver a Sally Rosen a Brooklyn con el Jaguar. Yo os acompaño de momento y paro al primer taxi que encontremos. Una vez que Sally haya extraído la bala, descansáis un poco en un hotel en el que se pueda pagar en efectivo y salís de la ciudad en un Greyhound.

Cordelia no daba crédito a sus oídos. Caesar quería dejarles la mitad del dinero y ayudar a Winston.

—Winston, debes intentar levantarte.

—¿Entonces estáis de acuerdo? —inquirió Caesar.

Cordelia se preguntó si tenía otra elección. Caesar era el que tenía pistola, ¿por qué le pedía su aprobación? Pero al parecer Caesar quería que aceptara su propuesta, así que dijo:

—Sí, estamos de acuerdo.

—¿En qué? —bramó Jimmy Roma—. ¿En qué estamos de acuerdo?

Cordelia miró a Caesar.

—¿Y qué va a pasar con él?

—No te preocupes por eso —dijo Caesar—. Preocúpate de levantar a Winston y de que llegue al Jaguar. Entretanto, yo me ocuparé de Jimmy.

Cordelia se preguntó qué pensaría hacer Caesar con Jimmy Roma. ¿Iría a dejarlo allí? ¿Iba a matarle? Quería preguntárselo, pero entonces pensó en Winston. No sabía si estaba muy grave, si necesitaba ayuda con urgencia. Lo cogió por el antebrazo y tiró de él hacia arriba haciendo un esfuerzo extremo. Caesar le echó una mano hasta que tuvo el brazo izquierdo de Winston rodeándole el cuello para que ella pudiera sostenerlo. Con la mano libre cogió las bolsas del Blockbuster y las levantó de la mesa.

Comenzó a deslizarse poco a poco hacia la puerta con Winston. A cada tres pasos le oía quejarse. Cuando casi habían salido de la cocina, se volvió una vez más hacia Jack Gardner. Estaba sentado a la mesa con los ojos cerrados y parecía encontrarse en estado de *shock*. Cordelia casi había olvidado que él continuaba allí, el hombre con el que había pasado tantas horas de televisión. Jimmy Roma estaba detrás de Gardner y la miraba con desesperación, como si no pudiera creer que ella estuviera saliendo de la cocina delante de él con Winston y un millón de dólares. Y sin embargo era lo que estaba ocurriendo. Ella se dio la vuelta, susurró a Winston en el oído que debía aguantar un poco más y traspasó el umbral de la cocina. Detrás de ella oyó a Jimmy, que apenas podía hablar, diciendo algo que sonaba como:

—Caesar... haz algo... dispar... están huye...

41

Caesar Malvi bajó la mirada hacia el hombre que le había quemado la sangre durante tres meses. «Qué rumbo tan raro puede tomar la vida —pensó—. En un momento crees que vas a hacer un ingrato trabajo de mierda y al siguiente eres el propietario de una bolsa de deporte con un millón de dólares.» Apartó un poco la cortina de la ventana de la cocina y vio a Cordelia y a Winston Malone avanzando lentamente hacia el Jaguar por la amplia acera. Mientras miraba la calle se preguntó por qué se había quedado con Jimmy en la cocina en lugar de salir inmediatamente de allí. Una voz interna le había ordenado que se quedara e hiciera callar de una vez por todas al hijo del heladero. Pero ahora que veía al calvo que le había estado martirizando desangrándose lentamente contra el armario de la cocina, se preguntó si poner fin a la situación con sus propias manos le haría sentirse mejor. Caesar no dudaba de que el hombre iba a morir de todos modos. En los años que llevaba trabajando para el heladero había visto a más de un hombre herido que no iba a salvarse. Reconocía los síntomas. ¿Por qué sentía entonces el deseo de apuntar la Beretta a la cabeza de Jimmy y apretar el gatillo mientras el hombre le miraba a los ojos? No lo sabía, pero no se sentía orgulloso de ello. De lo que sí se sentía orgulloso era de cómo estaba ayudando a Winston y a Cordelia. No estaba seguro de por qué lo hacía. Tal vez fuera porque Winston había sido reclutado por el heladero de la misma forma que el propio Caesar años atrás, cuando tenía deudas y su situación era desesperada. Tal vez Caesar compadecía a Winston por eso, porque sentía una extraña afinidad con el negro, o tal vez, pensó, les ayudaba porque Jimmy Roma había disparado a Winston y no deseaba que nadie muriera a causa del hijo enfermo mental de su ex jefe. Aunque quién sabe, quizá la simpatía que sentía por la pareja procediera del hecho de que habían sido las primeras personas que, tras sus años como campeón de *wrestling*, le habían tratado como a una persona: con respeto.

No se podía decir lo mismo de Jimmy Roma. Caesar pensó que el asunto en realidad tenía gracia. El mismo hombre que tanto le había humillado acababa devolviéndole involuntariamente la libertad al proporcionarle un millón de dólares sin que él tuviera que hacer nada a cambio. Cuando iba de camino a la vivienda de los Gardner había pensado que tendría que hacerse cargo de algún trabajo sucio; pero desde el momento en el que entró en la cocina y vio a Jimmy sentado impotente en el suelo con aquella herida abierta en el estómago, desde el momento en que vio la bolsa de deporte llena de dinero, supo que ése era su último día de trabajo al servicio de Leo Roma, que era el final de Jimmy y que para él comenzaba una nueva vida, una buena vida. Miró al calvo tumbado en el suelo y le dio la impresión de que intentaba decir algo, pero que ya no era capaz de hacerlo. Emitió un estertor que derivó en un ataque de tos. Caesar oyó el sonido de las sirenas aproximándose en la lejanía. Sacó la Beretta y sopesó el arma en la mano. Miró a Jimmy Roma. Dudó. Y entonces pensó: «No, que sufra hasta el final».

Logró llegar al Jaguar apoyándose en Cordelia. Winston estaba sentado en el asiento del acompañante viendo por el retrovisor cómo metía Cordelia las tres bolsas de plástico del Blockbuster en el maletero del Jaguar. En la lejanía aullaban las primeras sirenas.

Alguien que había oído los disparos debía de haber llamado a la policía. No quedaba mucho tiempo. Winston intentó no pensar en las sirenas. En lugar de eso miró a su fantástica mujer. Se esforzaba por ignorar el dolor agudo de su cuerpo, pero las punzadas cada vez eran más fuertes y frecuentes.

La puerta del conductor se abrió y Cordelia se puso al volante. Lo miró con preocupación y a continuación observó fijamente la puerta principal de la vivienda de los Gardner. Winston siguió su mirada y vio que Caesar salía con la bolsa de deporte al hombro. Caesar andaba con aplomo pero con premura, intentando no correr mientras aumentaba el volumen de las sirenas. Abrió la puerta trasera y arrojó la bolsa al interior. Después saltó al asiento y dijo:

—En marcha.

Cordelia arrancó el Jaguar. Salió de la calle 95 y giró en Park Avenue. En la lejanía Winston vio que se aproximaban coches de policía.

Giraron en la esquina, y después en otra más. A Winston le dolía todo el cuerpo.

Dos minutos después torcieron en la Segunda Avenida. Todos guardaban silencio; escuchaban las sirenas que se iban apagando progresivamente.

Lo habían conseguido.

Después de haber pasado quince manzanas por la Segunda Avenida, Caesar Malvi ordenó que se detuvieran. A la derecha de la calle había un taxi. Cordelia hizo lo que Malvi pidió, aminoró la marcha y aparcó el Jaguar junto a la acera.

Caesar salió, tiró de la bolsa de deporte y dijo:

—En el maletero hay una gran bolsa de viaje, puedes meter en ella las bolsas del Blockbuster. Conozco bien al doctor Rosen, pero con un millón de dólares en el bolsillo uno nunca sabe quiénes son sus amigos. Deja el Jaguar aparcado en la dirección del doctor y cuando te vayas dile que llame a Leo para que pase a recogerlo. Pídele también a Rosen que le diga a Leo que su hijo ha muerto y que Caesar no va a regresar. Mucha suerte.

Cordelia iba a dar las gracias a Caesar, pero antes de que pudiera decir nada, él cerró la puerta. Vio que hacía señas a un taxi y, pocos segundos después, Caesar Malvi desapareció de su vida.

42

Jimmy Roma deseó de pronto que su madre estuviera allí para protegerle, para decirle a ese falso enano que si no le dejaba en paz se iba a armar una buena. Nadie podía tocarle un pelo a su pequeño Jimmy. Pero entonces se dio cuenta de que Caesar ya no estaba, había desaparecido como Winston y Cordelia Malone. Como los dos millones de dólares. El único que continuaba con él en la cocina era el actor por el que había comenzado todo aquello. Jack Gardner seguía atado junto a la mesa, con un plato frío de pollo con sésamo y brócoli debajo de su nariz. Tenía los ojos cerrados.

Jimmy se preguntó si le quedarían fuerzas para levantarse, para ir hacia el actor y estrangularle. Eso, al menos, ya era algo. El dinero había desaparecido, pero tal vez estrangular a Jack Gardner le proporcionara una pequeña satisfacción. Si el tipo no hubiera intentado joderle en la fuente, habría podido seguir su plan original y sorprender a Malone en el metro. De ese modo nunca se le habría ocurrido la catastrófica idea de implicar a Caesar. De ese modo...

Estrangular al actor... Sí. Como premio de consolación.

Jimmy cogió fuerzas y apoyó las manos en el suelo.

No ocurrió nada.

Intentó mover las piernas.

Nada.

Miró al actor y asustado se dio cuenta de que se encontraba en la misma posición que en la sala de recreo de la penitenciaría. Estaba allí plantado y tenía que mirar al actor quisiera o no. ¿No era terrible la vida?

De pronto sintió unos brazos bajo sus axilas, brazos azules. Vio las mangas de un uniforme del NYPD. No recordaba haberles visto entrar. Lo estaban levantando. Oyó que alguien decía:

—Conozco a este tipo. Es Jimmy Roma.

Una segunda voz dijo:

—Éste era Jimmy Roma. ¿Ves esa herida de bala? No conseguirá llegar al hospital.

Jack Gardner abrió los ojos. Vio los uniformes azules y supo que todo había acabado, que continuaría con vida. Vio que dos agentes del NYPD se ocupaban de Jimmy Roma mientras esperaban que llegara la ambulancia. Otro agente le preguntó algo, pero no entendió al hombre.

Había sobrevivido.

Al oír el primer disparo, con el que el calvo había derribado al negro, había cerrado los ojos intentando fingir que no estaba allí. Como antiguamente, cuando se quedaba solo en la cama después de que su madre apagara la luz: apretaba los ojos y se decía a sí mismo que el cocodrilo que había debajo de su cama ansioso de sangre infantil, no aparecería si lograba mantener los ojos cerrados y no le veía. Pero lo que antes funcionaba, ahora no parecía ser suficiente. Los disparos eran simplemente demasiado ruidosos como para ignorarlos, de modo que había intentado pensar en otra cosa. Y sin saber por qué, le había venido a la cabeza la imagen de Chester Thomas, su agente. Ese agente que intentaba hacerle ver que debía sentirse satisfecho con el papel que interpretaba en la serie, que las películas de acción no estaban hechas para él. Pensó en su terraza favorita, en Bubby's, en el sol, en su fantástica vida, y se preguntó qué le había animado a querer actuar en una película de acción, en querer ser un criminal que va matando gente. Fue consciente de que lo que más deseaba no era más que una enorme equivocación, que menospreciar su papel en la serie había sido algo estúpido y arrogante. Ese día, mientras temblaba con los ojos cerrados y oía los disparos, disparos auténticos, sólo pensaba una cosa: «Querido Dios que estás en los cielos, haz que salga de aquí con vida, haz que mi hijo sobreviva a esto, sí, incluso mi adúltera mujer. Si lo haces, Dios, no volveré a quejarme nunca más. Mimaré mi papel en *While the Earth Spins*, rezaré todos los días, besaré los pies de mi agente...».

43

Cordelia conducía tan rápido como podía. Sabía que llevaba un millón de dólares en el maletero y que la policía lo encontraría si les detenían por rebasar el límite de velocidad. Pero también sabía que si se atenía a la velocidad permitida y Winston moría a su lado, se pasaría el resto de su vida preguntándose si apretando más el acelerador se hubiera salvado. Así que lo hizo. Tomó la Segunda Avenida a toda velocidad ignorando los semáforos e intentando hablar con Winston todo lo que podía para que no perdiera el conocimiento. Una sola vez llegó a adormilarse un poco. Le dio un golpecito en la mejilla y volvió en sí. No, aún no era demasiado tarde. Caesar Malvi les había dado una oportunidad y Cordelia iba a hacer cuanto estuviera en su mano para aprovechar esa oportunidad. Llegaría a tiempo a la dirección de Brooklyn.

A Winston cada vez le costaba más trabajo resistir. Le habría gustado dejar caer la cabeza sobre su pecho y cerrar los ojos, pero la voz de Cordelia simplemente se lo impedía. Le susurraba que continuara despierto, que mantuviera los ojos abiertos, que la mirase, y lo lograba, aunque haciendo un esfuerzo titánico.

Miró a su mujer que estaba al volante del Jaguar con expresión decidida. Era la misma expresión con la que disparó a Jimmy Roma cuando estaba a punto de apretar el gatillo por segunda vez.

Durante un largo segundo, Winston había creído que su vida llegaba a su fin. Pero Cordelia, su ángel salvador, estaba allí. Se preguntó de dónde habría salido Caesar. Al parecer el enano había surgido de la nada. Al principio pensó que Caesar iba a matarle, pero enseguida dedujo por el tono en el que Caesar hablaba con Jimmy Roma que tal vez no fuera así. Y no había sido así. Caesar incluso les había ayudado. Winston decidió que, a partir de ese día, no volvería a reírse de la gente pequeña.

Dios, qué cansado estaba.

Miró por la ventanilla. Se dirigían a la parte baja de la ciudad por la Segunda Avenida prácticamente desierta. La iluminación de la calle inundaba el Jaguar de franjas de aspecto extraño y surrealista. Fuera, todos los colores parecían mezclarse como las acuarelas: intensas luces rojas, amarillas, naranjas y blancas sobre un decorado de gigantescos almacenes grises y un cielo negro como boca de lobo. Las vistas le adormecían; pero como Cordelia no quería que se durmiera, intentó concentrarse en las líneas que había sobre el asfalto de la Segunda Avenida y que desaparecían en un tiempo endemoniado bajo el capó del Jaguar. Sí, fijarse en aquellas líneas blancas era mejor. Tenían un extraño efecto sedante en su fatigada mente.

De pronto (debió de haberse dormido un instante), las líneas habían desaparecido y ellos circulaban sobre el puente de Brooklyn. Allí tampoco había apenas tráfico. Muy por debajo de ellos Winston vio las relucientes aguas del East River, las luces de los barcos, las pequeñas incandescencias en la niebla, y en la lejanía la estatua de la Libertad y detrás de ella Staten Island, el lugar en el que había desperdiciado demasiados años de su vida.

Esa vida había terminado.

Para ahuyentar la extraña sensación que tenía en el cuerpo, decidió que era mejor cerrar los ojos y pensar en el futuro en lugar de en el presente.

Se vio con Cordelia en una terraza soleada en alguna parte de México saboreando un margarita. Vio una vieja casa de campo cerca del mar, paredes de color pastel, agua cristalina. Vio gallinas y cabras en un cercado, una chimenea. Cordelia regresaba del mercado·con botellas de vino y embutido. Comían en el porche de la casa escuchando el susurro del mar a sus espaldas y el cacareo de las gallinas en el cercado. Hacían el amor largo rato delante de la chimenea y se dormían abrazados.

Y cuando llevaran escondidos el tiempo suficiente, regresarían un día a Nueva York para cenar en el Tribeca Grill. Winston lo imaginaba con claridad: conducían un Mustang cabriolé amarillo hacia Manhattan y veían el horizonte negro destacando bajo el rojo resplandor del sol poniente. Era verano y el olor a carne a la brasa flotaba en el aire. Música de los sesenta en la radio. Cordelia dormía con la cabeza apoyada sobre su hombro.

En el Tribeca Grill les esperaba el vigilante, el mismo del sueño de Winston, pero con otra disposición. Anochecía en Manhattan y el resplandor rojo se convirtió en un velo rosáceo. El vigilante les saludaba amablemente con la cabeza y les daba las buenas noches. ¿Deseaban sentarse en el bar? ¿O preferían una mesa junto a la ventana? Eligieron un lugar junto a la ventana, pidieron vino —según dijo el camarero recomendado por el propio De Niro—, y brindaron por la vida. Acababan de terminar el primer plato cuando la puerta se abrió y allí estaba él, Robert de Niro en persona. Más bajito de lo que aparentaba en la pantalla pero no por ello menos imponente. Los clientes interrumpieron por respeto sus conversaciones. De Niro iba pasando por las mesas sonriendo, saludando de vez en cuando con la cabeza a algún cliente. Se detuvo un momento junto a la mesa de Winston y Cordelia.

Winston fue a decir algo, pero el actor continuó andando. ¿Serían imaginaciones suyas? No podía saberlo con seguridad, pero ¿qué importaba? Era libre. Se quedó mirando la calle a través de la ventana con sentimiento de felicidad. Ya había oscurecido y la iluminación de la calle teñía la acera de una intensa luz amarillenta.

Charles McCarry

Los fantasmas de Christopher

Berlín, 1939
Una historia de amor
y espionaje en pleno
auge del nazismo

Descubre la primera aventura
de Paul Christopher

alea

«McCarry es el verdadero maestro de John Le Carré.»
The New York Times

«Un novelista excepcional.»
Alan Furst

«Charles McCarry es un narrador con una profunda sensibilidad y conoce a la perfección los entresijos de los servicios secretos.»
The Washington Post

En la Australia rural un policía atormentado se
enfrenta a una trama de corrupción, racismo y
degeneración moral. El lado oscuro del paraíso

Ganador del premio Ned Kelly
de novela policiaca 2006

alea

Ganador del premio Ned Kelly de novela policiaca 2006 y del
Golden Dagger Award 2007.

«Con Peter Temple, la novela negra australiana alcanza la madu-
rez. Es tan buena como parece.»
The Sunday Age

«Con una trama que funciona, caracterizaciones perspicaces y diálogos creíbles, Peter Temple nos muestra una Australia auténtica
que no estamos acostumbrados a ver.»
The Times

Ganadora del premio
2004 de la crítica
alemana de novela negra
«Deutsche Krimi Preis»

Christopher G. Moore

Hora cero
en Phnom Penh

alea

«El Hemingway de Bangkok.»
The Globe and Mail

«La obra de Moore se arriesga, y mucho.»
International Herald Tribune

«Moore es un escritor de raza.»
Publisher's Weekly

«Podría describirse a Moore como un W. Somerset Maugham con un poco de Elmore Leonard y una pizca de Mickey Spillane.»
The Japan Times

Si ha disfrutado con la
lectura de esta novela y
desea más información sobre
los títulos de Alea,
consulte nuestra página web:
www.paidos.com/alea